ISBN 978-0-259-35412-3
PIBN 10663512

This book is a reproduction of an important historical work. Forgotten Books uses
state-of-the-art technology to digitally reconstruct the work, preserving the original format
whilst repairing imperfections present in the aged copy. In rare cases, an imperfection in
the original, such as a blemish or missing page, may be replicated in our edition. We do,
however, repair the vast majority of imperfections successfully; any imperfections that
remain are intentionally left to preserve the state of such historical works.

1 MONTH OF
FREE
READING

at
www.ForgottenBooks.com

By purchasing this book you are eligible for one month membership to ForgottenBooks.com, giving you unlimited access to our entire collection of over 700,000 titles via our web site and mobile apps.

To claim your free month visit:
www.forgottenbooks.com/free663512

Archiv

für

die Offiziere

der

Königlich Preußischen Artillerie-

und

Ingenieur-Corps.

From,   **Hein,**   **C. Hoffmann,**
General im Ingen.-Corps.   Major b. Artillerie.   Major b. Artillerie.

Funfzehnter Jahrgang.
Dreißigster Band. Erstes Heft.

Berlin und Posen 1851.
Druck und Verlag von E. S. Mittler und Sohn.
Zimmerstr. 84. 85.

Das Archiv wird auch künftig in Jahrgängen zu 6 Heften oder 2 Bänden erscheinen, und ungeachtet seiner weiteren Ausdehnung denselben Preis behalten. Die Herren Verfasser werden ergebenst ersucht, ihre Einsendungen portofrek an die Redaktion, oder an die Buchhandlung von E. S. Mittler und Sohn zu richten und zugleich zu bestimmen, ob ihr Name dem Aufsatz vorgedruckt werden soll oder nicht. Auf Verlangen werden für den Druckbogen bei Originalaufsätzen 6 Thlr. und bei Uebersetzungen 5 Thlr. gezahlt. Besondere Abdrücke der Aufsätze müssen nach Maßgabe ihres Umfanges und ihrer Anzahl der Buchdruckerei vergütigt werden.

Sollten den Herren Subscribenten einzelne Hefte früherer Jahrgänge abhanden gekommen seyn, so können dergleichen, so weit der Vorrath noch reicht, ersetzt werden; die noch vorhandenen früheren Jahrgänge werden zu der Hälfte des Ladenpreises abgelassen.

Inhalt.

I.

Das Feldartillerie-System nach dem Vorschlage Louis Napoleon Bonapartes, Präsidenten der französischen Republik.

In dem ersten Theile dieser Arbeit haben wir eine Beschreibung des vorgeschlagenen Feldartillerie-Systems geliefert, wie sie vom Kapitain Favé veröffentlicht worden ist; wir lassen nun zuvörderst das Programm der Versuche, die mit dem projektirten 12pfündigen Granat-kanon von vier französischen Artillerieschulen im Jahre 1850 angestellt worden sind, dann den Bericht über die Resultate der Versuche folgen und wollen später eine Kritik der dem vorgeschlagenen System gemachten Einwürfe dem Leser vorlegen.

I. Programm der im Jahre 1850 ausgeführten Versuche.

Der Vorschlag des Präsidenten der Republik wurde dem Komité der Artillerie vorgelegt, dieses beantragte die Ausführung von Vergleichsversuchen zwischen den vier bestehenden Feldgeschützen und dem 12pfdigen Granatkanon. Der Kriegsminister genehmigte diesen Antrag, in Folge hievon wurden die Versuche nach dem von dem Artilleriekomité am 19. April 1850 festgesetzten Programm ausgeführt. Dasselbe lautete wie folgt:

Programm der in den Artillerieschulen von Metz, Straßburg, Toulouse und Vincennes über das von Louis Napoleon Bona-

Das Ziel für die Kugeln und Granaten bildet eine Scheibe von sichtenen Brettern, 0,027 Meter stark, 30 Meter lang und 3 Meter hoch. Dieselbe ist auf der ganzen Oberfläche weiß anzustreichen und durch einen Horizontalstrich von schwarzer Farbe in zwei Hälften von 1,50 Meter Höhe zu theilen. Vertikalstriche mit Abständen von einem Meter und von der Mitte aus nach beiden Enden mit 1 bis 15 numerirt, sind zur Erleichterung der Aufnahme der Treffer anzubringen. Ein schwarzer Kreis von dem üblichen Durchmesser zeigt den Mittelpunkt der Scheibe an.

Für den Kartätschschuß sind hinter dieser Scheibe 5 andere von 10 Meter Länge und 3 Meter Höhe mit Abständen von 0,50 Meter so aufzustellen, daß ihre Mitte sich genau hinter der Mitte der großen Scheibe, sie selbst sich aber parallel zu dieser befinden. Die Beobachter sind mit Pinseln und schwarzer und weißer Farbe zu versehen, um bei jeder Aufnahme die Spuren der Treffer zu vernichten und so jede Verwirrung zu vermeiden.

Durch einige Probeschüsse hat die Kommission vor Beginn der Versuche für die verschiedenen Entfernungen die Aufsatzhöhen des neuen Geschützes bei Anwendung der einzelnen Geschoßarten zu ermitteln. 50 Schuß werden zu dieser Ermittelung genügen.

Die nachfolgenden Tableaus liefern den ersten Anhalt.

Granatkanon beim Kugelschuß:

		Auf der Entfernung von Meter:				
		500	600	700	800	900
Ladung von 1,50 Kilogr.	Maaß, um das man unter die Scheibe richten muß . . .	0,35	—	—	—	—
	Aufsatzhöhen	—	0,008	0,017	0,028	0,040

Granatkanon beim Granatschuß:

		Auf der Entfernung von Meter:				
		500	600	700	800	900
Ladung von 1,225 Kilogr.	Maaß, um das man unter die Scheibe richten muß . . .	2,80	2,30	0,75	—	—
	Aufsatzhöhen	—	—	—	0,006	0,017

Man schießt zuerst 5 Schuß mit Kugeln und Granaten auf 500 Meter, 10 auf 700 und 10 auf 900 Meter, darauf bestimmt man die mittlere Höhe der Schüsse und korrigirt den Aufsatz, wenn diese Linie bedeutend von der, durch den Mittelpunkt der Scheibe gehenden Horizontalen abweicht. Abweichungen, die den Aufsatzhöhen von 0,001 und 0,02 Meter entsprechen, bleiben unberücksichtigt.

Für die Beobachter ist ein zweckmäßig placirter Sicherheitsstand zu errichten.

Die Wahrscheinlichkeit des Treffens. Jeder der drei Züge, die zur Ermittelung der Treffwahrscheinlichkeit benutzt werden, erhält die feldkriegsmäßige Ausrüstung:

Der 12pfdige Zug	1 12pfdiges Kanon mit 10 Protzen	210 Kugelschuß, 20 Kartätschschuß.
	1 16 Cent. Haubitze mit 10 Protzen	132 16 Cent. Granaten, 14 Kartätschwurf.
Der 8pfdige Zug	1 8pfdiges Kanon mit 7 Protzen	196 Kugelschuß, 28 Kartätschschuß.
	1 15 Cent. Haubitze mit 7 Protzen	140 15 Cent. Granaten, 14 Kartätschschuß.
Der Granatkanonenzug	2 12pfündige Granatkanonen mit 14 Protzen	182 12pfdige Kugeln, 182 12pfdige Granaten, 28 Kartätschschuß.

in Summa 1146 Schuß.

Das Approvisonnement der 3 Züge wird in Bezug auf die Kugeln und Granaten auf den 5 Entfernungen von 500, 600, 700, 800 und 900 Meter und in Bezug auf die Kartätschen auf den 3 Distancen von 400, 500 und 600 Meter verfeuert. Es geschehen möglichst gleich viel Schüsse jeder Art auf jedem Standorte, wie es das nachstehende Tableau anzeigt:

		100	500	600	700	800	900	Summa.
		Entfernung von Meter.						
Kugel-schuß.	12pfdiges Kanon . . .	—	42	42	42	42	42	210
	8pfdiges Kanon . . .	—	39	39	39	39	40	196
	1. Granatkanone . .	—	18	18	18	19	18	91
	2. Granatkanone . .	—	18	18	18	18	19	91
Granat-schuß.	16 Centimeter Haubitze	—	26	26	26	27*	27*	132
	15 Centimeter Haubitze	—	28	28	28	28*	28*	140
	1. Granatkanone . .	—	18	18	18	19	18	91
	2. Granatkanone . .	—	18	18	18	18	19	91
Kartätsch-schuß.	12pfdiges Kanon . . .	6	7	7	—	—	—	20
	8pfdiges Kanon . . .	9	9	10	—	—	—	28
	1. Granatkanone . .	4	5	5	—	—	—	14
	16 Centimeter Haubitze	4	5	5	—	—	—	14
	15 Centimeter Haubitze	4	5	5	—	—	—	14
	2. Granatkanone . .	4	5	5	—	—	—	14
	Summe	31	243	244	207	210	211	1146

* Schritt.

Die Wahrscheinlichkeit des Treffens wird vergleichsweise für den Kugel-, Granat- und Kartätschschuß festgestellt.

1) Für den Kartätschschuß. Die Versuche bezüglich des Kartätschschusses werden mit den 6 Geschützen der drei Züge ausgeführt, indem man zwei Serien bildet, nämlich:

in der einen das 1. Granatkanon mit dem 12- und 8pfdigen Kanon,

in der zweiten das 2. Granatkanon mit der 16 und 15 Centimeter Haubitze.

Bei dieser Schußart werden die Spuren auf der Scheibe bedeutend zahlreicher als bei dem Kugel- und Granatschuß sein, andererseits ist aber die Zahl der auf jeder Entfernung auszuführenden Schüsse sehr beschränkt, man wird daher ohne Schwierigkeit die Treffer für jedes der 3 Geschütze auf den verschiedenen Entfernungen in einem Scheibenbilde verzeichnen können, so daß dadurch 18 Scheibenbilder entstehen.

Man schießt auf jeder Entfernung die sämmtlichen Kartätschschuß aus einem Geschütze, nimmt aber nach jedem einzelnen Schusse auf.

Der Hauptbeobachter bezeichnet die Treffer auf der großen Scheibe mit folgenden Zeichen:

+ die Kugel hat durchgeschlagen,

$=$ die Kugel hat angeschlagen und einen Eindruck von mehr als
5 Millimeter hervorgebracht,

— die Kugel hat angeschlagen, aber einen Eindruck von weniger
als 5 Millimeter verursacht.

Für jede der hinteren 5 Scheiben muß ein besonderer Beobachter bestimmt werden, der dem Hauptbeobachter anzugeben hat: die wievielste
Scheibe — wie viel Löcher — wie viel starke Anschläge — wie viel
schwache Anschläge.

2) Für den Kugelschuß. Man schießt zuerst auf der größten
Entfernung (900 Meter) aus dem 12pfder, dem 8pfder und den beiden Granatkanonen die ganze Zahl der festgesetzten Schüsse, und zieht,
nachdem die erste Granatkanone 18 Schuß gethan, die zweite zum
Versuch heran.

Darauf verfährt man nach einander auf den Entfernungen von
800, 700, 600 und 500 Meter ebenso.

Um jeden Zeitverlust zu vermeiden, geschieht die Aufnahme nur
nach einer Lage, d. h. nachdem der 12pfder, der 8pfder und das Granatkanon einmal abgefeuert haben. Bei ungleicher Schußzahl setzen
die Geschütze, die mehr Schüsse zu thun haben, das Schießen fort,
wenn auch eines oder beide andere bereits halten müssen. Die Treffer werden für jedes Geschütz auf einem besonderen Scheibenbilde für
jede einzelne Entfernung verzeichnet.

Auf dem Scheibenbilde werden gleichfalls graphisch die zu kurz
und zu weit gegangenen Schüsse verzeichnet; der Aufnehmende hat
hienach am Schlusse des Schießens die mittlere Höhe der Schüsse an-
zudeuten.

Wenn man im Laufe des Versuchs genöthigt gewesen, den Aufsatz zu ändern, so werden die Schüsse, die mit dem modifizirten Auf-
satze geschehen, durch besondere Zeichen markirt und für diese speziell
die mittlere Höhenlinie ermittelt und angedeutet.

3) Für den Granatschuß. Man verfährt auf dieselbe Weise
in Bezug auf die Vergleichsversuche mit der 15 und 16 Centimeter
Haubitze und dem Granatkanon. Die Aufnahme der Schüsse geschieht
wie bei den Kanonen, und werden dieselben Scheibenbilder hiebei
verwendet.

Die Wirkung der Geschosse. Zwanzig Schuß geschehen aus jedem der beiden Granatkanonen, 10 mit Kugeln und 10 mit Granaten, im Vergleich zu 10 Schuß aus jedem der 4 bestehenden Kaliber. Die Beschaffenheit des Kugelfanges, gegen den das Schießen stattfindet, muß in dem Protokolle genau angegeben werden. Die Geschütze werden für den Kugelschuß in einer Entfernung von 20 bis 30 Meter vom Ziele aufgestellt, nach jedem Schusse wird mit einer ungefähr 4 Meter langen Sonde die Tiefe des Eindringens gemessen und letztere in der Aufnahmetabelle verzeichnet.

Beim Granatschuß wählt man eine Entfernung, die das Zerschellen der Geschosse verhindert. Außer diesen Versuchen wird in den Schulen von Vincennes und Metz der balistische Pendel benutzt, indem man bei den angenommenen Ladungen 10 Schuß mit Kugeln und 10 mit Granaten aus dem Granatkanon thut. Hiebei bleibt die Granatkanone in ihrer Laffete, der Rücklauf wird durch Faschinen und andere elastische Materialien gemindert, die Räder gehemmt. Man wählt hiezu eine Laffete, die zu dem weiteren Schießen nicht verwendet wird.

Die Haltbarkeit der Laffeten. Der Versuch wird mit neuen gewöhnlichen Laffeten zu 8pfündern, deren Block verstärkt ist, ausgeführt; eine Granatkanone auf einer, die andere auf einer andern liegend, der 8pfder auf einer gewöhnlichen Laffete, die 15 Centimeter Haubitze auf einer verstärkten Laffete.

Die gebrochenen Laffeten werden durch solche derselben Gattung ersetzt.

Unweit des Kugelfanges bereitet man eine geneigte Ebene von 5 Grad Neigung von hinten nach vorn vor, deren Oberfläche stets erneuert wird, wenn sie Schaden gelitten hat.

Um die Laffeten in vollkommen gleiche Verhältnisse zu setzen, wird die zweite Hälfte des Versuchs von einer Bettung ausgeführt, die folgendermaßen gebildet ist. Unter jedes Rad kommt eine Mörserrippe, zwei unterstützen den Block.

Man schießt 20 Schuß aus jedem Geschütz unter dem Winkel von 5 Grad, so daß also bei der Neigung des Bodens das Rohr eine horizontale Lage hat und darauf 10 Schuß unter einem Winkel von 10 Grad. Auf diese Weise wird aus jedem Geschütz die Hälfte eines

Approvisionnements verfeuert, indem man stets abwechselnd 20 Schuß mit 5 Grad und 20 mit 10 Grad thut. Wenn bei einem Geschütze 5 Laffeten brechen, so ist der Versuch entscheidend und kann abgebrochen werden.

Für jede Laffete müssen die nach und nach eintretenden Beschädigungen mit der korrespondirenden Schußzahl angegeben werden und zwar möglichst speziell präzisirt; getuschte Croquis werden die Worte veranschaulichen.

Die Kommission hat einen detaillirten Bericht über das Resultat der Versuche abzustatten, und muß der Werth einer aus 6 Granatkanonen zusammengesetzten Batterie im Vergleich mit einer gegenwärtigen 12pfdigen und 8pfdigen erörtern. Die Verhandlungen und Scheibenbilder sind diesem Berichte beizufügen, das Ganze aber an den Kriegsminister zu adressiren, wobei der General und Kommandant der Artillerie seine eigene Ansichten auszusprechen hat.

II. Bericht über die im Jahre 1850 mit dem von Louis Napoleon Bonaparte vorgeschlagenen Feldartilleriesystem ausgeführten Versuche.

1. Gegenstand der Versuche.

Das System, das der Präsident der Republik vorgeschlagen, beabsichtigt die 8- und 12pfdigen Kanonen und die 15 und 16 Centimeter Haubitzen durch ein einziges Geschütz, eine 12pfdige Granatkanone, zu ersetzen. Das Gewicht des Rohres derselben beträgt ungefähr 660 Kilogramme, es liegt auf der 8pfdigen Laffete und schließt die 12pfündige Kugel mit der Ladung von 1,50 Kilogramme und die 12pfdige Granate mit der Ladung von 1,225 Kilogramme.

Die 1850 in den Artillerieschulen von Vincennes, Straßburg, Metz und Toulouse angestellten Versuche hatten einen Vergleich des bestehenden Feldartilleriesystems mit dem vorgeschlagenen zum Zwecke und zwar in Bezug:

1) auf die Wahrscheinlichkeit des Treffens mit Kugeln und Granaten,
2) auf die Eindringungsfähigkeit der Geschosse in Erdreich,
3) auf die Wirksamkeit des Kartätschschusses,

4) auf den Rücklauf der Laffeten,

5) auf die Haltbarkeit der Laffeten beim Schießen.

2. Wahrſcheinlichkeit des Treffens.

Gemäß dem Programme iſt in jeder der vier Artillerieſchulen eine Feldausrüſtung einer 8pfdigen Diviſionsbatterie, einer Granatkanonen Diviſions- und einer 12pfündigen Reſervebatterie verfeuert worden. Die Schußzahl wurde dabei gleichmäßig auf die 5 Entfernungen von 500, 600, 700, 800 und 900 Meter vertheilt.

Die nachfolgenden Tabellen enthalten die von den 4 Kommiſſionen gezogenen Reſultate:

Tabelle 1. Kugelschuß.

Zahl der Schüsse und der Treffer in eine Scheibe von 30 Meter Länge und 3 Meter Höhe.

Kommission zu	Geschütze		Ladung. Kilogramme.	\multicolumn{5}{c}{Entfernung von Meter.}	Auf den 5 Entfernungen.
				500	600	700	800	900	
Toulouse	12pfündiges Kanon	Schußzahl	1,958	42	42	42	42	42	210
		Trefferzahl	—	28	21	19	14	16	98
	8pfündiges Kanon	Schußzahl	1,223	39	39	39	39	40	198
		Trefferzahl	—	27	20	15	10	15	87
	Granatkanon	Schußzahl	1,500	36	36	36	37	37	182
		Trefferzahl	—	20	23	16	11	16	86
Vincennes	12pfündiges Kanon	Schußzahl	1,958	42	42	42	42	42	210
		Trefferzahl	—	25	20	15	14	12	86
	8pfündiges Kanon	Schußzahl	1,223	39	39	39	39	40	198
		Trefferzahl	—	29	15	19	9	10	82
	Granatkanon	Schußzahl	1,500	36	36	36	37	37	182
		Trefferzahl	—	28	17	14	16	11	86
Straßburg	12pfündiges Kanon	Schußzahl	1,958	42	42	42	42	42	210
		Trefferzahl	—	25	26	21	12	10	94
	8pfündiges Kanon	Schußzahl	1,223	39	39	39	39	40	196
		Trefferzahl	—	23	15	13	16	12	79
	Granatkanon	Schußzahl	1,500	36	36	36	37	37	182
		Trefferzahl	—	27	19	16	17	10	89

Mit . . . . . { 12pfündiges Kanon { Schußzahl	1,958	42	42	42	42	210
Trefferzahl	—	30	25	18	23	112
8pfündiges Kanon { Schußzahl	1,223	39	39	39	39	196
Trefferzahl	—	26	19	16	10	80
Granatkanon { Schußzahl	1,500	36	36	36	37	182
Trefferzahl	—	25	19	21	14	91
Resultat der 4 Kommissionen:						
12pfündiges Kanon { Schußzahl	1,958	168	168	168	168	846
Trefferzahl	—	108	92	73	63	390
8pfündiges Kanon { Schußzahl	1,223	156	156	156	156	784
Trefferzahl	—	105	69	63	45	328
Granatkanon { Schußzahl	1,500	144	144	144	148	728
Trefferzahl	—	100	78	67	58	352
Mittleres Resultat der 4 Kommissionen in Prozenten, ausgedrückt:						
12pfündiges Kanon . . .	1,958	64,2	54,4	43,4	37,5	46,4
8pfündiges Kanon . . .	1,223	67,3	44,2	40,3	28,8	40,5
Granatkanon . . .	1,500	69,4	54,1	46,5	39,1	48,3

Das Granatkanon hat demnach auf allen Entfernungen, exel. der von 600 Meter, mehr Treffer als das 12pfündige Kanon und der 8pfünder gehabt. Die folgende Tabelle zeigt die Seitenabweichungen:

Tabelle 2. Kugelschuß.

Mittlere Seitenabweichungen in Meter.

Kommission zu	Geschütze	Ladung. Kilogramme.	Entfernung in Meter.					Mittel für alle 5 Entfernungen.
			500	600	700	800	900	
Vincennes	12pfündiges Kanon	1,958	1,58	1,96	2,59	3,51	2,82	2,49
	8pfündiges Kanon	1,223	1,09	1,98	2,50	4,04	4,15	2,75
	Granatkanon	1,500	1,63	2,17	2,06	3,53	3,80	2,63
Straßburg	12pfündiges Kanon	1,958	0,85	1,73	1,68	2,23	2,63	1,81
	8pfündiges Kanon	1,223	1,36	1,33	2,73	2,59	2,73	2,16
	Granatkanon	1,500	1,18	1,55	2,04	2,31	3,27	2,48
Toulouse	12pfündiges Kanon	1,958	1,24	1,64	1,67	3,16	3,31	2,22
	8pfündiges Kanon	1,223	1,66	1,99	2,43	3,53	4,08	2,74
	Granatkanon	1,500	1,68	2,12	2,87	2,41	3,31	2,48
Metz	12pfündiges Kanon	1,958	1,45	1,67	1,51	2,27	3,73	2,13
	8pfündiges Kanon	1,223	1,68	1,94	1,83	3,76	4,16	2,67
	Granatkanon	1,500	1,57	1,34	2,34	2,95	3,75	2,39
Mittel aus den Resultaten der vier Kommissionen:	12pfündiges Kanon	1,958	1,28	1,75	1,86	2,79	3,12	2,16
	8pfündiges Kanon	1,223	1,45	1,81	2,37	3,48	3,78	2,58
	Granatkanon	1,500	1,50	1,79	2,34	2,80	3,53	2,49

Die Seitenabweichungen des Granatkanon liegen demnach im Allgemeinen zwischen denen des 12- und 8pfündigen Kanons, sind denen des letzteren aber mehr genähert, als denen des ersteren.

Die Seitenabweichungen in den angegebenen Grenzen haben wenig praktischen Nachtheil, denn die Feldartillerie versucht nicht einen einzelnen Menschen zu treffen, sondern hat Ziele von größerer Ausdehnung, die eine größere Länge als Höhe darbieten.

Tabelle 3. Granatschuß.

Zahl der Schüsse und Treffer gegen eine 30 Meter lange und 3 Meter hohe Scheibe.

Kommissionen.	Geschütze.	Ladung.	Schüsse.	Entfernung in Meter.					Auf den 5 Entfernungen.
				500	600	700	800	900	
Toulouse.	16 Centimeter Haubitze	Große Ladung	Schußzahl	—	—	—	13	13	26
			Trefferzahl	—	—	—	5	8	13
		Kleine Ladung	Schußzahl	26	26	26	14	14	106
			Trefferzahl	9	7	7	3	3	29
	15 Centimeter Haubitze	Große Ladung	Schußzahl	—	—	—	13	13	26
			Trefferzahl	—	—	—	—	2	2
		Kleine Ladung	Schußzahl	28	28	28	15	15	114
			Trefferzahl	9	8	3	2	—	22
	Granatkanon	Ladung von 1,225 Kil.	Schußzahl	36	36	36	37	37	182
			Trefferzahl	24	30	21	11	15	101
Vincennes.	16 Centimeter Haubitze	Große Ladung	Schußzahl	—	—	—	13	13	26
			Trefferzahl	—	—	—	3	1	4
		Kleine Ladung	Schußzahl	26	26	26	14	14	106
			Trefferzahl	14	5	5	1	3	28
	15 Centimeter Haubitze	Große Ladung	Schußzahl	—	—	—	13	13	26
			Trefferzahl	—	—	—	5	1	6
		Kleine Ladung	Schußzahl	28	28	28	15	15	114
			Trefferzahl	10	4	4	1	—	19
	Granatkanon	Ladung von 1,225 Kil.	Schußzahl	36	36	36	37	37	182
			Trefferzahl	20	19	11	10	8	68

Ort	Geschütz	Ladung							Summa
Straßburg	16 Centimeter Haubitze	Große Ladung	Schußzahl	—	—	—	13	13	26
			Trefferzahl	—	—	—	5	6	11
		Kleine Ladung	Schußzahl	26	26	26	14	14	106
			Trefferzahl	13	9	8	2	—	32
	15 Centimeter Haubitze	Große Ladung	Schußzahl	—	—	—	13	13	28
			Trefferzahl	—	—	—	5	2	7
		Kleine Ladung	Schußzahl	28	28	28	15	15	114
			Trefferzahl	13	8	4	3	—	28
	Granatkanon	Ladung von 1,225 Kil.	Schußzahl	36	36	36	37	37	192
			Trefferzahl	23	26	10	13	10	82
Metz	16 Centimeter Haubitze	Große Ladung	Schußzahl	—	—	—	13	13	26
			Trefferzahl	—	—	—	7	4	11
		Kleine Ladung	Schußzahl	26	26	26	14	14	106
			Trefferzahl	14	7	5	2	—	30
	15 Centimeter Haubitze	Große Ladung	Schußzahl	—	—	—	13	13	28
			Trefferzahl	—	—	—	2	4	6
		Kleine Ladung	Schußzahl	28	28	28	15	15	114
			Trefferzahl	9	5	8	2	—	24
	Granatkanon	Ladung von 1,225 Kil.	Schußzahl	36	36	36	37	37	192
			Trefferzahl	30	27	20	18	16	111

Resultate der vier Kommissionen:

Geschütz	Ladung							Summa
16 Centimeter Haubitze	1,500 Kilogr.	Schußzahl	—	—	—	52	52	104
		Trefferzahl	—	—	—	20	19	39
	0,75 Kilogr.	Schußzahl	104	104	104	56	56	424
		Trefferzahl	50	28	25	8	8	119

Fortsetzung der Tabelle 8.

Geschütze.	Ladung.	Schüsse.	Entfernung in Meter.					Auf den 5 Entfernungen.
			500	600	700	800	900	
15 Centimeter Haubitze .	1 Kilogr. . . . . . {	Schußzahl	—	—	—	52	52	104
		Trefferzahl	—	—	—	12	9	21
	0,50 Kilogr. . . {	Schußzahl	112	112	112	60	60	456
		Trefferzahl	11	25	19	8	—	93
Granatkanon . . . . {	1,225 Kilogr. . . . . {	Schußzahl	144	144	144	148	148	728
		Trefferzahl	97	102	63	52	49	362

Mittlere Resultate der vier Kommissionen in Prozenten ausgedrückt:

Geschütze.	Ladung.	Schüsse.	500	600	700	800	900	Auf den 5 Entfernungen.
16 Centimeter Haubitze . {	1,50 Kilogr. . . . . {		—	—	—	36,4	36,4	37,5
	0,75 Kilogr. . . {		48,0	26,9	24,0	14,2	14,2	28,0
15 Centimeter Haubitze . {	1 Kilogr. . . . {		36,6	—	—	23,0	17,3	20,3
	0,50 Kilogr. . . {		—	23,3	16,9	13,3	—	20,4
Granatkanon . . . . {	1,225 Kilogr. . . . . {		67,3	70,8	43,0	35,0	33,0	49,7

Aus dem mittleren Refultate ergiebt sich ein sehr günstiges Ver=
hältniß für das Granatkanon, das bedeutend mehr Treffer geliefert,
als die beiden Haubitzen bei Anwendung der kleinen Ladung; beim
Gebrauche der großen Ladung hat die 16 Centimeter Haubitze ein
geringes Uebergewicht, doch wird dieses sehr eingeschränkt durch die
Thatsache, daß eine Refervebatterie nur 26 16 Centimeter Granaten
mit der großen Ladung nach den Ausrüstungssätzen zu verfeuern hat.*)

*) Wird der Granatschuß nur als Kugelschuß in Betracht genom=
men, wie dies bei dem vorliegenden Vergleiche wirklich geschehen
ist, so erscheint dafür die Granatkanone durch ihr stärkeres La=
dungsverhältniß günstiger gestellt, als die Haubitzen. Es liegt
indeß sehr nahe, daß ebensowohl dies stärkere Ladungsverhältniß,
als die Kleinheit der aus dem 12pfünder zu verschießenden Gra=
nate in sehr vielen Fällen mit der Erzeugung eines wirksamen
Granatfeuers ganz im Widerspruche stehen, und daß diesen Fäl=
len in dem vorliegenden Vergleiche keine Rechnung getragen ist.
Auch fehlen darin der Rollschuß, Shrapnelschuß und die Angabe
der Wirkungen, die man beim Schießen mit Kartätschen erhal=
ten hat.

D. R.

Tabelle 4. Schießen mit Granaten.

Mittlere Seitenabweichungen in Meter.

Kommissionen.	Geschütze.	Ladung.	Entfernung in Meter.					Mittel der 5 Entfernungen.
			500	600	700	800	900	
Vincennes	16 Centimeter Haubitze	Große Ladung · ·	—	—	—	2,57	1,73	2,15
		Kleine Ladung · ·	2,75	3,90	3,87	-5,59	-10,87	5,39
	15 Centimeter Haubitze	Große Ladung · ·	—	3,67	4,36	-3,57	4,41	3,99
		Kleine Ladung · ·	3,95	3,67	—	9,69	29,50	10,23
	Granatkanon · · · · · · ·		1,27	1,77	3,28	3,32	3,97	2,72
Straßburg	16 Centimeter Haubitze	Große Ladung · ·	—	—	—	-1,97	5,03	3,50
		Kleine Ladung · ·	2,40	3,70	5,40	-6,57	7,01	4,82
	15 Centimeter Haubitze	Große Ladung · ·	2,85	3,69	7,44	-2,89	5,04	3,96
		Kleine Ladung · ·				-4,49	11,93	6,08
	Granatkanon · · · · · · ·		1,30	2,51	3,46	3,32	5,91	3,22
Toulouse	16 Centimeter Haubitze	Große Ladung · ·	—	—	—	-2,58	5,52	3,05
		Kleine Ladung · ·	2,25	3,82	4,61	8,87	7,37	5,30
	15 Centimeter Haubitze	Große Ladung · ·	2,62	4,83	6,28	-5,40	5,08	5,24
		Kleine Ladung · ·				8,81	6,56	6,82
	Granatkanon · · · · · · ·		1,48	1,98	3,23	3,89	5,60	3,84

		Große Ladung	Kleine Ladung	Granatkanon			
Net	16 Centimeter Haubitze { Große Ladung	—	—	—	2,22	3,64	2,93
	Kleine Ladung	2,40	2,97	3,23	4,54	5,77	3,78
	15 Centimeter Haubitze { Große Ladung	—	—	—	3,02	3,95	3,48
	Kleine Ladung	2,87	4,22	4,71	5,87	9,65	5,46
Granatkanon		1,19	2,61	1,87	2,21	4,19	2,41

Mittlere Resultate der vier Kommissionen:

	16 Centimeter Haubitze { Große Ladung	—	—	—	2,33	3,98	3,15
	Kleine Ladung	2,45	3,47	4,28	6,14	7,75	5,82
	15 Centimeter Haubitze { Große Ladung	—	—	—	3,72	4,62	4,17
	Kleine Ladung	3,07	4,10	5,69	7,21	14,41	6,89
Granatkanon		1,31	2,22	2,86	3,18	4,92	2,89

Die vorstehende Tabelle zeigt, daß die 12pfdige Granate in Bezug auf die Seitenabweichungen der 16 Centimeter Granate bei Anwendung der großen Ladung nachsteht, daß sie der 15 Centimeter Granate bei Benutzung der großen Ladung ziemlich gleichsteht, und daß sie den 15 und 16 Centimeter Granaten, die mit der kleinen Ladung verfeuert werden, bedeutend überlegen ist.

Die bei den Vergleichsversuchen angewendeten Aufsatzhöhen durften dem Programme zufolge während des Schießens nicht abgeändert werden; die der bestehenden Geschütze waren festgesetzt und haben sich durch langjährige Praxis bewährt. Für das Granatkanon gab das Programm nur auf theoretische Untersuchungen gegründete Anhaltspunkte und bestimmte, daß Probeschüsse geschehen sollten, um die Richtigkeit dieser Anhaltspunkte zu prüfen, und sie dann unverändert beizubehalten. Die auf diese Weise durch eine geringe Schußzahl ermittelten Aufsatzhöhen haben in den verschiedenen Schulen sehr differirt, man dürfte daher zu der Annahme berechtigt sein, daß man, wenn eine gründlichere Ermittelung der Aufsatzhöhen stattgefunden hätte, eine bedeutend größere Anzahl Treffer erhalten haben würde.

Die Trefferzahl und die mittleren horizontalen Abweichungen sind die beiden Elemente des Vergleichs der gegenwärtigen und des projektirten Geschützes in Bezug auf die Treffwahrscheinlichkeit; das Programm schrieb keine anderen Beobachtungen vor: nichts desto weniger haben zwei Kommissionen die Einfallpunkte der Projektile, die nicht getroffen, beachtet und nach diesem Punkte und der Geschützmündung die Normalflugbahn des Geschosses konstruirt und daraus den Punkt bestimmt, an dem das Geschoß die Vertikalebene der Scheiben berührt haben würde. Aber die Projektile beschreiben in der Wirklichkeit zu verschiedene Curven, und werden durch zu mannigfache Ursachen bewegt, als daß die nach dem angegebenen Verfahren ermittelten Punkte als die gelten können, die wirklich getroffen sein würden. Wie groß auch die Genauigkeit der so gewonnenen Resultate sein mag, sie sind hier nicht zur Betrachtung zu ziehen, da nur 2 von 4 Kommissionen die Elemente geliefert haben, die zu einer solchen Vergleichung erforderlich sind.

Die vorstehend angegebenen Resultate sind bei Anwendung neuer Geschütze erlangt. Es ist wahrscheinlich, daß die Vergleichung für das vorgeschlagene System noch günstiger ausfallen würde, wenn aus jedem der Geschütze 4—5 Chargirungen verfeuert worden wären, da das Granatkanon weniger durch den Schuß leidet, weil es nur ¼ kugelschwere Ladung beim Kugelfeuer und eine noch geringere beim Granatfeuer gebraucht. Die 15 und 16 Centimeter Haubitzen leiden mehr als die 8= und 12pfünder, und zwar hauptsächlich am Zusammenstoß der Kammer mit der Seele; das Granatkanon hat aber keine Kammer. Die Erfahrungen der Niederlande, wo das 12pfündige Kanon mehr als das Granatkanon erleichtert ist und ¼ kugelschwere Ladung gebraucht, unterstützen diese Betrachtungen und begründen die Ansicht, daß sich die Treffwahrscheinlichkeit des Granatkanons gegen die der bestehenden Geschütze vermehren würde, da die Abnutzung und das Verderben der Seele weniger schnell eintritt.

Die Aufsatzhöhen, die während des Versuchs zur Anwendung gekommen sind, waren die folgenden:

Tabelle 5. Schießen mit dem Granatkanon.

Aufsatzhöhen oder Größen, um die die Richtungslinie unter das Ziel gesenkt werden muß in Meter.

Schußart.	Kommissionen.	Entfernung in Meter.				
		500	600	700	800	900
Kugelschuß	Vincennes .	— 0,600	0,006	0,015	0,025	0,038
	Straßburg .	0	9	18	32	50
	Toulouse . .	2	12	22	32	48
	Metz	— 0,200	7	17	28	37
Granatschuß	Vincennes .	2	12	24	36	48
	Straßburg .	0	9	19	31	50
	Toulouse . .	2	11	21	30	44
	Metz	— 1,000	7	18	31	45

Die Kommission zu Metz hat die Aufsatzhöhen ermittelt, die man gebraucht haben müßte, um gleich viel Schüsse über wie unter dem Richtungspunkte zu erhalten.

Tabelle 6. Schießen mit dem Granatkanon.

Auffaßhöhen nach den mittleren Schüssen berechnet.

Schußart.	Kommissionen.	Geschütze.	Ladung. Kil.	Entfernung in Meter.				
				500	600	700	800	900
Kugelschuß	Metz	Granatkanon	1,500	— 0,330	0,008	0,020	0,032	0,045
Granatschuß	Metz	Granatkanon	1,225	— 2,700	0,007	0,017	0,031	0,044

3. Eindringungsfähigkeit der Geschosse.

Man hat die Eindringungstiefen der Kugeln gemäß dem Programme beim Feuern auf sehr geringen Entfernungen ermittelt.

Tabelle 7.

Mittleres Eindringen der Kugeln in gesetztes Erdreich in Meter.

Kommissionen.	Geschütze.	Ladung. Kilogr.	Entfernung. Meter.	Mittleres Eindringen.
Vincennes	12pfündiges \ 8 = } Kanon Granat- /	1,958 1,223 1,500	30 30 30	1,29 1,10 1,16
Straßburg	12pfündiges \ 8 = } Kanon Granat- /	1,958 1,223 1,500	20 20 20	1,82 1,63 1,75
Toulouse	12pfündiges \ 8 = } Kanon Granat- /	1,958 1,223 1,500	30 30 30	1,29 1,09 1,06
Metz	12pfündiges \ 8 = } Kanon Granat- /	1,958 1,223 1,500	35 35 35	1,96 1,64 1,75

Das Eindringen der Granaten geht aus folgender Tabelle hervor:

Tabelle 8.

Mittleres Eindringen der Granaten in gesetztes Erdreich in Meter.

Kommissionen.	Geschütze.	Entfernungen.	Ladung.	Tiefe des Eindringens.	Ladung.	Tiefe des Eindringens.
		Meter	Kilogr.	Met.	Kilogr.	Met.
Vincennes	16 Centim. Haubitze	80	1,50	1,12	0,75	1,01
	15 Centim. Haubitze	80	1	0,95	0,50	0,90
	Granatkanon	80	1,225	0,85	1,225	0,83
Straßburg	16 Centim. Haubitze	100	1,50	1,55	0,75	1,22
	15 Centim. Haubitze	100	1	1,20	0,50	1,04
	Granatkanon	100	1,225	1,11	1,225	1,11
Toulouse	16 Centim. Haubitze	50	1,50	1,03	Man hat mit der kleinen Ladung nicht geschossen.	
	15 Centim. Haubitze	50	1	0,91		
	Granatkanon	200	1,225	0,64		
Metz	16 Centim. Haubitze	100	1,50	1,72	0,75	1,60
	15 Centim. Haubitze	100	1	1,43	0,50	1,13
	Granatkanon	100	1,225	1,53	1,225	1,47

Bei drei Kommissionen ist ein Zerschellen der 12pfdigen Granaten bei der geringen Entfernung vom Geschütz vorgekommen; die Kommission von Metz, die größere Eindringungstiefen als die anderen erhalten und demnach ein weniger festes Erdreich benutzt hat scheint keine zerschellte Granate erhalten zu haben, obgleich die Entfernung nur 100 Meter betrug. Keine Granate ist innerhalb der Seele, noch bei einem Aufschlage zerschellt.

4. Der Kartätschschuß

Derselbe ist auf den Entfernungen von 400, 500 und 600 Meter zur Anwendung gekommen. Das Granatkanon hat die 12pfündige Kartätschbüchse mit einer Füllung von 34 Kugeln statt 41 verfeuert. Sein Schuß hat eine genügende Wirkung ergeben, die Resultate waren, mit Bezug auf die Zahl der Kugeln gut. Da es sich aber herausgestellt, daß das vorgeschlagene System gegen das bestehende zurücksteht, wenn man ihm per Protze nur 2 Kartätschen und den Büchsen nur 34 Kugeln zutheilt, so wird man das Gewicht und die Zahl der Büchsen vermehren müssen. Die 15 Centimeter Haubitze, die einen sehr wirksamen Kartätschschuß hat, schießt mit der Ladung von 1 Kilogramme eine Büchse, die 70 Kugeln enthält und ein Gewicht von 12 Kilogrammen besitzt. Man würde beim Granatkanon eine Kartätschbüchse gleichen Gewichts mit derselben Ladung anwenden können, ohne daß die Laffete zu stark angegriffen würde, denn das Granatkanon wiegt 80 Kilogramme mehr als die 15 Centimeter Haubitze. Nichts desto weniger wird man, da die Laffete dem Schuß der 15 Centimeter nicht vollkommen widersteht, die Kartätschbüchse des Granatkanon nicht schwerer als 11 Kilogramme bei der Ladung von 1 Kilogramme machen können. Die Kartätschbüchse des 12pfünders wiegt 10,30 Kilogramme, sie erscheint daher zur Annahme geeignet, man wird sie aber, um die Anzahl der Kugeln zu vermehren, mit denen des 8pfünders füllen.

Gegenwärtig hat man bei einer Reservebatterie:

82 Kartätschen für das 12pfdige Kanon,

30   *   * die 16 Centimeter Haubitze,

und bei einer 8pfdigen Divisionsbatterie:

116 8pfündige Kartätschen,

30 Kartätschen für die 15 Centimeter Haubitze.

Hiebei ist vorausgesetzt, daß die Protze der einen Vorrathslaffete mit Kanonen-, die der andern mit Haubitzmunition verpackt ist. Sechs Batterien, nämlich eine 12pfdige und 5 8pfdige haben demnach

82 12pfdige Kartätschen,

580 8 *   *

30 Kartätschen für 16 Centimeter Haubitzen und

150   *   * 15   *   *

Summa 842 Kartätschen im Gewichte von ungefähr 7130 Kilogr.

Wir nehmen bei dem projektirten Systeme 3 Kartätschen per Protze und haben dann in den 282 Protzen der 6 Batterien 846 Kartätschen im Gewichte von 8460 Kilogrammen.

Es scheint demnach, daß die Ausrüstung der Protzen des neuen Systems mit 3 Kartätschen dem Schusse mit diesem Geschosse die Ueberlegenheit über das bestehende System verleihen wird.

5. Der Rücklauf.

Der Rücklauf ist während der Versuche ein sehr verschiedener gewesen; der des Granatkanons hat sowohl beim Kugel-, wie Granat= und Kartätschschuß zwischen denen der gebräuchlichen Geschütze gelegen. Einwürfe in dieser Beziehung sind nicht gemacht worden.

6. Haltbarkeit der Laffeten.

Die Erfahrung hat gelehrt, daß der Block der Feldlaffeten keine genügende Haltbarkeit besitzt, woher der Kriegsminister auf den Vorschlag des Artilleriekomités unterm 2. Dezember 1848 angeordnet, daß die künftig zu konstruirenden Feldlaffeten mit einem Blocke von stärkeren Dimensionen versehen werden sollen. Frankreich besitzt demnach zwei Modelle, so daß das Programm zu den Versuchen die Probe der folgenden Laffeten festsetzte:

ein 8pfünder auf einer Laffete mit nicht verstärktem Blocke,

eine 15 Centim. Haubitze auf einer Laffete mit verstärktem Blocke,

ein Granatkanon auf einer Laffete mit nicht verstärktem Blocke,

ein Granatkanon auf einer Laffete mit verstärktem Blocke.

Da bei diesen Proben keine 15 Centimeter Haubitze auf einer Laffete mit nicht verstärktem Blocke verwendet worden, so scheint daraus hervorzugehen, daß diese Laffete unfähig ist, dem Schusse zu widerstehen, oder daß man in Zukunft nur Laffeten mit verstärktem Blocke zu gebrauchen gedenkt. Die große Zahl von Laffeten, die vorhanden, wird noch lange Zeit verhindern, daß beide Laffetenarten in einer Batterie vereinigt werden.

Die Haltbarkeitsproben sind durch Schüsse unter den Winkeln von 5 und 10 Grad geschehen. Die Laffeten haben bei den Versuchen bezüglich der Wahrscheinlichkeit des Treffens genügende Dauer gezeigt. Bei drei Kommissionen haben die Laffeten auch bei den in Rede stehenden Haltbarkeitsproben sich bewährt und nur leichte und zufällige Beschädigungen erlitten. Bei den Versuchen zu Metz haben drei Laffeten die Probe bestanden, die 15 Centimeter Laffete dagegen hat am verstärkten Blocke ganz bedeutende Beschädigungen erlitten (singulièrement maltraité). Alle diese starken Verschlechterungen, so sagt die Kommission, beweisen, daß die Konstruktion dieses Geschützes und seines Geschosses nicht mit der betreffenden Laffete in Harmonie sind, selbst wenn diese, wie die zum Versuch benutzte, verstärkt worden.

In Rücksicht auf die Haltbarkeit der Laffeten hat daher das projektirte System einen Vortheil vor dem bestehenden, denn es kann ohne Nachtheil die gebräuchlichen Laffeten ohne verstärkten Block verwenden.

Zu Toulouse sind zwei Richtschrauben bei dem Granatkanon verbogen worden, die Kommission führt außerdem an, daß die Bodenfriese, wegen ihrer großen Breite, nicht vortheilhaft auf dem Kopfe der Richtschraube ruht. Diesem Uebelstande kann durch Abänderung des unteren Theiles der Bodenfriese leicht abgeholfen werden.

7. Vergleich der Wirkung von Batterien des vorgeschlagenen Systems und des bestehenden in Bezug auf die Treffwahrscheinlichkeit.

Mit Hülfe der in den Tabellen 1, 2, 3 und 4 niedergelegten Resultate soll nun die Wirkung von Batterien der beiden Systeme verglichen werden. Hiebei findet die Annahme statt, daß die Protzen der Vorrathslaffeten wie oben angegeben, d. h. die eine mit Kanonen-, die andere mit Haubitzmunition verpackt sind.

Die Protzen der Geschütze neuen Systems erhalten statt der zuerst bestimmten 2, jetzt 3 Kartätschen, verlieren aber, um das Gewicht nicht zu vermehren, 2 Schüsse, nämlich einen Kugel- und einen Granatschuß. Die Zahl der Schüsse per Protze stellt sich demnach auf 27, und zwar

　　　　　　　　　　3 Kartätschen,

　　　　　　　　　　12 Kugeln und

　　　　　　　　　　12 Granaten. Hiervon wird bei den nachfolgenden Vergleichungen ausgegangen.

Eine 12pfündige Batterie der Reserve enthält jetzt:

41 Protzen mit 12pfündigen Kugelschüssen . . . = 861 Schuß
21 Protzen mit 16 Centimeter Granaten, d. h. 222
　　mit großer und 54 mit kleiner Ladung . . = 276
　　　　　　　　　　　　　　　　　　　　in Summa 1137 Schuß.

Eine Reservebatterie von 12pfündigen Granatkanonen wird enthalten:

62 Protzen mit $\begin{cases} 744 \text{ Kugeln,} \\ 744 \text{ Granaten,} \end{cases}$

1488 Schuß.

Eine 8pfündige Divisionsbatterie enthält:

29 Protzen mit 8pfündigem Kugelschuß . . . . . . = 812 Schuß

15 Protzen mit 240 Granaten mit großer und 60

    mit kleiner Ladung . . . . = 300

                           in Summa 1112 Schuß.

Eine Granatkanonen-Divisionsbatterie wird zählen:

           44 Protzen mit $\begin{cases} 528 \text{ Kugeln,} \\ 528 \text{ Granaten,} \end{cases}$

        in Summa 1056 Schuß.

Angenommen wird, daß jede der vier Batterien das ganze Munitionsquantum auf den Entfernungen von 500, 600, 700, 800 und 900 Metern zu gleichen Theilen gegen eine Scheibe wie bei den Versuchen verfeuert.

Von 861 12pfdigen Kugeln der 12pfdigen Batterie

      treffen dann 399

von 296 16 Centimeter Granaten treffen

            von 54 mit der großen Ladung 20

            von 222 mit der keinen Ladung 62

      die 12pfündige Reservebatterie hat demnach 481 Treffer.

Von 744 12pfündigen Kugeln der Granatkanonen-

      batterie treffen 359

von 744 12pfündigen Granaten der Granatkano-

      nenbatterie treffen 369

      die Reserve-Granatkanonenbatterie hat daher 728 Treffer.

Das neue System hat demnach beinahe die doppelte Anzahl Treffer.

Von 812 Kugeln der 8pfdigen Divisionsbatterie treffen 328

von 300 15 Centimeter Granaten treffen 60

      die 8pfündige Batterie hat daher in Summa 388 Treffer.

Von 528 Kugeln der Granatkanonenbatterie treffen . 255

von 528 Granaten der Granatkanonenbatterie treffen 262

      die Granatkanonenbatterie der Division hat daher 517 Treffer.

Die 8pfündige Batterie ergiebt demnach nur $\frac{3}{4}$ der Anzahl der Treffer einer Granatkanonenbatterie.

Beim Vergleiche der Wahrscheinlichkeit des Treffens von 6 Batterien beider Systeme ergiebt sich:

eine 12pfündige Reservebatterie hat . . . . 481 Treffer,
5 Batterien der Divisionen (8pfündige) haben . . . 1940 *

6 Batterien des heutigen Systems daher 2421 Treffer.
Eine Granatkanonenbatterie der Reserve hat . . . . 728 Treffer,
5 Granatkanonenbatterien der Divisionen liefern . . 2585 *

6 Batterien des neuen Systems demnach 3313 Treffer.

Das vorgeschlagene System hat daher einen entschiedenen Vortheil bei der Annahme, daß die ganze Chargirung zu gleichen Theilen auf den Entfernungen von 500, 600, 700, 800 und 900 Meter verfeuert wird. Setzt man nun voraus, daß die ganze Munitionsmenge auf der größten Distance, die bei den Versuchen zur Anwendung gekommen, verfeuert wird, so findet man auf 900 Meter:

von 861 Kugeln der 12pfündigen Kanonenbatterie . 276 Treffer,
von 296 Granaten derselben . . . . 50 *

demnach für die 12pfdige Reservebatterie überhaupt 326 Treffer.
Von den 744 Kugeln der Granatkanonenbatterie . . 246 Treffer,
von den 744 Granaten der Granatkanonenbatterie . 245 *

daher für die Granatkanonenbatterie in Summa 491 Treffer,
so daß die 12pfdige Batterie nur ⅔ der Treffer liefert, die man von einer Batterie neuen Systems zu erwarten hat.

Von 812 8pfdigen Kugeln einer Divisionsbatterie ist
zu rechnen auf . . . . 233 Treffer,
* 300 15 Centimeter Granaten einer Divisionsbatterie ist zu rechnen auf . . . . . . 14 *

von der ganzen Batterie daher auf 247 Treffer.
Von 528 Kugeln der Granatkanonenbatterie erhält man 174 Treffer,
* 528 Granaten * * * * 174 *

348 Treffer.

Das projektirte System hat demnach auch hier einen entschiedenen Vorzug.

Vergleicht man auf 900 Meter die Wirkung von 6 Batterien der verschiedenen Systeme, so zeigen sich:

bei einer 12pfündigen Batterie der Reserve . . . 326 Treffer,
bei 5 8pfündigen Divisionsbatterien . . . . . . 1235 *

Für die 6 Batterien 1561 Treffer.

Bei einer Granatkanonenbatterie der Reserve . . 491 Treffer,
bei 5 Granatkanonenbatterien der Divisionen . . 1740 =
              Für die 6 Batterien des Vorschlages 2231 Treffer.
Der Vortheil der letzteren ist in die Augen springend.

8. Vergleich der Wirkung der bestehenden und der pro-
      jektirten Batterien gegen Hindernisse.

Um die Wirkung des Kugelschusses beider Systeme gegen Wider=
standsmittel zu vergleichen, nehme man an, daß man auf 900 Meter
gegen eine 30 Meter lange und 3 Meter hohe Mauer schießt, dann
ist nach dem Kalkül des Komités:

Die Perkussionskraft der 12pfdigen Kugel aus dem Kanon = 1
   =   =   = 12 =   =   =   = Gra-
                                  natkanon = 0,95
und die   =   = 8 =   = ... = 0,53.
   Eine 12pfündige Kanonenbatterie hat durch die 276
              Treffer eine Kraft von . . . . . 276 Einheiten.
   Eine 12pfdige Granatkanonenbatterie hat durch die
              246 Treffer eine Kraft von . . 233 =
   Eine 8pfündige Divisionsbatterie hat durch die 233
              Treffer eine Kraft von . . . . . 123 =
   Eine 12pfdige Granatkanonenbatterie der Division
              durch 174 Treffer eine Kraft von 165 =
   Für die 6 Batterien des jetzigen Systems erhält man die Zahl 891
und für die 6   =   = neuen   =   =   =   = = 1058
als Ausdruck der Perkussionskraft, so daß sich das letztere im Vor=
theile befindet.

Bei analoger Vergleichung der Wirkung der Granaten auf 900
Meter findet man, daß das Ziel von 19 Granaten von 16 Centimeter bei Anwendung der großen Ladung und von 31 Granaten desselben Kalibers bei der kleinen Ladung getroffen worden wäre.

Eine Granatkanonenbatterie hätte mit 245 12pfdigen Granaten
das Ziel erreicht, das heißt mit fünfmal mehr Geschossen. Das Ver=
hältniß der Perkussionskraft mag noch so ungünstig für die 12pfün=
digen Granaten sein, ein Vorzug wird dennoch bestehen bleiben.

Eine 8pfündige Batterie trifft die Scheibe mit 10 Granaten bei
großer und mit 4 Granaten bei kleiner Ladung.

Eine Divifions-Granatkanonenbatterie bringt 174 Granaten, alfo 12mal foviel in die Scheibe.

6 Batterien des beftehenden Syftems träfen daher mit 120 Granaten,
6   =   = projektirten   =   = dagegen 1115   =
d. h. mit neunmal mehr.

Die Vorzüge des vorgeschlagenen Syftems werden nicht auf allen Entfernungen und unter allen Umftänden diefelben fein, aber das Angeführte wird dazu dienen, um die Ueberlegenheit auf 900 Meter ins Licht zu fetzen. Auf größeren Entfernungen nähert fich die Kraft der 12pfdigen Kugel aus dem Granatkanon mehr und mehr der der 12pfdigen Kugel aus dem Kugelkanon und überfteigt die der 8pfündigen Kugel.

Die 276 treffenden Granaten der 12pfdigen Refervebatterie geben 5796 Sprengftücke, von denen 4692 mehr als 1 Kilogramme wiegen.

Die 744 treffenden Granaten einer Refervebatterie des vorgefchlagenen Syftems geben 12648 Sprengftücke, von denen 10416 mehr als 1 Kilogramme wiegen.

Die 300 treffenden Granaten einer 8pfündigen Batterie liefern 6600 Sprengftücke, davon 5700 über 1 Kilogramme an Gewicht.

Die 528 treffenden Granaten einer Divifions-Granatkanonenbatterie geben 8976 Sprengftücke, von denen 7892 über 1 Kilogramme wiegen.

Das projektirte Syftem hat demnach in Bezug auf die Zahl der Sprengftücke, die wirkfam werden können, einen ganz bedeutenden Vortheil vor dem beftehenden Syftem.

II.

Zur Geschichte der Militair-Akademie zu Woolwich.

Vor Kurzem ist ein interessanter Beitrag zur Geschichte der Militair-Akademie zu Woolwich unter dem Titel: **Records of the Royal Military Academy from 1741 to 1840** bei Parker in London erschienen. Das Werk bildet einen Quartband von 150 Seiten und ist verziert mit 6 lithographirten Zeichnungen, welche die in letzter Zeit durch Subscription errichteten Fenster und Trophäen der Halle darstellen und mit zwei Blättern, welche 16 Figuren enthalten und Abbildungen vorlegen von den Trachten der verschiedenen Perioden, ferner von dem Innern einer Kasernenstube älterer und neuerer Zeit. Der Text ist von dem Inspektor der Militair-Akademie Oberst William Jones bearbeitet und dem **Master general of the Ordnance**, Marquis von Anglesey, gewidmet. Der Verfasser klagt in der Vorrede, daß die Herbeischaffung der Dokumente, offiziellen Schriftstücke u. s. w. mit vielen Schwierigkeiten verknüpft gewesen sei, und daß eine Vollständigkeit dennoch nicht zu erreichen möglich war — trotzdem bietet das Werk manches Interessante dar. Wir lassen in dem Folgenden einige kurze Notizen und Auszüge des Werkes dem Leser vor die Augen treten, da die **Records** selbst, ihres hohen Preises wegen, wohl nur in wenig Exemplaren über den Kanal ihren Weg nehmen dürften.

Die Königliche Militair-Akademie zu Woolwich wurde durch Ordre König Georg's II. vom 30. April 1741, die an dem damaligen Generalfeldzeugmeister John, Herzog von Montagu, ge-

richtet war, installirt. Dies geht aus dem ältesten aufgefundenen Dokumente hervor. Nach einer in dem European Magazine vom Mai
1810 befindlichen Angabe scheint sie aber einen früheren Ursprung zu
haben. Hier liest man: In dem Arsenal, in dem die Geschützröhre
gegossen werden, befand sich die Militair-Akademie. Sie war 1719
errichtet und 1741 vollständig organisirt worden; früher existirte aber
bereits in Charlton eine Schule derselben Art, nur in verjüngtem
Maßstabe. Die Akademie stand, wie die gegenwärtige, unter der Aufsicht des Ordnance-Amtes und hatte die Bestimmung, junge Gentlemen zu Ingenieuren und Artilleristen auszubilden.

In dem im August 1772 von dem Inspektor dem Gouverneur
der Akademie erstatteten Bericht heißt es: Ich behre mich hier an-
zuführen, daß der kürzlich in die Anstalt aufgenommene Cadet H.
nicht einmal die Buchstaben des Alphabets kennt, und daß er daher
dem Unterrichte zu folgen außer Stande ist.

Im März 1773 erließ der Inspektor einen Befehl, in dem er
sein entschiedenes Mißfallen darüber ausspricht, daß die älteren Eleven sich der Bücher, Federn u. s. w. der neu eintretenden bemächtigen
und diesem Verfahren sogar einen besonderen Namen (smouching)
beigelegt haben.

Vom Dezember 1782 bis Juni 1786 wurde kein Cadet in der
Artillerie angestellt.

Als Georg III. am 9. Juli 1787 die Artillerie zu Woolwich
besichtigte, wurden die Cadetten als leichte Infanterie benutzt, indem
sie die Hecken besetzen und den Rückzug decken mußten.

Im Jahre 1795 besagte ein Erlaß: Dieses Institut ist nur für
Gentlemen bestimmt, das Reglement hat daher auch keine Strafen
für solche Vergehen, deren ein Gentlemen nicht fähig ist; wird demnach der Charakter eines Gentlemen verwirkt, so ist der betreffende
Cadet unmittelbar darauf aus der Anstalt zu entlassen, damit er später nicht dem Offizierkorps zur Schande gereiche.

Am 24. April 1796 berichtete der Gouverneur der Akademie an
den Generalfeldzeugmeister: Alexander Smith ist vermöge seiner
guten Führung und seiner erlangten Kenntnisse zum Avancement zum
Offizier geeignet, da er aber nur 4 Fuß ½ Zoll groß ist, d. h. 2¼ Zoll
kleiner als irgend Jemand, der bisher Anstellung in der Artillerie erhal-

ten hat, so erscheint es nicht angemessen, ihn zum Offizier zu ernen-
nen. Die Cadetten Holderton und Graham, die sich im vorigen
Jahre in demselben Verhältniß befanden, wurden im Ingenieurkorps
angestellt, wünschte der 2c. Smith dies, so würde keinen Augenblick
Anstand genommen werden, ihn dazu in Vorschlag zu bringen, da er
und seine Verwandten aber dem Artilleriedienst den Vorzug geben, so
lege ich dem Ermessen des Master general diese Umstände zur ge-
neigten Entscheidung vor.

Ein Befehl vom 19. August 1801 lautet: Der Generalfeldzeugmeister wünscht, daß die nach Woolwich gesendeten Offiziere des früheren irischen Artillerie- und Ingenieur-Corps Gelegenheit erhalten,
sich theoretische Kenntnisse zu erwerben und bestimmt daher, daß dieselben von den Professoren der Akademie privatim unterrichtet werden
und zwar 6 Stunden wöchentlich in Mathematik und 6 Stunden in
Fortifikation und Artillerie. Die Professoren werden hiefür ein Ho-
norar aus der Staatskasse erhalten.

Im Jahre 1803 wurde zwischen dem Generalfeldzeugmeister und
dem Gouverneur des Militair-Collegs zu Gr. Marlow in Bucking-
hamshire ein Abkommen getroffen, nach dem die überzähligen Cadetten der Militair-Akademie in dem Colleg Unterricht erhalten sollten,
bis Manquements in Woolwich eingetreten sein würden.

Im März 1803 wurden der Hülfslehrer der Fortifikation Blu-
menheben und der erste Modelleur Short zur Miliz ausgehoben.
Der letztere wurde wegen seines vorgerückten Alters vom Dienste befreit, der erstere aber, da er sich nicht gestellt, von dem Magistrat als
Deserteur eingezogen. Derselbe hatte früher vom Kriegssekretair die
Ansicht bestätigt erhalten, daß er als Ausländer vom Dienste befreit
sei. Der Friedensrichter ließ diese Entschuldigung nicht gelten, Blu-
menheben wurde daher einem Sergeanten der Miliz von West-Kent
übergeben und zum Regimentskommando nach Ashford als Deserteur
gebracht. Hier wurde er auf Grund der Meinung des Kriegssekre-
tairs wieder entlassen.

Nachdem die ostindische Kompagnie ein Seminar zur Ausbildung
ihrer Artillerie- und Ingenieur-Offiziere errichtet hatte, ersuchte sie
Anfangs 1810 den Generalfeldzeugmeister die auf ihre Kosten in der
Militair-Akademie befindlichen Zöglinge zu entlassen; dies geschah und

seit dieser Zeit sind keine Artillerie- und Ingenieur-Offiziere für die ostindische Kompagnie in Woolwich ausgebildet worden.

Am 15. Juni 1810 richtete der Generalfeldzeugmeister an den Earl Harcourt ein Schreiben, in dem er ihm mittheilte, daß fernerhin keine Eleven der Ordnance ins Colleg von Gr. Marlow gesendet werden würden, da die Militair-Akademie jetzt die erforderliche Zahl aufzunehmen im Stande sei.

In einem vom 10. Juli 1823 datirten Berichte führt der Gouverneur der Akademie an: Ich glaube, daß der Tanzunterricht in Zukunft in der Akademie fortfallen kann, da die Tanzkunst jetzt so leicht geworden und die Wichtigkeit vollständig verloren hat, die man ihr in früheren Tagen zuschrieb.

Unterm 14. November 1828 wies der Generalfeldzeugmeister auf die Nothwendigkeit hin, der guten und leserlichen Handschrift der Cadetten mehr Aufmerksamkeit, als bisher geschehen, zuzuwenden und dieselbe als ein Erforderniß zur Aufnahmefähigkeit zu betrachten.

Als König Wilhelm IV. am 27. Juli 1829 die Artillerie in Woolwich besichtigen wollte, war die Cadettenkompagnie durch Kommandanturbefehl auf den rechten Flügel der Fußartillerie beordert. Bei der Ankunft des Generalfeldzeugmeisters fragte derselbe, wer die Cadettenkompagnie auf den Platz bestellt habe; auf die Antwort, daß dies der Kommandant gethan, erwiederte er: Niemand Anders als ich hat Autorität über die Kompagnie der Cadetten und sendete dieselbe in die Kaserne zurück.

III.

Ueber die zur Belagerung und Vertheidigung der Festungen erforderliche Artillerie.*)

Als wesentliche Forderungen für die Bearbeitung des vorliegenden Themas sind angenommen:

1) Vollständige Brauchbarkeit für den Krieg.
2) Einfachheit.
3) Gleichförmigkeit.
4) Möglichkeit eines theilweisen Ersatzes der Feldartillerie aus der Belagerungs- und Defensionsartillerie.

Es wird zunächst darauf ankommen, die Zwecke festzustellen, welche man mit den Geschützen in beiden genannten Beziehungen zu erreichen beabsichtigt und resp. zu erreichen im Stande ist. Gelangt man dadurch zur Erkenntniß der Grundsätze, nach denen die Geschütze im Allgemeinen eingerichtet werden müssen, so wird es der Erfahrung überlassen bleiben, nicht sowohl über die Zulässigkeit dieser Einrichtungen überhaupt zu entscheiden, als vielmehr das Detail derselben auf die entsprechendste Weise in Ausführung zu bringen. Ueber dieses Detail können daher hier nur höchst allgemeine Andeutungen gegeben werden.

---

*) Die vorliegende Abhandlung ist bereits im Jahre 1828 niedergeschrieben, enthält aber des Lehrreichen so viel, daß wir nicht versäumen wollten, sie unsern Lesern mitzutheilen. Wo sehr wesentliche Veränderungen in der Artillerie während jener Zeit eingetreten, so daß sie auf die Ansichten in der Abhandlung von Einfluß sind, haben wir durch Bemerkungen angedeutet.

D. R.

Die Einrichtungen aller Geschütze ohne Ausnahme, müssen möglichst folgenden Anforderungen entsprechen:

1) Gute Wirkung.
2) Leichtigkeit der Bedienung, Handhabung und des Transports.
3) Dauerhaftigkeit und Haltbarkeit.
4) Wohlfeilheit.

Insofern aber diese Anforderungen sich zum Theil gegenseitig aufhe-
ben und beschränken, muß die eigenthümliche Bestimmung der Geschütze entscheiden, wieviel von jeder aufgeopfert werden darf, damit
das Geschütz für seine eigenthümliche Bestimmung möglichst brauchbar sei. Es sollen demnach die eigenthümlichen Bestimmungen der Belagerungs= und Defensions=Artillerie vor-
angeschickt und daraus die erforderlichen Einrichtungen derselben
hergeleitet werden.

Dieser Gang wird zugleich Gelegenheit geben zu zeigen: inwiefern und wieweit es zulässig sei, bei der Einrichtung der Belagerungs=
und Defensions=Artillerie auf theilweisen Ersatz der Feldartillerie aus
jenen, Rücksicht zu nehmen, ohne daß dadurch die Erreichung des
eigenthümlichen Zweckes jener beeinträchtigt werde.

I. Belagerungs=Artillerie.

1. Bestimmung derselben.

Die nothwendige Ueberlegenheit des Angriffs über die Vertheidigung, namentlich in artilleristischer Hinsicht, ist begründet: einerseits in der größeren Leichtigkeit des Ersatzes jedes Abgangs, er be-
stehe in Geschützen, Munition, Bedienungsmannschaften oder andern
Bedürfnissen, und andernseits darin: daß bei zweckmäßigen Anordnungen des Belagerers, der Vertheidiger die Angriffsfront jedesmal
zu spät kennen lernt, daß derselbe sich daher jedesmal mehr oder weniger außer Stande befindet dieser Front, sowohl in Bezug auf fortifikatorische als auf artilleristische Anordnungen, im Voraus eine
größere Aufmerksamkeit zu widmen als den übrigen.

Soll nun dieser nicht genug zu beherzigende Vortheil des Belagerers nicht ungenutzt bleiben, so wird es darauf ankommen: mög-

lichst in dem Augenblicke, in dem der Vertheidiger durch unsere Arbeiten die Angriffsfront kennen lernt, diese auch gleich so heftig zu beschießen, daß er außer Stand gesetzt werde, die Front durch fortifikatorische Anlagen zu verstärken und in Bezug auf die Aufstellung und den Gebrauch seiner Geschütze, Anordnungen zu treffen, die den Fortgang unserer Arbeiten wesentlich hindern könnten.

Die Belagerungs-Artillerie muß also im Stande sein:

1) ein überlegenes Feuer möglichst frühzeitig eröffnen zu können. Wenn dieses bei der Einrichtung der Mehrzahl unserer heutigen Festungen und unter den gedachten Umständen, keine besonderen Schwierigkeiten haben kann, so wird es für die angreifende Artillerie um so wichtiger sein:

2) diese gewonnene Ueberlegenheit nun auch dauernd zu behaupten, denn nur unter dem Schutze dieses Feuers kann der Ingenieur sicher und schnell zum gewünschten Ziele gelangen. Für die Richtigkeit dieses Satzes spricht die Kriegsgeschichte in allen Fällen, wo man zur Erreichung seines Zweckes einen mehr oder weniger förmlichen Angriff erwählte oder erwählen mußte. Wenn in neueren Zeiten den Belagerungen von 1815, so wie denen der Engländer in Spanien, die Belagerungen von Saragossa und Tortosa gegenüberstehen, wo die Franzosen ihr Geschützfeuer erst am 10ten und 11ten Tage nach Eröffnung der Parallele, und als diese schon bis zum gedeckten Wege vorgerückt waren, begannen, so dürfte dies Verfahren wohl zu sehr in eigenthümlichen Verhältnissen begründet gewesen sein, um als Gegenbeweis dienen zu können, und endlich kam auch hier die Bresche erst zu Stande, als das Geschützfeuer des Platzes durch die Belagerungs-Batterien größtentheils zum Schweigen gebracht war. Diese Ueberlegenheit wird sich nun die Belagerungs-Artillerie dadurch verschaffen können, daß sie

a) Die Aufstellung und Mitwirkung einer größeren Zahl von Geschützen auf den angegriffenen und Collateralwerken möglichst erschwert. — Ricochett-Enfilir-Wurffeuer.

b) Die feindlichen Geschütze zum Schweigen bringt. — Demontir- und Wurffeuer.

c) Die Wiederaufstellung zum Schweigen gebrachter Geschütze dadurch verhindert, daß sie die Deckungen derselben zerstört. — Demontir- und Wurffeuer.

Sind diese Zwecke erreicht, so soll die Belagerungs-Artillerie:

3) Die Erstürmung der Werke möglich machen und unterstützen; da bei einer tapfern und zweckmäßig geleiteten Vertheidigung nur diese die Entscheidung herbeiführen kann. — Bresch-, Kontre- und Wurf-Batterien.

4) Die Truppen und Arbeiten gegen Ausfälle schützen.

Sind dies nun die Leistungen, die wir von einer guten Belagerungs-Artillerie zu erwarten berechtigt sind, so werden die in der Einleitung angegebenen allgemeinen Erfordernisse aller Geschütze sich hier in folgender Art modifiziren:

Wenn die gute Wirkung ein Haupterforderniß aller Geschütze ist, so wird dieselbe doch hier, sowohl in Bezug auf Wahrscheinlichkeit des Treffens, als auf Perkussionskraft, an die Spitze zu stellen sein.

Die Wahrscheinlichkeit des Treffens ist nämlich hier nicht nur deswegen von besonderer Wichtigkeit, weil die Ziele in der Regel nur eine geringe Ausdehnung haben, weil es gewöhnlich an geübten Bedienungsmannschaften fehlt und man nicht im Stande ist, diesen Mangel durch mehr oder genauere Aufsicht zu ersetzen, sondern noch vorzugsweise dadurch: daß man selbst mehr oder weniger wirksam beschossen wird, und diese nachtheilige Einwirkung des feindlichen Feuers in dem Maaße zunimmt, als wir selbst weniger treffen und durch die Zahl der Schüsse, was jedem einzelnen an Wirksamkeit abgeht, aufzuwiegen suchen müssen. Wir erringen eben dadurch die für den glücklichen Fortgang der Belagerung unerläßliche (Schweidnitz, Ollmütz im 7jährigen Kriege) Ueberlegenheit über die Artillerie des Platzes um so später, und gelangen nur durch einen um so größeren Aufwand von Zeit, Mitteln und Kräften zu dem gewünschten Ziele.

Steht die Artillerie des Platzes aber immer hinter, oft selbst unter, Deckungen, so wird ferner die Belagerungs-Artillerie ihrer Bestimmung um so mehr entsprechen, je mehr sie ihrerseits dazu beiträgt, den Zeitraum zwischen der Eröffnung der ersten Parallele und der Erzeugung einer gangbaren Bresche abzukürzen; auch muß die

2. Einrichtung.

Es soll hier zunächst die Rede von der Einrichtung der

A. Geschützröhre

sein, bei denen uns, wenn wir die angegebenen Erfordernisse im Auge behalten

a) das Material,

woraus dieselben gefertigt werden sollen, interessirt.

Ueber die schicklichste Auswahl desselben können nur Erfahrungen entscheiden.

Ganz unbestritten hat das Gußeisen vor der Bronze den Vorzug:

1) des geringeren spezifischen Gewichtes,
2) der Wohlfeilheit,
3) der größeren Dauer, insofern es durch den Pulverschleim und Kugelanschläge nur unbedeutend leidet, und eiserne Röhre daher auch längere Zeit die erforderliche Wahrscheinlichkeit des Treffens gewähren.

Auf der anderen Seite macht man demselben den Vorwurf:

1) daß die Röhre, die daraus gefertigt worden, nicht nur überhaupt leicht springen, und dadurch die Bedienung sehr gefährlich machen, sondern daß sie oft ganz unerwartet springen, nachdem sie selbst starke Proben ausgehalten haben; während die metallenen vorher Risse ꝛc. bekommen, und dadurch die Gefahr bezeichnen;
2) daß der Vortheil des geringeren spezifischen Gewichts wieder dadurch verloren gehe, weil man die Röhre stärker machen müsse, um das Springen derselben zu verhüten;
3) daß sie nicht mit der Genauigkeit wie die metallenen gefertigt werden können; (?)
4) daß sie durch eine treffende feindliche Kugel zerstört werden;
5) daß der Rost sie bald unbrauchbar macht.

Ehe ich mich auf eine Widerlegung dieser Einwürfe einlasse, sei es mir vergönnt, die beiden Bemerkungen vorauszuschicken;

1) daß eine einzeln dastehende Erfahrung so wenig, wie eine Reihe von Erfahrungen, die mit einer Eisensorte angestellt sind, irgend etwas gegen die Anwendbarkeit des Gußeisens entschei-

knüpft ist, wenn die Geschütze immer ein anhaltendes, zuweilen auch wohl ein lebhaftes Feuer unterhalten müssen, wenn man vorzugsweise große Kaliber anwenden muß und eben dadurch die Dauerhaftigkeit der Röhre bedeutend beeinträchtigt wird, so muß und kann man diesen nachtheiligen Verhältnissen um so mehr durch die Einrichtung der Geschütze entgegenwirken, als Dauerhaftigkeit und bedeutende Wirkung sich im Durchschnitte bis zu einem gewissen Maaße, ohne Schwierigkeit mit einander vereinigen lassen.

Die Wohlfeilheit ist vorzugsweise nur durch die Art des Materials zu erreichen, wovon weiter unten; jedoch darf nicht unberücksichtigt bleiben, daß diese Wohlfeilheit besonders aus folgenden beiden Rücksichten von bedeutender Wichtigkeit ist:

1) Das todte Kapital, welches die Anschaffung der Geschütze erfordert, ist um so bedeutender, je kostbarer jedes einzelne Geschütz ist.

2) Die Ausdehnung, so wie der Umfang des Staates, wird es immer nothwendig machen, mehr Belagerungs-Geschütze 2c. vorräthig zu haben, als, selbst zur Durchführung der Belagerung einer sehr bedeutenden Festung, erfordert werden; wenn man nicht allerwenigstens sehr viel Zeit darauf verwenden will, den Belagerungs-Train zusammenzubringen und nach dem Orte seiner Bestimmung zu schaffen.

Bei der Einrichtung der Belagerungs-Geschütze ist also die Wirkung vorwaltende Rücksicht, demnächst Wohlfeilheit, so weit dieselbe mit der Wirkung und Dauerhaftigkeit sich vereinbaren läßt, und endlich Leichtigkeit der Bedienung, Handhabung und des Transports, jedoch nie auf Kosten der Wirkung und der Dauerhaftigkeit.

Sind dies die Grundsätze, von denen man bei der Einrichtung der Belagerungs-Artillerie ausgehen muß, so springt es in die Augen, daß sie der Festungs-Artillerie viel näher als der Feld-Artillerie verwandt ist, und daß es viel gerathener sein dürfte, die Festungs-Artillerie so einzurichten, daß sie zum Ersatze sowohl der Belagerungs-, als der Feld-Artillerie dienen können, als den unerwarteten Abgang der letzteren durch Belagerungs-Geschütz ergänzen zu wollen. Das Nähere hierüber weiter unten.

2. Einrichtung.

Es soll hier zunächst die Rede von der Einrichtung der

A. Geschützröhre

sein, bei denen uns, wenn wir die angegebenen Erfordernisse im Auge behalten

a) das Material,

woraus dieselben gefertigt werden sollen, interessirt.

Ueber die schicklichste Auswahl desselben können nur Erfahrungen entscheiden.

Ganz unbestritten hat das Gußeisen vor der Bronze den Vorzug:

1) des geringeren spezifischen Gewichtes,
2) der Wohlfeilheit,
3) der größeren Dauer, insofern es durch den Pulverschleim und Kugelanschläge nur unbedeutend leidet, und eiserne Röhre daher auch längere Zeit die erforderliche Wahrscheinlichkeit des Treffens gewähren.

Auf der anderen Seite macht man demselben den Vorwurf:

1) daß die Röhre, die daraus gefertigt worden, nicht nur überhaupt leicht springen, und dadurch die Bedienung sehr gefährlich machen, sondern daß sie oft ganz unerwartet springen, nachdem sie selbst starke Proben ausgehalten haben; während die metallenen vorher Risse ꝛc. bekommen, und dadurch die Gefahr bezeichnen;
2) daß der Vortheil des geringeren spezifischen Gewichts wieder dadurch verloren gehe, weil man die Röhre stärker machen müsse, um das Springen derselben zu verhüten;
3) daß sie nicht mit der Genauigkeit wie die metallenen gefertigt werden können; (?)
4) daß sie durch eine treffende feindliche Kugel zerstört werden;
5) daß der Rost sie bald unbrauchbar macht.

Ehe ich mich auf eine Widerlegung dieser Einwürfe einlasse, sei es mir vergönnt, die beiden Bemerkungen vorauszuschicken;

1) daß eine einzeln dastehende Erfahrung so wenig, wie eine Reihe von Erfahrungen, die mit einer Eisensorte angestellt sind, irgend etwas gegen die Anwendbarkeit des Gußeisens überh

den können; während andernseits schon eine einzige Erfahrung, bei welcher sich dasselbe als ein vorzügliches Geschützmetall bewährt hat, unbedingt die Anwendbarkeit desselben darthut. Beweist nämlich eine solche Erfahrung die Möglichkeit, dem Gußeisen alle zu einem guten Geschützmetall erforderlichen Eigenschaften zu geben, so läßt es sich bei dem heutigen Stande der Wissenschaften wohl mit Zuversicht erwarten, daß Chemiker und Hütten-Kundige im Stande sein werden, die Eisenart, so wie die Art der Bearbeitung desselben, auszumitteln, welche den zu machenden Anforderungen in ihrem ganzen Umfange entspricht. *)

2) Bei den bisherigen Versuchen hat man wohl zu viel Werth auf die Wohlfeilheit gelegt. Man lasse diese vorläufig außer Acht, man verlange nur Röhre, die eben so genau gefertigt sind, als die metallenen, und welche diejenigen Proben **) aushalten, die man für nothwendig erachtet, um mit Sicherheit auf die Haltbarkeit derselben rechnen zu können; man sei bei den Proben so strenge wie die Engländer — bei denen z. B. im Jahre 1828 eine Lieferung von 100 Röhren nicht angenommen wurde, weil 3 derselben den gemachten Anforderungen nicht entsprachen — und ohne allen Zweifel wird man bald eiserne Geschütze erhalten, die den Vorzug vor den metallenen verdienen; in dem Maaße, in dem man mit der zweckmäßigsten Bearbeitung des Eisens ꝛc. vertrauter wird, und in dem man der Konkurrenz ein weiteres Feld öffnet, wird sich die Wohlfeilheit alsdann schon von selbst finden.

Es sind nun aber nicht bloß einzeln dastehende Erfahrungen und Versuche, sondern auf mannigfache Erfahrungen gegründete Einrichtungen verschiedener Artillerien, welche die Möglichkeit darthun, aus Gußeisen sehr brauchbare Geschützröhre anfertigen zu können.

Nachstehende Angaben werden hoffentlich den oben erwähnten Einwendungen begegnen, ohne eines Kommentars zu bedürfen.

---

*) Leider ist dies bisher noch nicht eingetreten, sondern das Gußeisen in Bezug auf seine Haltbarkeit in Geschützröhren immer noch als ein unzuverlässiges Material zu betrachten.   D. R.

**) Diese Proben sind bis jetzt noch nicht gefunden.   D. R.

Daß metallene Kanonenröhre von großem Kaliber im Allgemeinen nicht viel Schüsse auszuhalten vermögen, und daß ihre Leistungen in dieser Rücksicht in keinem Verhältnisse zu den Kosten ihrer Anschaffung, so wie zu den Zinsen des auf ihre Anschaffung verwandten Kapitals, stehen, haben namentlich die Versuche der Franzosen sowohl 1786, so wie 1811 bei Antwerpen, neuerdings zu Douay, 1821 bei la Fère und in der neuesten Zeit anderweitig angestellt, so wie die Erfahrung bei mehreren Belagerungen zur Genüge gelehrt.

Dafür, daß gutes Gußeisen nicht dem Springen in einem so hohen Grade ausgesetzt sei, als einzelne Erfahrungen zu beweisen scheinen, spricht Folgendes:

Nach praktischen Versuchen Tretgolds über die Stärke des englischen Gußeisens fanden sich folgende Verhältnisse zwischen demselben und der Bronze:

	Gußeisen.	Bronze.
Spezifisches Gewicht . . .	1	1,13
Stärke	1	0,65
Biegsamkeit	1	0,533.

Französisches Eisen aus der Gießerei von Fourchambault bei Nevres verhielt sich in Bezug auf Zähigkeit gegen das englische wie 1,3 : 1.

Diese große Zähigkeit bewährt sich einerseits beim Schießen mit starken Ladungen.

Die Engländer thun aus jedem zu probirenden Geschütze 2 Schuß mit 2 Kugeln und 2 Vorschlägen von Tauwerk, und wenden dabei folgende Ladungen an:

beim 42pfünder 25 Pfund
= 39 = 21 =
= 24 = 18 =
= 18 = 15 = und bei jedem kleinern

Kaliber kugelschwere Ladung; einzelne Röhre werden mit Pulver, Kugeln und Vorschläge selbst bis an die Mündung gefüllt. *)

---

*) Durch dergleichen sehr starke Proben können eiserne Geschütze leicht so stark angegriffen werden, daß sie nach denselben bei verhältnißmäßig nur schwachen Anstrengungen springen.

D. R.

Bei den Versuchen, welche 1824 in Brest mit 2 eisernen Bombenkanonen von Paixhans angestellt wurden, erlitten dieselben trotz ihrer geringen Eisenstärke auch nicht die unbedeutendste Beschädigung, obgleich das eine Geschütz nach einander folgende Ladungen erhielt:

   1) eine 80pfündige Kugel mit 10 Pfund Pulverladung,

   2) eine 53pfündige schwere Bombe mit 18 Pfund Pulverladung,

   3) zwei Bomben zugleich, welche 123 Pfund wogen, mit 10 Pfund Ladung.

Das andere Geschütz:

   1) Drei Schüsse mit 2 massiven, zusammen 100 Pfund schweren Kugeln und 20 Pfund Pulver.

   2) Drei Schüsse, ebenfalls mit massiven Kugeln und 26 Pfund Pulver.

Borkenstein I, 35. führt Erfahrungen an, denen zufolge eiserne Geschütze ganz ungeheure Ladungen ausgehalten haben ohne zu springen, wobei es besonders bemerkenswerth erscheint, daß ein 36pfünder, der bereits Ritzen im Langenfelde hatte, erst bei einer Pulverladung von 113 Pfund sprang.*)

Diese große Zähigkeit des Gußeisens bewährt sich aber nicht nur bei starken Ladungen, sondern andernseits auch bei anhaltendem, sehr heftigem Feuer.

Nach John May that man in der Belagerung von St. Sebastian 60 Stunden hindurch aus jedem von 20 eisernen 24pfündern im Durchschnitt 1 Schuß pro 12 Minuten, in der Belagerung von Badajoz aus 12 eisernen 24pfündern in 91 Stunden 18832, also im Durchschnitt, diese Zeit hindurch, von 4 zu 4 Minuten 1 Schuß, wobei nicht zu übersehen, daß die Geschütze nicht nur dieses heftige Feuer aushielten, sondern daß die Beschädigungen, welche sie, abgesehen von der Erweiterung der Zündlöcher, dabei erlitten hatten, nur darin bestanden, daß das Kugellager bei 5 Röhren eine Tiefe von 0,0807 Zoll und bei 10 andern nicht über 0,0538 Zoll hatte; daß die größte Vertiefung der Bohrung 0,0269 Zoll betrug und sich höchstens bis 3 Zoll vor das Kugellager erstreckte.

---

*) Die Ladung von 113 Pfund scheint etwas problematisch; sie würde im 36pfünder mehr als 100 Zoll der Seelenlänge ausfüllen.   D. R.

Mannigfache und ausführliche Versuche in Woolwich angestellt, gaben eben so günstige Resultate.

Dieser Grad von Härte und Zähigkeit dürfte auch wohl den strengsten Anforderungen genügen. Den Vortheil des geringeren spezifischen Gewichts braucht man übrigens keineswegs deshalb zu opfern, weil die eisernen Röhre stärkere Abmessungen als die metallenen erfordern.

Nach den Angaben der 1827 in Leipzig erschienenen Tables des principales dimensions etc. sind zwar im Allgemeinen, bei einerlei Länge, die eisernen Röhre desselben Kalibers in jeder Artillerie schwerer als die metallenen.

Vergleicht man aber, unter der Voraussetzung einer gleichen Länge, dieselben Kaliber verschiedener Artillerien mit einander, so sieht man einerseits, daß die Gewichte der eisernen 24pfünder und 12pfder bei den Engländern und Russen z. B. oft um viel mehr als 1000 Pfund von einander abweichen, was nicht nur in der Verschiedenheit der Güte des Eisens, sondern wohl auch darin begründet sein dürfte, daß es bis jetzt an genügenden Versuchen fehlt, um die unerläßlich nothwendige Metallstärke eiserner Röhre auch nur mit einiger Genauigkeit angeben zu können; andernseits, daß die englischen eisernen 24pfder sehr bedeutend leichter sind, als die metallenen der Russen von demselben Kaliber. Diese Einrichtungen beweisen demnach allerwenigstens die Möglichkeit, eisernen Geschützen ohne Nachtheil eine nur eben so große Metallstärke geben zu können, als den metallenen.

Vergleicht man die, Rouvroy I, 367, für die Abnahme der eisernen Röhre in der englischen Artillerie angegebenen Bestimmungen mit den für die preußischen metallenen Röhre bestehenden Vorschriften, so gestaltet sich der Unterschied allerdings bedeutend zum Nachtheile der ersteren in Bezug auf die Genauigkeit der Fertigung. Dieser Unterschied wird aber schon viel geringer, wenn man die in der englischen Artillerie zulässigen Abweichungen bei den metallenen Röhren gegen die bei den eisernen hält, und wird ohne Zweifel in dem Maaße mehr verschwinden, als man größere Fortschritte in der Anfertigung der eisernen Röhre macht; wobei nicht zu übersehen ist, daß Gruben und Gallen, deren Vorhandensein und Abmessungen hier vorzugsweise den Ausschlag geben, in eisernen Röhren sich viel weniger vergrößern als in metallenen, und daher jene auch weniger verwerflich machen. Bohrt man die eisernen Röhre wie die metallenen, so ist gar kein Grund vorhanden, bei ihnen bedeutendere Abweichungen von den sonstigen Vorschriften zu gestatten, als bei diesen.

Der Vorwurf, daß eine einzige feindliche Kugel hinreiche, ein eisernes Rohr zu zertrümmern, kann hier um so weniger in Betracht kommen, als einerseits dieses Getroffenwerden überhaupt nicht so überaus häufig vorkommen möchte, andernseits ein metallenes Rohr eben so leicht durch eine einzige feindliche Kugel, wenn auch nicht zertrümmert, doch unbrauchbar werden kann, und als endlich dieser Nachtheil um so seltener eintreten wird, je besser, d. h. je zäher, das Material ist.

Die Franzosen haben in den Jahren 1823 und 1828 die eisernen Geschützröhre, welche die Engländer vom spanisch-französischen Kriege her in St. Sebastian zurückgelassen hatten, einer sehr genauen Prüfung unterworfen und dieselben vom Roste fast gar nicht angegriffen gefunden, obgleich diese Geschütze 15 Jahre lang in den Küsten-Batterien, ohne irgend einen Schutz gegen die Einwirkung der Witterung, aufgestellt gewesen waren.

Wenn alle diese einzelnen, zu verschiedenen Zeiten und an verschiedenen Orten stattgehabten Thatsachen nun noch dadurch bestätigt werden, daß die Schweden selbst eiserne Feldgeschütze, und die Engländer, so wie die Niederländer, gegenwärtig nur eisernes Belagerungs-, Festungs- und See-Geschütz anwenden, so ist die Möglichkeit der Anfertigung vollkommen brauchbarer eiserner Röhre unwiderleglich erwiesen, und mehr bedarf es für den vorliegenden Zweck nicht. *)

Nächst dem Material haben wir

b) die Geschützart

zu betrachten.

Ueber den Werth der Kanonen und Mörser bei Belagerungen zu sprechen wäre eben so überflüssig, als es hier an seinem Orte sein

---

*) Die möglichste Sicherheit für die Haltbarkeit eiserner Röhre hat man bisher nur durch Anwendung schwacher Ladungen zu erzielen geglaubt.　　　　　　　　　　　　D. R.

dürfte, den Werth der Haubitzen in dieser Beziehung einer nähern Prüfung zu unterwerfen.

ein 7pfündiges metallenes Haubitrohr kostet . 390 Thlr. 16 Sgr.
eine 7pfdige Belagerungs-Laffete mit Proze rc. 308 - 12 -

Summa 698 Thlr. 28 Sgr.

ein 10pfündiges metallenes Mörserrohr 222 Thlr. 16 Sgr. — Pf.
eine 10pfündige Mörserlaffete . . . . 63 - - - -
ein halber 10pfündiger Mörserwagen . 74 - 24 - 10 -

Summa 360 Thlr. 10 Sgr. 10 Pf.

Die Bespannung dürfte bei beiden als gleich anzunehmen sein.

Nimmt man nun an, daß jedes Geschütz mit 600 Hohlgeschossen ausgerüstet wäre, und daß ein 10pfdiger Wurf etwa 32 Sgr. kostet, der 7pfdige dagegen etwa 20 Sgr., so werden — den Preis der Geschütze mit eingerechnet — die 600 10pfündigen Würfe noch nicht so viel wie eben so viel 7pfdige kosten, dagegen aber viel mehr wirken. Zufolge der Revue-Berichte und der 1819 von der Artillerie-Prüfungs-Kommission angestellten Versuche trafen:

Entfernung. Schritt.	Geschützart.	Ein Rechteck			Granaten.
		breit Schritt.	lang Schritt.	Flächen-Inhalt. □Schritt.	
600	7pfdige H.	50	50	2500	0,20 — 0,21
	10pfdige M.	15	35	525	0,20
1200	7pfdige H.	75	75	5625	0,16
	10pfdige M.	45	60	2700	0,40
1500	7pfdige H.	75	75	5625	0,09
	10pfdige M.	50	65	3250	0,30

Mit dem 10pfündigen Mörser wird aber nicht nur das Ziel so außerordentlich viel sicherer getroffen, sondern:

Die 10pfündigen Bomben dringen viel tiefer ein, wo diese Wirkung in Anspruch genommen wird,

sie wirken mehr beim Krepiren, sowohl auf der Erdoberfläche gegen die nächsten Umgebungen, als wenn sie in Erde, Holz rc. eingedrungen sind. *)

---

*) Da der bestrichene Raum bei den Haubitzen viel größer ist, als bei den Mörsern, wird es immer darauf ankommen, was für Ziele

Die 10pfdigen Brand- und Leuchtkugeln entsprechen, bei wenigstens gleicher Wahrscheinlichkeit des Treffens, mehr ihrer Bestimmung als die 7pfündigen.

Wo es also bei Belagerungen nur auf das Werfen im hohen Bogen ankommt, werden die Mörser, der Zweck sei welcher er wolle, um so mehr ganz unbedingt den Vorzug verdienen, als sie:

weniger Bedienungsmannschaft erfordern; entweder gar keiner, oder doch mit geringem Zeit-, Materialien- und Arbeiter- rc. Aufwande herzustellender, Batterien bedürfen; leichter zu armiren sind, ihr Feuer frühzeitiger eröffnen und ungestörter fortsetzen können, da sie durch die vorliegenden Arbeiten nicht so leicht maskirt werden:

ihren Zielpunkt, selbst ihre Aufstellung, ohne große Schwierigkeit beliebig ändern, ihr Feuer konzentriren können:

schwieriger vom Feinde zu treffen sind, und also seltener, und leichter zu bewerkstelligende Reparaturen bei ihren Batterien vorkommen.

Leisten die 10pfdigen Haubitzen auch etwas mehr als die 7pfündigen, so steht die Wahrscheinlichkeit des Treffens derselben doch der der Mörser bei Weitem nicht gleich, und wenn die Wirkung ihrer Geschosse in vielen Beziehungen der der 10pfdigen Mörser auch gleich zu stellen ist, so treten die Vorzüge der Mörser in den zuletzt angegebenen Beziehungen auch mehr hervor, während der Kostenaufwand auf Seiten der Haubitzen um so bedeutender wächst.

Erlauben die obwaltenden Verhältnisse vielleicht gar die Anwendung der 7pfündigen Mörser, so werden dieselben nicht nur aus den erwähnten Gründen, sondern auch noch insofern den Vorzug verdienen, als bei ihnen der etwa zu machende Einwand des schwierigeren Munitions-Transportes nach den Batterien wegfällt.

---

man bewirft, um die Wahrscheinlichkeit des Treffens zu beurtheilen; allgemein wird die Haubitze für vertikale Ziele, der Mörser für horizontale Ziele vorzuziehen sein. Nächstdem ist in neuerer Zeit durch die größere Aufmerksamkeit, welche man den Geschossen zugewendet, auch die Wahrscheinlichkeit des Treffens bei Haubitzen bedeutend größer geworden, als sie im Jahre 1828, wo diese Abhandlung geschrieben wurde, angenommen werden konnte.

D. R.

Wenn nun die Haubißen in allen Fällen, in denen es auf hohe
Elevation und bedeutende Fallkraft der Geschosse ankommt, gar keinen
Vergleich mit den Mörsern desselben, viel weniger eines größeren,
Kalibers auszuhalten im Stande sind — wenn man, mit einem Worte
da, wo man Wurfgeschüße anwenden kann, sich nicht statt derselben
einer Geschüßart bedienen wird, die als Mittelding zwischen Wurfge-
schüß und Kanonen das Gepräge der Unvollkommenheit an sich trägt,
so entsteht natürlich die Frage:

> welche, auf keine andere Weise in gleichem Maaße zu errei-
> chenden, Vortheile gewähren die Haubißen, um das Vorhan-
> densein dieser, sowohl an und für sich, als durch ihre Geschosse,
> kostbaren Geschüßart in den Belagerungs-Trains zu rechtfer-
> tigen?

Kann man mit denselben Bresche legen? — gegen Futtermauern
nie — gegen Erdwälle vielleicht; aber nicht weil sie Haubißen sind,
sondern weil sie Hohlgeschosse schleudern. Eignen sie sich zur Armirung der Demontir-Batterien? — ihre Granaten könnten recht wirksam werden, aber mit den Haubißen trifft man keine Scharte*) und
sie gewähren zu geringe Perkussionskraft.

Wird man sie zur unmittelbaren Vertheidigung der Parallelen,
zur Beseßung der Flügel-Redouten ꝛc. benußen? — gewiß nicht; denn
die Ansicht, daß ihr Kartätschfeuer ergiebiger als das der Kanonen
sei, und daß sie sich daher besser zur Vertheidigung der Werke in der
Nähe eignen, ist durchaus falsch. — Ein Blick in die Schießlisten
und die Berücksichtigung des Umstandes: daß der Feind nicht auf
resp. 700 und 800 Schritt stehen bleibt, sondern möglichst rasch vor-
rückt, daß man in derselben Zeit viel mehr Schüsse aus den Kanonen
thun kann, zeigt die Unhaltbarkeit dieser von Ingenieuren neuerdings
häufig aufgestellten Ansicht.

Wenn endlich die Haubißen mit den Mörsern gar keinen Vergleich auszuhalten im Stande sind, so führt man dieselben also, und
zwar nach den neuesten Belagerungs-Entwürfen in nicht geringer
Zahl, mit sich — um rikochettiren zu können, d. h. um eine Wirkung

---

*) Ist gegenwärtig wohl nicht mehr so entschieden zu behaupten.
D. R.

zu erreichen, die nur so lange gefährlich erschien, als man sie nicht
kannte und sich nicht dagegen schützte, die nur da, wo sie zum ersten-
male angewandt wurde, die Entscheidung herbeiführen konnte (Spectateur militaire II. 55), und die sich endlich eben so gut auch durch
Geschütze erreichen läßt, die man noch zu anderen Zwecken der Belagerung verwenden kann.*)

Schon die 12pfündigen Kanonen geben beim Rikochettiren im
Durchschnitte mehr Treffer als die Haubitzen, und zwar nach den
letzten Revue-Berichten besonders unter den Umständen, unter welchen das Rikochettiren am nöthigsten sein dürfte, nämlich in der
Nacht, um dem Feinde das Arbeiten auf den Werken möglichst zu
erschweren; denn daß man den Feind nothwendig während der Nacht
in Athem erhalten, ihm keine Zeit zur Ausbesserung seiner Werke, zur
Aufstellung von Geschützen u. s. w. lassen müsse, ist in der Natur der
Sache begründet. Glaubt man nun — so lange die Kartätschschüsse
gegen die feindlichen Werke (von denen man sich übrigens auch mehr
verspricht, als sie leisten) nicht anwendbar sind, denselben Zweck in
der Nacht statt durch Rikochettschüsse, mit Bombenwürfen erreichen
zu können, so wird dies um so mehr am Tage der Fall sein, wie es
sowohl die überaus häufige Anwendung der Cöhörner in früherer Zeit,
als die Belagerungen von 1815 zur Genüge lehren.

Soll nun aber durchaus rikochettirt werden, so sei man nur vorher mit sich selbst einig, was die Geschosse leisten sollen, ehe man
über den Werth der einen oder der anderen Art derselben abspricht.

Der Belagerte weiß, daß wir es versuchen werden, ihn durch
unser Rikochettfeuer wenigstens zu inkommodiren, zu ängstigen: er
sichert sich dagegen, wenn ihm kein anderes Mittel zu Gebote steht,
und wenn die Linien seiner Werke ungünstig geführt sind, mindestens
durch Traversen.

Diese Traversen lassen sich nun einerseits dadurch nutzlos machen, daß der Belagerer seinen Geschossen die erforderliche Per-
kussionskraft giebt, um die Traversen durchdringen, oder doch nach und nach so weit abkämmen zu können,

---

*) Auch hier muß bemerkt werden, daß jetzt die Haubitzen zum Ri-
kochettiren sehr wirksam, und ohnstreitig das geeignetste Geschütz
für diesen Zweck sind.   D. R.

daß sie keinen hinlänglichen Schutz mehr gewähren; zur Erreichung dieses Zwecks eignen sich zwar die Granaten, aber auf keine Weise die Haubitzen.*)

Andernseits kann der Belagerer es versuchen, den Feind hinter diesen Traversen zu treffen, und denselben dadurch ihren Werth zu rauben. Man beabsichtigt hier also den Wallgang mit möglichst vielen kurzen und hohen Sprüngen so zu treffen, daß die Granaten über die einzelnen Traversen wegspringen. Abgesehen davon, daß nur wenige Granaten den Wallgang wirklich treffen, daß von diesen noch manche blind geht, werden auch die treffenden sehr wenig wirken. Eben um kurze und hohe Sprünge zu erhalten, darf, bei der entsprechenden Erhöhung, die Ladung im Verhältniß zur Entfernung immer nur schwach sein, die Granaten werden daher, bei der dadurch erzeugten geringen Perkussionskraft, gegen die Traversen als Vollkugeln wenig oder gar nichts wirken, und nur etwa, wenn wir sehr gut treffen, gegen die letzte oder gegen die Rückenwehr der Flanke, da sie ja eben über die Traversen wegspringen sollen; treffen sie die zwischen den Traversen stehenden Geschütze, Mannschaften oder Pallisaden, so erreicht man mit einem viel kostbarerern Mittel den Zweck, den man wohlfeiler und sicherer auch durch Kanonenkugeln zu erreichen vermag. Bringen wir nun auch das Krepiren der Granaten mit in Anschlag, und nehmen wir an, daß sie selbst in einer Traverse krepiren, so würden sie wenigstens unbedingt mehr leisten, wenn sie nicht mit so schwacher Ladung geworfen, also tiefer eingedrungen wären; da nach den Revue-Berichten selbst die Wirkung der unter 45 Grad gegen Batterien geworfenen 10pfündigen Bomben eben nicht bedeutend war. Krepirt die Granate zwischen zwei Traversen, so wird die Perkussionskraft der umherfliegenden Stücke gegen Laffeten und Pallisaden in der Regel nur unbedeutend wirken; es bleibt also nur noch die Mann-

---

*) Hier sowohl, als auch bei den noch folgenden Betrachtungen über das Rikochettiren, möge man sich erinnern, daß die vorliegende Abhandlung im Jahre 1828 niedergeschrieben wurde, und daß seit jener Zeit der Schuß aus Haubitzen (flache Bogenwurf) sehr wesentliche Verbesserungen erfahren hat. Für den an der vorstehenden Stelle besonders bezeichneten Zweck, wird man allerdings immer bedacht sein müssen, so starke Ladungen anzuwenden, als die Umstände nur immer gestatten.   D. R.

schaft, der das Rikochettfeuer aus Haubitzen gefährlich werden könnte; werden hier aber nicht die Bomben aus Mörsern geworfen unbedingt mehr leisten?

Die Lobredner des Rikochettirens aus Haubitzen führen nun zwar noch als Vortheile dieses Verfahrens an: daß die den Wallgang nicht treffenden Granaten — also die überwiegende Mehrzahl derselben — den Feind im Innern des Platzes belästigen; die Flanken im Rücken nehmen — wenn sie keine Rückenwehren haben —; die Kommunikation und Arbeiten im Graben stören — wenn derselbe trocken ist und wenn keine zweckmäßigen Vorbereitungen im Platze getroffen sind. Läßt sich auch die Möglichkeit aller dieser Erfolge nicht läugnen, so finden sie doch nur statt, weil man schlecht rikochettirt, und weil die Granaten krepiren; und sind viel einfacher, sicherer und wohlfeiler durch Bomben aus Mörsern zu erreichen.*)

Fassen wir daher das Gesagte zusammen, so ließe sich wohl folgern, daß man die Haubitzen beim Angriffe der Festungen nur gebraucht, um schlecht rikochettiren zu können, was man wenigstens eben so gut mit Kanonen, wie auch mit Mörsern, zu erreichen im Stande ist.

Aus Kanonen: weil nach den Revue-Berichten die Zahl der treffenden Geschosse im Durchschnitte eben so groß wie bei den Haubitzen war, und weil nicht nur diese Zahl, sondern auch die Wirkung überhaupt ungemein zunehmen würde, wenn man sich starker Ladungen bediehen und dadurch die Traversen nutzlos machen wollte; daß Hohlgeschosse dieses Feuer für den Platz gefährlicher machen würden, unterliegt eben so wenig einem Zweifel, als daß dieselben sich nicht mit Erfolg aus den Kanonen sollten schießen lassen. Wo es die Umstände wünschenswerth oder nothwendig machen mit schwachen Ladungen zu rikochettiren,**) werden die Kanonen die dazu nöthige Elevation zu nehmen jederzeit gestatten, und die Schwierigkeit des Ladens kann hierbei um so weniger ein triftiger Einwand werden, als

*) Bei dem Werfen aus Mörsern fällt der bestrichene Raum außerordentlich gering aus. D. R.

**) Neuere seit dem Jahre 1828 angestellte Versuche haben dargethan, daß ein Rikochettiren mit schwachen Ladungen aus Kanonen durchaus nicht rathsam ist. D. R.

sie doch nur höchstens ein langsames Feuer zur Folge haben kann, und dieses am wenigsten beim Rikochettiren als ein wichtiger Uebelstand zu betrachten ist.

In größerer Nähe, wo man, wie z. B. in der halben*) oder dritten Parallele, Haubitzen aufstellt, um durch das Granatfeuer derselben die Eroberung des gedeckten Weges oder die Zustandebringung der dritten Parallele zu begünstigen, wo also das Feuer vorzugsweise gegen die Truppen und Bedienungsmannschaft der Geschütze gerichtet ist, erreicht man denselben Zweck viel sicherer, vollständiger und mit einem viel geringern Aufwande jeder Art, durch eine entsprechende Anzahl 7pfündiger Mörser; dieselben können entweder, wie gewöhnlich, ihre Bomben im 45ten Grade schleudern, oder bei einer angemessenen Einrichtung der Richtmaschinen auch rikochettiren, wenn man davon eine größere Wirkung erwarten zu können glaubt. Welches unübersteigliche Hinderniß dem Rikochettiren aus Mörsern überhaupt entgegenstehe, oder welche größeren Schwierigkeiten es haben solle, als das Rikochettiren aus Haubitzen, warum man hier nicht ebenfalls nach vorn erhöhte Scharten anwenden, oder sich nicht auf andere Weise solle helfen können, leuchtet nicht ein.**)

Bedient man sich nun bei Belagerungen der Haubitzen mit einigem Vortheile nur zum Rikochettiren, kann man aber mit Kanonen denselben Zweck sicherer erreichen, kann man bei denselben ebenfalls Granaten gebrauchen — in deren Anwendung doch eigentlich nur der Vorzug der Haubitzen beim Rikochettiren liegt — verdienen endlich die Mörser, als Wurfgeschütz, unbedingt den Vorzug vor den Haubitzen, so dürfte die gänzliche Weglassung der letzteren aus den Belagerungs-Trains wohl hinlänglich gerechtfertigt sein. Man vermehre dafür lieber die Zahl der Mörser, deren Anwendung in allen Perioden des Angriffs außerordentliche Vortheile gewährt; und könnte man

---

*) In der halben Parallele würde, nach unserer Ansicht, in den meisten Fällen die Haubitze wirksamer sein, als jede andere Geschützart.   D. R.

**) Das Rikochettiren aus Mörsern wird nicht allein der Scharten wegen, sondern weil sich die Mörserlaffeten zum Schießen mit kleinen Erhöhungen sehr wenig eignen, immer nur als Nothbehelf zu betrachten sein. Auch sind die zulässig stärksten Mörserladungen immer nur sehr schwache Rikochett-Ladungen.   D. R.

sich endlich durchaus nicht von den Haubitzen trennen, so begnüge man sich wenigstens mit den beim Belagerungs-Korps befindlichen Feldhaubitzen. Der Einwand, daß die Haubitzen bei Belagerungen häufig gebraucht sind, verdient um so weniger Beachtung, da dieser Gebrauch, genau genommen, doch nur zeigt, daß sich Haubitzen im Parke befanden, und daß man dieselben so vortheilhaft zu verwenden suchte, als es ihre Einrichtung gestattete.

c) Kaliber.

Schon in der Einleitung ist gezeigt, daß beim Belagerungs-Geschütze der Vorzug einer größeren Wirkung, bis zu einer gewissen Grenze, unbedingt den einer größeren Beweglichkeit überwiegt; wächst nun die Wirkung mit dem zunehmenden Kaliber und mit der Länge der Röhre, also mit ihrem Gewichte, so wird sich jene Grenze von selbst feststellen, sobald man das zulässige Maximum der Summe des Gewichts des Rohres plus der Laffete bestimmt hat.

Was das Kaliber

α) der Kanonen

anbetrifft, so hat man bei Feststellung des Gewichts der Röhre derselben zu berücksichtigen:

1) Die Transportfähigkeit. Wenn sich dieselbe, wie erwähnt, großentheils durch die Einrichtung der Laffeten erreichen läßt, so würde in Beziehung auf das Gewicht der Röhre hier nur festzuhalten sein, daß dasselbe den Transport auf zweckmäßig eingerichteten Laffeten gestatte, also nicht die Anwendung von Sattelwagen nothwendig mache. So lange man diesen Grundsatz festhält, wird

2) die Bedienung der auf diese Weise eingerichteten Geschütze, wenigstens durch das Gewicht derselben, nicht zu sehr erschwert werden.

Dieses Gewicht nun von vorn herein bestimmen zu wollen, scheint nicht rathsam, weil es alsdann erst besonderer kostspieliger und weitläuftiger Versuche bedürfen würde, um sich von der Zulässigkeit desselben zu überzeugen, während es natürlicher erscheint, die bestehenden Einrichtungen unserer, so wie anderer Artillerien, als Grundlage zu benutzen.

Nach französischem Gewicht wiegt bei den 24pfündern der

Oesterreichischen Artillerie das Rohr 5834 Pfund

Französischen   •   •   •   5628   •

Niederländischen   •   •   •   5822   •

Russischen   •   •   •   6015   •

Englischen   •   •   •   5507   •

Preußischen   •   •   •   6280   •

Summa 35086 Pfund

Mittelzahl 5848 •

Nähme man daher das Gewicht des Rohres zu 5800 (6073 Preuß. Pfund) französische Pfund in runder Zahl, so wäre dasselbe noch immer größer als das des englischen, 20 Kaliber langen, eisernen 24pfders, und man würde daher ohne Zweifel im Stande sein, aus dieser Eisenmasse einen 24pfder anzufertigen, der bei der nöthigen Beweglichkeit, allen zu machenden Anforderungen in Bezug auf die Wirkung entspräche, während die Einrichtungen anderer Artillerien lehren, daß dieses Gewicht noch merklich vermindert werden könnte.

Es käme nun nur noch darauf an zu zeigen, daß, wenn man größere Kaliber als 24pfünder anwenden wollte, dieselben entweder nicht mehr leisten, oder bei größerer Wirkung, die erforderlichen Grenzen der Beweglichkeit überschreiten würden, oder endlich, daß eine bedeutend größere Wirkung als die unserer langen 24pfder, keineswegs so wünschenswerth sei, um die davon unzertrennlichen Nachtheile aufzuwiegen.

Größere Kaliber leisten in so fern mehr, als ihre Geschosse eine größere Perkussionskraft haben, und eine größere Wahrscheinlichkeit des Treffens gewähren; jedoch nur dann ganz unbedingt, wenn das Verhältniß zwischen dem Gewichte der Ladung und des Geschosses sehr wenig von demselben bei den kleinen Kalibern stattfindenden abweicht — bei gleicher relativer Länge des Rohres muß dies Verhältniß sogar bei den großen Kalibern geringer sein. — Die stärkere Ladung, welche bei den großen Kalibern eine Folge dieses Verhältnisses ist, erfordert eine bedeutendere Länge und Metallstärke und somit mehr Material, als man nach obiger Annahme zu verwenden hat, wenn das vermehrte Gewicht nicht ein Hinderniß werden soll. Müßte man demnach, um diesem Uebelstande auszuweichen, den Röhren der größeren Kaliber eine geringere relative Länge und daher auch Ladung geben, so ist es wenigstens noch nicht entschieden, ob die kleineren Kaliber, bei einer verhältnißmäßig größeren Länge und stärkeren Ladung, nicht mehr, oder doch eben soviel leisten werden als jene, während ihre Anwendung, namentlich durch die Munition, weniger Kosten verursacht. Größere Kaliber als 24pfder dürften daher entweder wegen ihres Mehrgewichts, nach den bisherigen Erfahrungen — indem man in allen Artillerien von den größeren Kalibern zurückgekommen ist, oder dieselben doch bedeutend verkürzt hat — gar nicht anwendbar sein, oder doch sehr wahrscheinlich, bei gleichem Gewichte, wegen der geringeren Länge, weniger leisten als diese.

Außerdem spricht für die Anwendung des 24pfündigen Kanonen-Kalibers aber noch der Umstand, daß demselben Hohlgeschosse entsprechen, welche — in der preußischen Artillerie eingeführt — bei nicht zu großem Gewichte, doch Pulver genug fassen, um gegen Truppen recht gute, gegen Laffeten, Pallisaden ꝛc. mehr oder weniger genügende Wirkung zu äußern; und endlich lehren alle Belagerungen neuerer Zeit, und namentlich die der Engländer in Spanien, welche mit 24pfündern selbst auf großen Entfernungen in kurzer Zeit praktikable Breschen zu Stande brachten, daß man mit diesem Kaliber sehr gut ausreiche.

Die 24pfder werden daher ein wesentlicher Bestandtheil des Belagerungs-Trains sein müssen, und allenthalben da in Anwendung kommen, wo große Perkussionskraft erfordert wird.*)

Man hat bisher in allen Artillerien außer den 24pfündern noch ein bis zwei kleinere Kaliber, 18-, 16-, 12pfünder als Belagerungsgeschütze gebraucht, um durch dieselben die 24pfünder da zu ersetzen, wo man entweder keine bedeutende Perkussionskraft verlangt, oder wo man im Stande zu sein glaubt, durch die größere Zahl der Schüsse das aufwiegen zu können, was jedem einzelnen an Wirksamkeit abgeht. Gegen diese Anordnung läßt sich nun einwenden:

---

*) Hier ist zu bemerken, daß die in neuerer Zeit eingeführten Bombenkanonen und schweren Haubitzen beträchtlich mehr leisten, als der lange 24pfder, und daß diese für die Folge sowohl beim Angriff, als bei der Vertheidigung sehr wichtig werden dürften. Namentlich möchte die Zerstörung gedeckter Ziele (Mauerwerk, Kapponieren ꝛc.) ihnen besonders anheimfallen. D. R.

1) Verlangt man keine bedeutende Perkussionskraft, so wird wahrscheinlich ein größeres und schwereres Geschoß, aus einem kurzen Rohre abgeschossen, eben so viel wirken, als ein kleineres und leichteres aus einem längeren Rohre abgeschossen. Bei der geringen Entfernung und der unveränderten Stellung des Zieles, bei dem langen Gebrauche des Geschützes von derselben Bettung aus 2c., wird sich die geringere Wahrscheinlichkeit des Treffens des kürzeren, aber größeren Kalibers, durch eine aufmerksame Bedienung wohl um so mehr aufwiegen lassen, als die Ladung hiebei überdies nicht sehr schwach sein kann.

2) Die Wirkung eines Kalibers durch eine größere Zahl kleinerer Kaliber erreichen zu wollen, ist beim Angriffe der Festungen nicht zu empfehlen, denn

a) bedarf man mehr Transportmittel, sowohl um die Geschütze und Munition bis zum Belagerungsparke, als auch nach den Batterien zu schaffen; der Transport ist überdies zeitraubender und eben deshalb auch gefährlicher.

b) Man bedarf mehr Bedienungsmannschaften.

c) Da die Batterien eine größere Länge haben müssen, so erfordert ihr Bau mehr Materialien, Arbeiter, Schanzzeug 2c.

d) Die größeren Batterien, die größere Zahl der Geschütze und Bedienungsmannschaften bieten dem feindlichen Feuer einen größeren, leichter zu treffenden Zielpunkt dar; erzeugen also mehr Verlust und häufigere Reparaturen mit allen damit verknüpften nachtheiligen Folgen.

e) Die Anwendung der kleineren Kaliber wird durch die genannten Verhältnisse kostspieliger, während man

f) in der Regel den beabsichtigten Zweck doch nur durch einen größeren Aufwand von Zeit erreicht.

Ist es daher vorzuziehen, die beabsichtigte Wirkung lieber durch größere Kaliber, als durch eine vermehrte Geschützzahl zu erreichen, und leisten kurze 24pfder, in den hier in Betracht kommenden Fällen, wahrscheinlich eben so viel, als die heutigen 12pfünder, so könnten, durch die Weglassung der letzteren, sämmtliche Belagerungs=Kanonen füglich auf das einzige 24pfündige Kaliber zurückgeführt werden, was in Bezug auf die Ausrüstungs= und Unterhaltungskosten, auf Er=

saß, gegenseitige Aushülfe ꝛc. sehr wesentliche Vortheile gewähren würde.

Dieser kurze 24pfünder, dessen Gewicht eben so viel wie das des Preußischen Belagerungs-12pfünders, also 3000 Pfund als Maximum betragen möge, soll aber nicht nur den 12pfünder, sondern auch die Haubitzen ersetzen. Da man die Haubitzen wohl nie wegen ihres geringen Gewichts als Belagerungsgeschütz gebraucht hat, so wird das Mehrgewicht des kurzen 24pfders demselben, auch in Bezug auf diese Art der Anwendung, nicht zum Vorwurfe gereichen, und da bei ihnen alle Vortheile der langen Haubitzen, in Bezug auf größere Wirkung, ins Leben treten, ohne daß, bei der hier vorkommenden Art ihres Gebrauchs, die Einwürfe, welche man gegen lange Feldhaubitzen zu machen gewöhnt ist, von einiger Erheblichkeit sein könnten — so wird dies ein sehr triftiger Grund mehr sein, die Belagerungs-Kanonen nur aus kurzen und langen 24pfündern bestehen zu lassen. Kleinere Kaliber als 12pfünder endlich eignen sich insofern nicht zum Belagerungsgeschütze, als einerseits ihre Wirkung zu gering ist, namentlich im Vergleich gegen die großen Kaliber des Platzes, und im Betracht der günstigen Umstände, unter denen dieselben gebraucht werden; und als andernseits die erwähnten Nachtheile starker Batterien von kleinem Kaliber, hier noch mehr hervortreten würden; wobei nicht zu übersehen ist, daß man nicht unter allen Umständen die geringe Wirkung durch die Zahl der Geschütze zu ersetzen im Stande ist, wie z. B. in den Bresch- und Kontre-Batterien, wo es selbst schon an Raum zur Aufstellung vieler Geschütze fehlt. Da wo man mit kleinen Kalibern auszureichen vermag, bediene man sich des beim Belagerungs-Korps befindlichen Feldgeschützes, wodurch man zugleich an Transportmitteln aller Art ersparen wird.

Während wir also nur 24pfündige Belagerungs-Kanonen annehmen, werden die verschiedenen eigenthümlichen Zwecke, welche wir durch die

β) Mörser

zu erreichen beabsichtigen, auch verschiedene Kaliber derselben nothwendig machen.

Die 7pfündigen, vorzugsweise gegen die Besatzung der Werke und Bedienungsmannschaft der Geschütze des Platzes gerichtet, entsprechen, wie es namentlich die Erfahrungen bei den Belagerungen von 1815 gelehrt haben, dieser Bestimmung in allen Perioden des Angriffs, so lange die Entfernung und geringe Ausdehnung des Ziels ihrer Wirkung nicht eine Grenze setzt. Würden die Vortheile des leichten Transports, der leichten Bedienung, des geringen Munitions-Aufwandes, der geringen Kostbarkeit ꝛc. auch allerdings bei noch kleineren Kalibern in größerem Maaße stattfinden, so ginge, abgesehen von der verminderten Wirkung, mit ihrer Anwendung der sehr wesentliche Vortheil verloren, ihre Geschosse zugleich für die 24pfdigen Kanonen gebrauchen zu können; man müßte mehr Geschoßarten mitführen, was sich immer als ein Uebelstand fühlbar machen würde.*)

Die 10pfündigen vertreten die Stelle der 7pfdigen, wenn die Entfernung für die Wirksamkeit der letzteren zu groß wird, ohne daß man jedoch nach den bisherigen Erfahrungen von den Bomben der ersteren eine merklich größere Wirkung zu erwarten berechtigt wäre. Vor Einführung des 7pfdigen Kalibers entsprachen sie ihrer Bestimmung um so mehr, als sie mit den 10pfdigen Haubitzen einerlei Kaliber hatten; da diese jedoch in unseren Belagerungs-Train nicht mehr vorkommen, so entsteht die Frage: ob man nicht im Stande wäre, dieselbe Wirkung auf einem wohlfeileren Wege mit 7pfdigen Mörsern zu erreichen.

Nach französischem Längenmaaß und Gewicht wiegt das preußische 7pfdige Rohr 182 Pfund und ist 17,85 Zoll lang, das englische 5½zöllige Rohr 142 Pfund und ist 18,30 Zoll lang, während die kammervolle Ladung beim preußischen 0,458 Pfund, beim englischen 0,673 Pfund beträgt.

Der englische leichtere Mörser ist daher einerseits länger, und erhält andernseits, trotz seiner geringeren Metallstärke, doch stärkere Ladungen; man wird daher den preußischen Mörser, ohne sein Gewicht zu vermehren, nicht nur länger machen, sondern ihm dabei auch unbedenklich eine stärkere Ladung geben können, und dadurch in Stand gesetzt werden, mit demselben größere Wurfweiten als bisher zu er-

---

*) Auf sehr kleine Entfernungen ist der Gebrauch des Handmörsers empfehlenswerth.

D. R.

reichen, während man zugleich an Wahrscheinlichkeit des Treffens gewinnt. *)

Behielte aber auch immer der 10pfdige Mörser das Uebergewicht durch seine größere Wurfweite, so kann diese doch nur allenfalls beim Bombardement von einigem Werthe sein — wozu sich jedoch dies Kaliber wegen der geringen Wirkung seiner Geschosse wenig eignet — und auch hier wird man nicht in Entfernungen das Feuer eröffnen, die bei der nothwendig bedeutenden Ausdehnung des Zieles, von der Anwendung längerer 7pfündiger Mörser eine sehr viel geringere Wirkung als von der der 10pfdigen erwarten ließe. Beim förmlichen Angriffe aber wird die Möglichkeit, so große Wurfweiten zu erreichen, noch viel weniger von Werth sein, da man denselben weder in so großen Entfernungen beginnt, noch — wenn er sonst zweckmäßig geleitet wird — sich in so großen Entfernungen vom Platze lange aufhalten lassen wird.

Bringt man nun noch in Anschlag, daß ein 7pfdiger Mörser mit seiner Laffete 124 Thlr. 14 Sgr., ein 10pfündiger dagegen 285 Thlr. 16 Sgr., daß ein 7pfdiger Bombenwurf etwa 20 Sgr., ein 10pfdiger aber etwa 32 Sgr. kostet, daß man bei Anwendung der 7pfdigen in Bezug auf Transportmittel, Bedienungsmannschaft, Leichtigkeit des in Thätigkeit Setzens der Geschütze 2c. viel gewinnt, daß man ein Kaliber weniger hat — so wird man sich überzeugen, daß man wahrscheinlich noch im Vortheile stände, wenn auch nur halb so viel 7pfdige Bomben als 10pfdige träfen, was jedoch keineswegs der Fall sein wird.

Die 10pfdigen Mörser können daher, als den 7pfdigen im Kaliber zu nahe stehend, füglich wegfallen.

Die 30pfündigen**) scheinen allen Anforderungen zu entsprechen, die man an diejenigen Mörser machen kann, deren Bomben nicht unmittelbar durch die Fallkraft wirken sollen, sondern vielmehr bestimmt sind, die Deckungsmittel, Scharten, Geschütze 2c. des Feindes durch ihr Krepiren zu zerstören. Bei ausreichendem Gewicht ih-

---

*) Die Verminderung des Rohrgewichts wird wegen der Rücksicht auf die Haltbarkeit der Laffete hier sehr bald ihre Gränze finden.
D. R.
D. R.

**) 25pfündigen.

rer Bomben, ist die Wahrscheinlichkeit des Treffens mit denselben nicht viel geringer als mit den 50pfdigen, während man mit ihnen Entfernungen zu erreichen im Stande ist, in welchen man nicht leicht Geschütze gebrauchen wird; so daß man auch da, wo ein Bombardement einen günstigen Erfolg verspricht, d. h. wo gar keine, oder doch nur wenige bombensicher eingedeckte Räume im Plaße vorhanden sind, von denselben in jeder Beziehung sehr vortheilhaften Gebrauch zu machen im Stande sein wird.

Wenn aber endlich die Wirkung der krepirenden Bomben nicht immer zur Erreichung des vorliegenden Zweck's ausreicht, wenn dieselben bisweilen durch ihre Fallkraft wirken müssen, so fragt es sich, ob das Kaliber der bis jetzt vorhandenen

50pfündigen Mörser dazu ausreiche. Diese Frage kann man wohl unbedingt verneinend beantworten, da das Gewicht unserer 50pfündigen Bomben weder an und für sich sehr bedeutend ist, noch dem der größten Kaliber anderer Artillerien gleich kommt. Nach französischem Maaße beträgt nämlich das Kaliber des

Preußischen	50pfündigen	Mörsers	10,48	Zoll
Niederländischen	50	=	10,78	=
Bayerschen	60	=	11,11	=
Hessischen	60	=	11,13	=
Oesterreichischen	60	=	11,46	=
Französischen				
Spanischen	12zölligen	=	12,00	=
Badenschen				
Englischen	13	=	12,19	=
Russischen	200pfündigen	=	12,33	=
Dänischen	200	=	13,39	=

Fast alle Artillerien Europa's haben daher größere Mörserkaliber als wir. Unterliegt es nun keinem Zweifel, daß größere und schwerere Bomben mehr der Anforderung, durch ihre Fallkraft zu wirken, entsprechen, so bleiben nur noch die Einwendungen zu beseitigen, welche man gegen die dadurch allerdings bedeutend schwerer werdenden Mörser machen möchte. Diese Einwendungen werden den schwierigen Transport, die schwierigere Bedienung und Handhabung, den größeren Kostenaufwand und endlich die geringere Dauer der Geschütze betreffen, worauf sich jedoch erwiedern läßt:

sich endlich durchaus nicht von den Haubitzen trennen, so begnüge man sich wenigstens mit den beim Belagerungs-Korps befindlichen Feldhaubitzen. Der Einwand, daß die Haubitzen bei Belagerungen häufig gebraucht sind, verdient um so weniger Beachtung, da dieser Gebrauch, genau genommen, doch nur zeigt, daß sich Haubitzen im Parke befanden, und daß man dieselben so vortheilhaft zu verwenden suchte, als es ihre Einrichtung gestattete.

c) Kaliber.

Schon in der Einleitung ist gezeigt, daß beim Belagerungs-Geschütze der Vorzug einer größeren Wirkung, bis zu einer gewissen Grenze, unbedingt den einer größeren Beweglichkeit überwiegt; wächst nun die Wirkung mit dem zunehmenden Kaliber und mit der Länge der Röhre, also mit ihrem Gewichte, so wird sich jene Grenze von selbst feststellen, sobald man das zulässige Maximum der Summe des Gewichts des Rohres plus der Laffete bestimmt hat.

Was das Kaliber

α) der Kanonen

anbetrifft, so hat man bei Feststellung des Gewichts der Röhre derselben zu berücksichtigen:

1) Die Transportfähigkeit. Wenn sich dieselbe, wie erwähnt, großentheils durch die Einrichtung der Laffeten erreichen läßt, so würde in Beziehung auf das Gewicht der Röhre hier nur festzuhalten sein, daß dasselbe den Transport auf zweckmäßig eingerichteten Laffeten gestatte, also nicht die Anwendung von Sattelwagen nothwendig mache. So lange man diesen Grundsatz festhält, wird

2) die Bedienung der auf diese Weise eingerichteten Geschütze, wenigstens durch das Gewicht derselben, nicht zu sehr erschwert werden.

Dieses Gewicht nun von vorn herein bestimmen zu wollen, scheint nicht rathsam, weil es alsdann erst besonderer kostspieliger und weitläuftiger Versuche bedürfen würde, um sich von der Zulässigkeit desselben zu überzeugen, während es natürlicher erscheint, die bestehenden Einrichtungen unserer, so wie anderer Artillerien, als Grundlage zu benutzen.

Nach französischem Gewicht wiegt bei den 24pfündern der
Oesterreichischen Artillerie das Rohr 5834 Pfund

Französischen	=	=	=	5628 =
Niederländischen	=	=	=	5822 =
Russischen	=	=	=	6015 =
Englischen	=	=	=	5507 =
Preußischen	=	=	=	6280 =

Summa 35086 Pfund

Mittelzahl 5848 =

Nähme man daher das Gewicht des Rohres zu 5800 (6073 Preuß.
Pfund) französische Pfund in runder Zahl, so wäre dasselbe noch immer
größer als das des englischen, 20 Kaliber langen, eisernen 24pfders,
und man würde daher ohne Zweifel im Stande sein, aus dieser Eisenmasse einen 24pfder anzufertigen, der bei der nöthigen Beweglichkeit, allen zu machenden Anforderungen in Bezug auf die Wirkung
entspräche, während die Einrichtungen anderer Artillerien lehren, daß
dieses Gewicht noch merklich vermindert werden könnte.

Es käme nun nur noch darauf an zu zeigen, daß, wenn man größ-
ßere Kaliber als 24pfünder anwenden wollte, dieselben entweder nicht
mehr leisten, oder bei größerer Wirkung, die erforderlichen Grenzen
der Beweglichkeit überschreiten würden, oder endlich, daß eine bedeutend größere Wirkung als die unserer langen 24pfder, keineswegs so
wünschenswerth sei, um die davon unzertrennlichen Nachtheile aufzuwiegen.

Größere Kaliber leisten in so fern mehr, als ihre Geschosse eine
größere Perkussionskraft haben, und eine größere Wahrscheinlichkeit
des Treffens gewähren; jedoch nur dann ganz unbedingt, wenn das
Verhältniß zwischen dem Gewichte der Ladung und des Geschosses
sehr wenig von demselben bei den kleinen Kalibern stattfindenden abweicht — bei gleicher relativer Länge des Rohres muß dies Verhältniß sogar bei den großen Kalibern geringer sein. — Die stärkere Ladung, welche bei den großen Kalibern eine Folge dieses Verhältnisses
ist, erfordert eine bedeutendere Länge und Metallstärke und somit
mehr Material, als man nach obiger Annahme zu verwenden hat,
wenn das vermehrte Gewicht nicht ein Hinderniß werden soll. Müßte
man demnach, um diesem Uebelstande auszuweichen, den Röhren der

bis bei der, der Länge angemessenen, Ladung das Springen nicht mehr zu befürchten ist.

Auf diese Weise wäre entweder, bei einem gegebenen Gewichte, die größte zulässige Länge des Rohrs festgestellt, oder man könnte auch umgekehrt eben so für eine gegebene Länge das kleinste zulässige Gewicht des Rohrs ermitteln. Für die langen 24pfder, bei denen die Wahrscheinlichkeit des Treffens, und namentlich die Perkussionskraft von so hoher Wichtigkeit ist, scheint das erstgenannte, für die kurzen 24pfder das zweite Verfahren das angemessenste, indem bei ihnen eine Länge von 12 Kalibern — die Engländer haben neuerdings 24pfdige Kanonen-Haubitzen von 10 Kaliberlänge in großer Anzahl gießen lassen — in keiner Beziehung einen größeren Kostenaufwand, als die heutigen Belagerungs-12pfünder herbeiführen, und doch, sowohl bei der Anwendung von Vollkugeln als von Granaten, so wenig den Mangel der 12pfünder als der Haubitzen fühlbar machen würden.

Bemerkenswerth ist hier nur noch, daß nach den Angaben und Versuchen Congreve's, so wie nach den in der Preußischen Artillerie angestellten Sprengungsversuchen eiserner Kanonenröhre, die Metallstärke des langen Feldes der Röhre, im Verhältniß gegen die des Boden- und Zapfenstücks, noch merklich geringer als gegenwärtig bei den allermeisten Mächten, ausfallen könne, und daß man dadurch in den Stand gesetzt wird, bei gleicher absoluter Länge des Rohrs, durch Zurückstellung der Schildzapfen, dasselbe weiter in die Scharten reichen zu lassen und zugleich weniger langer Laffeten zu bedürfen; wenn auch die Wirkung dadurch nicht, wie Congreve behauptet, erhöht werden sollte.

Was die Mörser betrifft, so wird eine Länge des Fluges von 1¼ Fuß bei allen Kalibern, sowohl den Anforderungen Scharnhorst's, als der Einrichtung des dänischen 13zölligen Mörsers entsprechen, den wir als den schwersten üblichen, hier füglich insofern als Maaßstab nehmen können, weil diese Länge weder der Leichtigkeit des Ladens zuviel Abbruch thut, noch ein übermäßiges Gewicht des Mörsers erheischt.

Da mit Ausschluß der 7pfdigen Mörser — deren Gewicht bereits angegeben ist — bei den übrigen das Gewicht als nachtheilig nicht besonders in Anschlag kommen kann, so scheint auch kein Grund vorderachse nicht zu fürchten ist, so fallen hier die Einwendungen, die man mit Recht gegen das Marschlager bei den Feldgeschützen macht, weg, während dasselbe die Sicherheit der Bewegung wesentlich erhöht.

Die parallele Stellung der Laffetenwände läßt sich ohne Schwierigkeiten, so wie ohne Nachtheil bewerkstelligen, wenn man den Schildzapfenscheiben die angemessene Länge giebt, während die Dauerhaftigkeit der Laffete dadurch nicht unbedeutend erhöht wird; sie wird daher beibehalten werden.

Die Richtmaschinen müssen, wie erwähnt, eine Einrichtung haben, die vorzugsweise ein schnelles und dabei möglichst genaues Richten gestattet — daher durch eine Schraube in Bewegung gesetzt werden. — Der Vorwurf den man sonst, nicht ohne Grund, den Richtschraubenmaschinen macht, daß sie es nämlich nicht gestatten schnell große Elevations-Veränderungen zu bewerkstelligen, kann dieselben hier nicht treffen, weil ein Verhältniß der Art bei den Belagerungsgeschützen nie eintreten wird.

Die Vorzüge der Richtschraube vor dem Schraubenkeil hier anzugeben, scheint überflüssig, dagegen dürfte die Bemerkung hier an ihrem Orte sein, daß eine große zulässige Erhöhung für die Belagerungsgeschütze von geringem, eine große zulässige Inklination dagegen von hohem Werthe ist, und daß aus diesem Gesichtspunkte nicht nur die Stellung und Einrichtung des Stirnriegels, sondern auch die Einrichtung und Anbringung der Richtmaschine zu beurtheilen ist.

Die Richtschraube, wie sie bei den Preußischen Rahm- und zweirädrigen Kasematten-Laffeten eingeführt ist, kostet einerseits wenigstens drei- bis viermal weniger als die der Belagerungs-Laffeten, und entspricht andernseits obiger Anforderung einer bedeutenden zulässigen Inklination dadurch vollkommener, daß sich zu diesem Zwecke ein Richtkeil, sowohl auf der Richtsohle als auf den Riegeln anbringen läßt, ohne einer bedeutend langen Schraubenspindel zu bedürfen. Wenn dadurch statt des Mittelriegels ein liegender Stellriegel nothwendig wird, so scheint dies insofern eine Verbesserung, weil die sicherere Unterstützung der Richtmaschine, als durch die jetzigen Richtwellpfannen, bei dem großen Gewichte der Röhre und den starken Ladungen der Belagerungs-Geschütze, nur vortheilhaft sein kann, und

ßen — wo ein schnelleres Feuer nothwendig wird, demselben sicher-
lich keine Hindernisse in den Weg legen wird.

Die in Auxonne und anderweitig angestellten Versuche, bei denen die Zünder der an der Mündung von Kanonen befestigten Bomben jedesmal Feuer fingen, werden wohl zur Beseitigung des Ein-
wandes ausreichen, daß ein kleiner Spielraum die Wirkung der Hohl-
geschoße durch das zu befürchtende Nichtfeuerfangen der Zünder unsicher mache; derselbe wird vielmehr das Zertrümmern der Geschosse
(Granaten, Brand- und Leuchtkugeln) durch den Stoß der explodi-
renden Pulverladung seltener eintreten lassen.

Der natürliche Erhöhungswinkel

ist beim Demontiren so wie beim Brescheschießen nur hinderlich, ohne
beim Rikochettiren irgend einen Vortheil zu gewähren und muß daher fortfallen.

Die Aufsatzstange,

wie sie in der Preußischen Artillerie besteht, würde zu empfehlen sein,
weil sie bei der erforderlichen Dauerhaftigkeit und Einfachheit ein
schnelles Richten gestattet, und die Genauigkeit, welche derselben abgeht, bei den im Allgemeinen der Wirkung sehr günstigen Umständen,
unter denen die Belagerungs-Geschütze in Anwendung kommen, durch
eine aufmerksamere Bedienung erreicht werden kann.

Bei den Einrichtungen die das Richten der Geschütze, welche
durch Scharten feuern, bezwecken, ist nämlich immer vorzugsweise die
Schnelligkeit des Richtens im Auge zu behalten, denn, wenn auch bei
denselben im Allgemeinen die Bedienung langsamer als im freien Felde
von Statten gehen kann und gehen wird, so ist die Gefahr für den
Richtenden hier doch sehr viel größer, und die Richtung wird jederzeit unbedingt um so schlechter ausfallen, je länger der richtende Ka-
nonier sich hinter der geöffneten Scharte aufzuhalten gezwungen sieht,
um dieselbe mit einiger Genauigkeit bestimmen zu können. Hieraus
folgt also:

   1) daß der Aufsatz nicht nur am Rohre befestigt sein muß, son-
      dern auch

   2) daß jede Einrichtung verwerflich ist, die ein zeitraubendes, wenn
      auch genaueres Richten bedingt.

Die Einfachheit unserer Auffaßstange ist es daher, die dieselbe empfehlungswerth macht und die gegen die Einführung aller künstlichen, so wie solcher Vorrichtungen spricht, bei denen nur über das höchste Metall — ohne Korn — visirt werden kann.

Die Schildzapfen

müssen bei den kurzen und langen 24pfündern gleich stark, und die Schildzapfenscheiben der ersteren so lang sein, daß für beide Arten der Röhre dieselbe Laffete ausreicht.

Die Kammern

sowohl für die Mörser als für die kurzen 24pfder — wenn man sich derselben zum Rikochettiren bedienen will — werden am vortheilhaftesten kegelförmig (ohne Kessel) sein, weil man mit ihnen unbezweifelt richtiger*) und, bei kammervoller Ladung, auch weiter wirft. Der durch die Anwendung schwächerer Ladungen bei ihnen eintretende größere Pulveraufwand ist durch die sicherere Wirkung unbedenklich gerechtfertigt. Von der größeren Schwierigkeit der Anfertigung und des Transports der Kartuschen kann hier nicht die Rede sein.

Das Zündloch

in einem kupfernen Stollen müßte, wie bei den Franzosen, Russen, bei den Kanonen der Engländer ꝛc. schräge auf die Axe der Seele des Rohrs gestellt werden, wenn Versuche es bestätigen sollten, daß das Zündloch unter sonst gleichen Umständen um so weniger angegriffen werde, je länger der Kanal desselben ist. Die etwaige größere Schwierigkeit des Verbohrens der Zündlöcher käme dabei um so weniger in Betracht, als es seltener nöthig werden würde.

B. Laffeten

a) für die Kanonen.

Im Allgemeinen ist zunächst die Bemerkung voranzuschicken, daß, so wie die Belagerungs-Kanonen von demselben Kaliber sind, es auch zweckmäßig sein dürfte, nur einerlei Laffeten anzuwenden. Nach

---

*) Uns scheint das richtigere Werfen aus Geschützen mit konischen Kammern nicht so unbezweifelt, wir würden vielmehr die cylindrischen Kammern vorziehen.
                                                  D. R.

der bei uns bestehenden Einrichtung würde für jeden kurzen 24pfder daraus eine Mehrausgabe von höchstens 60 Thaler erwachsen, die einerseits durch die wesentlichen Vortheile dieser Vereinfachung in allen Beziehungen vollkommen aufgewogen werden würde, während sie andernseits bei der beabsichtigten Erleichterung der Laffeten nicht unbedeutend vermindert werden könnte. Die Ausführung dieser Idee kann keine Schwierigkeit haben, da es, abgesehen von der bereits oben angegebenen Einrichtung der Röhre, nur darauf ankommt, 2 Bolzenlöcher hinter einander für den Sohlbolzen anzubringen, und den die Richtmaschine unterstützenden Riegeln eine solche Länge zu geben, daß das kurze wie das lange Rohr eine hinreichend feste Lage in der Laffete habe.

Außer den Anforderungen, die wir nach Maaßgabe ihrer eigenthümlichen Bestimmung mit größerer oder geringerer Strenge an die eine wie an die andere Art der Laffeten überhaupt machen, wie Dauerhaftigkeit, Leichtigkeit der Bedienung und Handhabung, möglichste Erhöhung oder doch Sicherstellung der Wirkung, ist es die Beweglichkeit und Sicherheit der Bewegung, welche man als ein besonders wichtiges Erforderniß der Belagerungs-Laffeten heraushebt.

Da die Fortschaffung der Belagerungs-Geschütze jedoch meist nur auf gebahnten Straßen stattfindet, da es uns für die nur selten vorkommende Fortschaffung in den Parallelen selbst nicht an Hülfsmitteln aller Art fehlen kann, und da endlich die angenommenen Kaliber der Belagerungs-Geschütze die gleichzeitige Benutzung derselben als Feldgeschütze fast ganz unzulässig machen, so scheint es ausreichend, als unerläßliche Bedingung nur einen so hohen Grad von Beweglichkeit festzustellen, daß die Sattelwagen für die 24pfünder überflüssig werden.

Der Transport der Kanonenröhre auf Sattelwagen kann aber nur dadurch gerechtfertigt werden:

1) daß man befürchtet, die Laffeten werden den Transport nicht aushalten; wenn die Laffeten aber bei dem anhaltenden Brescheschießen und Demontiren, trotz der dabei vorkommenden starken Ladungen, die hinlängliche Ausdauer bewähren, so werden sie wahrlich nicht durch den viel weniger angreifenden

Transport dienstunfähig werden, und im äußersten Falle gewinnt man immer noch, wenn man auch ein Paar Vorrathslaffeten mehr mitführen müßte, dabei aber die Sattelwagen
erspart;

2) daß man besorgt, der Transport in den Laffeten werde wegen
des großen Gewichts derselben zu beschwerlich werden. Bleibt
man bei der Preußischen Einrichtung stehen, so ist allerdings
der 24pfündige Sattelwagen bei einer günstigeren Einrichtung
als Fahrzeug betrachtet, 1359 Pfund leichter als die 24pfdge
Laffete, und würde daher unbedingt den Vorzug vor derselben
verdienen.

Betrachten wir dagegen die Einrichtungen anderer Artillerien, so
bemerken wir:

einerseits, daß die Franzosen für ihre 24pfdigen, die Würtember-
ger für ihre 18pfdigen Röhre sich der Blocklaffeten bedienen,
die die Fortschaffung mit einer verhältnißmäßig sehr geringen
Anzahl Pferde zulässig machen, so daß es keinem Zweifel unterliegt, es werde sich auch der Transport schwererer Röhre
als der französischen auf ähnlich eingerichteten Laffeten, bei
vermehrter Bespannung, ohne große Schwierigkeit bewerkstelligen lassen;

andernseits, daß in der russischen Artillerie keine Kanonen-Sattel-
wagen vorhanden sind, obgleich in derselben das 24pfdige Rohr
6015, und die dazu gehörige Laffete 2803 französische Pfund
wiegt und die Laffetenräder nur eine Höhe von 4,69 französischen Zollen haben.

Zeigen diese Einrichtungen nun schon zur Genüge, daß die 24-
pfündigen Röhre füglich in ihren Laffeten transportirt werden können, so wird dies noch mehr in die Augen springen, wenn wir uns
überzeugen, daß das Verhältniß zwischen dem Gewichte der Laffete
und des Rohres keineswegs wie bei uns 1:2,20 zu sein braucht, da
dasselbe bei den Russen 1:2,15; bei den Niederländern 1:2,77; bei
den Sachsen gar nur 1:3,50 beträgt. Wenn die 24pfündige Belagerungs-Laffete daher, bei dem angenommenen größten Gewichte des
Rohrs von 5600 Pfund, selbst 2000 Pfund wiegt, so ist sie gewiß
noch unnöthigerweise zu schwer, da ein schwereres Rohr im Allgemei-

nen immer nur einer leichteren Laffete bedarf, wie dies schon aus den
Einrichtungen der Preußischen Artillerie hervorgeht. Es verhält sich
nämlich das Gewicht der Laffete zu dem des Rohrs beim

Feld = 6pfünder . . . . wie 1 : 0,73
Feld = 12pfünder . . . = 1 : 1,13
Belagerungs = 12pfünder . = 1 : 1,61
Belagerungs = 24pfünder = 1 : 2,20

Selbst bei der Voraussetzung dieses Gewichts erhielte man aber
nur ein Gesammtgewicht von 7800 Pfund, welches, geringer als das
gegenwärtige des 24pfdigen Sattelwagens mit aufgeladenem Rohre,
nicht nur die Sattelwagen überflüssig machen, sondern auch den Kostenaufwand für die Anschaffung der Laffeten nicht unbedeutend vermindern würde. Die beabsichtigte größere Beweglichkeit der Laffeten
würde nun zu erreichen sein:

1. Durch Einführung von Blocklaffeten.

Ob und wie weit dieselben den Vorzug vor den Wandlaffeten
verdienen möchten, darüber kann ich von meinem Standpunkte aus
kein Urtheil aussprechen, da mir die erforderlichen Materialien abge-
hen, um eine Vergleichung der Kosten anzustellen, und da mir keine
Versuche bekannt sind, die über die Brauchbarkeit der Blocklaffeten
für schwere Geschütze beim Schießen etwas entschieden hätten.*) Die
folgenden Bemerkungen beziehen sich daher immer nur auf Wandlaffeten, und sollen, um Weitläuftigkeiten zu vermeiden, die Einrichtungen, wie sie gegenwärtig in der Preußischen Artillerie bestehen, dabei
zum Grunde gelegt werden.

2. Durch das Material.

Rüstern = Holz, wenn gleich etwas kostbarer, würde wegen des
geringeren spezifischen Gewichts, wegen der größeren Festigkeit und
Tragfähigkeit, und endlich noch besonders wegen seiner größeren
Dauer, um so mehr den Vorzug verdienen, weil die Belagerungs=
Laffeten im Durchschnitte längere Zeit als die Feld=Laffeten ungenützt
aufbewahrt werden müssen und daher, so wie wegen der häufig angewandten starken Ladungen, und wegen des anhaltenden Feuers, eine
große Dauerhaftigkeit besonders wünschenswerth machen.

*) In Preußen hat man in Folge angestellter Versuche sich für die
Wandlaffete entschieden. D. R.

3. Durch die Beschläge.

Ob es durchaus nothwendig sei — mit Ausschluß des Gewichts der Richtmaschine und des Laffetenkastens — das Gewicht des Holzwerks zu dem des Beschlages in dem Verhältniß von 1:1,12, wie bei unsern 12pfdern, oder mindestens von 1:1,08, wie bei den 24pfdern fortbestehen zu lassen, scheint wenigstens eines Versuchs zu bedürfen, da die Laffeten anderer Mächte dadurch bedeutend leichter beschlagen sind, daß die Eisentheile sowohl in geringerer Zahl, als in geringerer Stärke vorhanden sind.

4. Durch die Abmessungen der Wände.

Bei der jetzigen Stärke derselben können sie füglich niedriger gemacht werden, wenn sie nur hinter dem Zapfenlager — wo sie am stärksten leiden — etwas höher als vor demselben bleiben. Abgesehen davon, daß die Laffeten dadurch nicht unbedeutend wohlfeiler werden, möchten sich die mit dieser Veränderung als nothwendig verbunden etwa zu betrachtenden Mängel leicht beseitigen lassen. Da nämlich, wie erwähnt, die Wände hinter dem Zapfenlager eine größere Höhe haben als vor demselben, und da ein so tiefer Einschnitt für die Achsen keineswegs erforderlich ist, wenn man nöthigenfalls, um derselben eine festere Stellung zu verschaffen, Achsstreben anbringen würde, so bleibt immer noch Holz genug zwischen dem Zapfenlager und dem Achseinschnitte stehen, um das Brechen der Wände auf diesem Punkte nicht befürchten zu dürfen. Käme bei dieser Einrichtung auch das Mittel der Mündung, so wie der Schwerpunkt niedriger zu stehen, so würde dies eine sehr erwünschte Gelegenheit geben, die Höhe der Räder um etwas zu vergrößern. Verlängert man dabei die Wände so weit es die übrigen Abmessungen und Gewichtsverhältnisse nur irgend gestatten, so gewinnt man durch den vermehrten Rücklauf bedeutend an Dauerhaftigkeit, während derselbe in den Batterien auf keine Weise nachtheilig werden kann, vielmehr zur Erhaltung der Bettungen wesentlich beiträgt.

5. Durch die Höhe der Räder.

Die Laffetenräder können, des leichteren Transports wegen, 5 Fuß hoch gemacht werden. Bei der bestehenden Art der Bedienung und namentlich bei Anwendung der Gelenkwischer ist diese Höhe keineswegs hinderlich — der Nachtheil eines größeren Gewichts wird

durch die größere Beweglichkeit hinlänglich aufgewogen. — Wenn
die Röhre bei dieser Höhe der Räder auch nicht so weit wie jetzt in
die Scharten reichen werden, so scheint es deshalb noch nicht nothwendig, nach dem Vorschlage Scharnhorst's, niedrigere Räder für
den Gebrauch in den Batterien mitzuführen, weil der Unterschied der
Höhe der Räder nicht so bedeutend ist, weil die Röhre bei ihrer großen absoluten Länge doch weit genug in die Scharten reichen, und
weil wir endlich durch die Verstärkung des Boden- und Zapfenstücks
die Schildzapfen weiter zurückgestellt haben. — Dem hier überhaupt
nicht besonders in Anschlag zu bringenden Nachtheile einer höheren
Stellung des Schwerpunkts ist durch die sicherere Lage des Rohrs im
Marschlager zur Genüge begegnet — und wenn das Mittel der Mündung ebenfalls etwas höher gestellt ist, so findet dies doch nicht in
dem Maaße statt, daß die Bedienung der Geschütze dadurch merklich
erschwert würde, während die dadurch bedingte größere Kniehöhe wesentlich zur Festigkeit der Batterie beiträgt, ohne die Deckung zu be-
einträchtigen. — Sollte man bei dem gegebenen Gewichte der Laffete
und der angenommenen Höhe ihrer Räder auch nicht im Stande sein
ersterer eine Länge zu geben, bei der der Laffetenwinkel unverändert
so groß wie jetzt bliebe, so wird deshalb doch nicht eine zu geringe
Dauerhaftigkeit der Laffete beim Schließen zu befürchten sein, weil
die Geschütze nicht unter großen Erhöhungswinkeln schließen und weil
die Stellung auf Bettungen die nachtheilige Einwirkung des Rück-
stoßes bei einem stumpferen Laffetenwinkel größtentheils wieder aufhebt.

Die Protzräder können unbedenklich eine größere Höhe erhalten, da kein Uebelstand zu befürchten steht, wenn man den Protzsattel
so viel niedriger machte, als es die größere Höhe der Räder erfordern dürfte.

Eiserne Achsen möchten nicht genug Vortheile gewähren, um
die großen Kosten ihrer Anschaffung zu rechtfertigen und das bedeutend vermehrte Gewicht des Fahrzeugs aufzuwiegen; besonders da es
schwer hält, sie, bei den erforderlichen starken Abmessungen, so anzufertigen, daß sie allen an sie zu machenden Anforderungen entsprechen.

Da bei den Belagerungs-Geschützen ein unerwartetes Abprotzen
und Eröffnen des Feuers nicht füglich vorkommen kann, und da bei
der Anwendung der Sattelprotzen ein zu starkes Belasten der Vor-

derachfe nicht zu fürchten ist, so fallen hier die Einwendungen, die man mit Recht gegen das Marschlager bei den Feldgeschützen macht, weg, während dasselbe die Sicherheit der Bewegung wesentlich erhöht.

Die parallele Stellung der Laffetenwände läßt sich ohne Schwierigkeiten, so wie ohne Nachtheil bewerkstelligen, wenn man den Schildzapfenscheiben die angemessene Länge giebt, während die Dauerhaftigkeit der Laffete dadurch nicht unbedeutend erhöht wird; sie wird daher beibehalten werden.

Die Richtmaschinen müssen, wie erwähnt, eine Einrichtung haben, die vorzugsweise ein schnelles und dabei möglichst genaues Richten gestattet — daher durch eine Schraube in Bewegung gesetzt werden. — Der Vorwurf den man sonst, nicht ohne Grund, den Richtschraubenmaschinen macht, daß sie es nämlich nicht gestatten schnell große Elevations-Veränderungen zu bewerkstelligen, kann dieselben hier nicht treffen, weil ein Verhältniß der Art bei den Belagerungsgeschützen nie eintreten wird.

Die Vorzüge der Richtschraube vor dem Schraubenkeil hier anzugeben, scheint überflüssig, dagegen dürfte die Bemerkung hier an ihrem Orte sein, daß eine große zulässige Erhöhung für die Belagerungsgeschütze von geringem, eine große zulässige Inklination dagegen von hohem Werthe ist, und daß aus diesem Gesichtspunkte nicht nur die Stellung und Einrichtung des Stirnriegels, sondern auch die Einrichtung und Anbringung der Richtmaschine zu beurtheilen ist.

Die Richtschraube, wie sie bei den Preußischen Rahm- und zweirädrigen Kasematten-Laffeten eingeführt ist, kostet einerseits wenigstens drei= bis viermal weniger als die der Belagerungs-Laffeten, und entspricht andernseits obiger Anforderung einer bedeutenden zulässigen Inklination dadurch vollkommener, daß sich zu diesem Zwecke ein Richtkeil, sowohl auf der Richtsohle als auf den Riegeln anbringen läßt, ohne einer bedeutend langen Schraubenspindel zu bedürfen. Wenn dadurch statt des Mittelriegels ein liegender Stellriegel nothwendig wird, so scheint dies insofern eine Verbesserung, weil die sicherere Unterstützung der Richtmaschine, als durch die jetzigen Richtwellpfannen, bei dem großen Gewichte der Röhre und den starken Ladungen der Belagerungs-Geschütze, nur vortheilhaft sein kann, und die Wände nicht in dem Maaße, wie durch das Zapfenloch des Mittelriegels, fast in ihrer ganzen Höhe geschwächt werden; zugleich würde dabei das Versetzen der ganzen Richtmaschine, je nachdem ein längeres oder kürzeres Rohr in die Laffete gelegt wird, leichter zu bewerkstelligen sein.

Statt der Armbolzen am Schwanze werden Schlepphaken, wenn sie die erforderliche Stärke und eine etwas größere Länge als gewöhnlich haben, vorzuziehen sein, indem sie alsdann nicht nur die Stelle jener vollständig vertreten, sondern auch in vielen Fällen die Handhabung sehr erleichtern und begünstigen werden.

6. Für die Mörser.

Bei den Mörserlaffeten kommt nicht allein ihre eigene Haltbarkeit, sondern auch ihre Rückwirkung auf die Bettungen in Betracht, während es immer wünschenswerth bleiben wird, daß die Schwierigkeit der Fortschaffung des Belagerungs-Trains, so wie des Armirens der Batterien, durch ihr Gewicht nicht vergrößert werde.

In der erstgenannten Rücksicht würden die eisernen Laffeten sehr zu empfehlen sein, da dieselben aber weit kostbarer und schwerer sind und selbst die stärksten Bettungen sehr schnell zu Grunde richten — wodurch ihre Kostbarkeit eben so sehr gesteigert, als ihre Brauchbarkeit geschmälert wird — so giebt man im Durchschnitte den hölzernen den Vorzug, welche selbst bei geringerem Gewichte länger gemacht werden können und daher weniger zerstörend auf die Bettungen einwirken. Wendet man nicht zu starke Ladungen an, d. h. wirft man nicht auf große Entfernungen, so werden auch die hölzernen Laffeten ausreichen und zwar um so sicherer, je mehr man der heftigen Rückwirkung der Pulverladung durch ein größeres Gewicht des Rohrs entgegenwirkt.

Leiden, namentlich beim Werfen unter großen Erhöhungswinkeln, zunächst immer die Schildzapfenpfannen, so scheint die Einrichtung der Sachsen, welche dieselben aus gehämmertem Kupfer anfertigen, wohl eines Versuches werth.

Ebenso erscheint die Einrichtung der Sachsen, welche die Armbolzen der Mörserlaffeten zum Aufstecken niedriger Blockräder benutzen, um dieselben auf kurzen Entfernungen mit geringem Aufwande an Zeit und Kräften fortzuschaffen, nicht nur im Allgemeinen, sondern noch besonders in den Festungen nachahmungswerth; da nicht für jeden Mörser eigene Räder vorräthig zu sein brauchen, so kann der durch ihre Anschaffung herbeigeführte Kostenaufwand auch nicht bedeutend sein.

Die Schrauben-Richtmaschine, so wie die übrigen Einrichtungen der Preußischen Mörserlaffeten entsprechen vollkommen ihrer Bestimmung. *)

In Bezug auf die Mörser-Sattelwagen dürfte es am gerathensten sein, die ohne Bockgestelle zum Transport auf dem Marsche, dagegen die mit Bockgestelle ausschließlich zum Armiren der Batterien zu benutzen, und daher als Vorrath für die ganze Zahl der Sattelwagen bei dem Belagerungs-Train mitzuführen. Während die letztern nämlich das schnelle Abladen und Aufstellen des Mörsers in den Batterien außerordentlich begünstigen, möchten sie bei weiten Transporten nicht so haltbar als erstere sein, auch könnte mitunter die niedrige Stellung des Mörsers über dem Erdboden, dem guten Fortkommen hinderlich werden, endlich sind sie zu kostbar, um ausschließlich gebraucht zu werden.

II. Defensions-Artillerie.

Betrachten wir hier wieder, wie es bei der Belagerungs-Artillerie geschehen, zunächst

1. ihre Bestimmung

so finden wir dieselbe in vielfacher Beziehung abweichend von der Bestimmung, jener. Die Angabe der Hauptmomente wird hinreichen, um das Eigenthümliche ihrer Anwendung unterscheiden, und daraus die besonderen Einrichtungen derselben folgern zu können.

Die Festungs-Artillerie soll, im weitesten Sinne des Worts, die Annäherung des Feindes an den Hauptwall und dessen Ersteigung, wenn auch nicht ganz unmöglich machen, doch wesentlich erschweren. Sie hat es daher in der Regel mit den feindlichen

---

*) Doch nur dann, wenn die Anforderungen nicht zu sehr gesteigert werden.

D. R.

Truppen nur dann zu thun, wenn dieselben den Hauptwall — es sei unter welchen Umständen es wolle — bestürmen, sonst nur mit den Arbeiten, und, da diese nur durch Menschenhände ausgeführt werden können, mit den Arbeitern des Belagerers.

Abgesehen von der Abwehrung des Sturmes, wobei die Festungs-Artillerie jedoch, der Natur der Sache nach, nur eine sekundäre Rolle spielen kann, besteht also die Aufgabe derselben darin: das Beginnen, das Fortschreiten und die Vollendung der verschiedenen Angriffsarbeiten zu hindern; sie soll daher nach einander:

1) unter günstigen Umständen das feindliche Depot, den Park, vielleicht selbst das Lager des Feindes, beschießen und durch die Zerstörung oder erzwungene Verlegung des einen oder des andern derselben, das Beginnen der eigentlichen Angriffsarbeiten verzögern;

2) die Eröffnung, und demnächst die Zustandebringung — namentlich der ersten — Parallele;

3) den Bau der Batterien möglichst, wenigstens stören;

4) das Vorschreiten der Sappen so wie die Vollendung der übrigen Angriffsarbeiten aufhalten;

5) endlich zur Abwehrung des Sturmes unter allen Umständen kräftig mitwirken.

Daß dies die eigenthümliche Bestimmung der Festungs-Artillerie sei, mögen folgende Betrachtungen darthun:

Das Streben des Belagerers ist dahin gerichtet, sich in der kürzesten Zeit in den Besitz des Hauptwalles zu setzen. Läßt ein Ueberfall, eine Leiterersteigung rc. keinen günstigen Erfolg erwarten, fehlt es ihm nicht an Streitmitteln, so soll ihm eine förmliche Belagerung bei dem geringsten Menschenverluste die endliche Eroberung des Platzes sichern. Beide Zwecke, nämlich Vermeidung von Menschenverlust und mit Gewißheit abzusehende Eroberung des Platzes, erreicht er nun um so vollständiger, je besser jeder Schritt, den er vorwärts thut, durch die früheren basirt ist, d. h. je langsamer er entweder vorgeht, oder je mehr er den Belagerten aller Mittel beraubt, ein rascheres und weniger vorsichtiges Vorgehen zu verhindern — daher die Anlage der Batterien um den principal agent do la défense — die Artillerie des Platzes — außer Thätigkeit zu setzen. Zeigt also schon der Belagerer selbst durch die Anlage dieser Batterien, daß er mit seinen Angriffsarbeiten nicht vorschreiten könne, so lange dieselben von der Artillerie des Platzes kräftig beschossen werden, so scheint die Bestimmung und das Verhalten der Festungs-Artillerie dadurch hinlänglich bezeichnet zu sein.

Wenn nun aber die Festungs-Artillerie dieser Bestimmung unbedingt dadurch noch vollständiger entsprechen müßte, wenn sie ihr Augenmerk nicht nur auf dies Vorgehen der Arbeiten, sondern auch auf die Zerstörung der Batterien richtete, unter deren Schutz und Mitwirkung jene nur ausgeführt werden können, so bleibt noch zu erweisen übrig, daß einerseits, von dieser Art des Gebrauchs der Artillerie des Platzes überhaupt, kein günstiges Resultat zu erwarten steht, und daß andernseits höhere Rücksichten eine solche Verwendung unbedingt verwerflich machen.

Ein günstiges Resultat läßt sich von dem Beschießen der feindlichen fertigen Batterien nicht erwarten:

1) weil — alles Uebrige bei Seite gesetzt — dem Belagerer mehr Streitmittel, nothwendig wenigstens mehr Hülfsquellen, zu Gebote stehen, um aus einem Kampfe als Sieger hervorzugehen, der dem Vertheidiger, auch unter Voraussetzung der allergünstigsten Umstände, immer Mittel raubt, deren Verlust für denselben unersetzlich ist, und deren Beschaffung — um ihre Verwendung in der besprochenen Art zulässig zu machen — dem Staate Ausgaben verursachen würde, die er für mehrere Festungen zu bestreiten, ohne Nachtheil für das Ganze, nicht im Stande ist;

2) weil der Belagerer — mit Ausschluß der letzten Periode — dadurch die Ueberlegenheit ganz entschieden auf seiner Seite hat, daß er nicht nur mehr Geschütze in Thätigkeit setzen, sondern denselben auch, durch eine günstigere Lage seiner Batterien, eine viel größere Wirkung sichern kann;

3) weil die Zahl und konzentrische Wirkung der Angriffs-Batterien, so wie der immer mehr oder weniger vorwaltende Mangel an Vorbereitungen auf der angegriffenen Front des Platzes, von den Festungs-Geschützen keinen sonderlichen Effekt gegen

die vereinzelt und tief liegenden Batterien des Belagerers erwarten läßt.

Haben wir nun ad 1 gesehen, daß es auf der einen Seite die
Unmöglichkeit des Ersatzes des im Platze unvermeidlich stattfindenden
Abganges aller Art, und auf der anderen Seite gerade die Leichtigkeit oder doch die Möglichkeit dieses Ersatzes ist, welche den Belagerten die Uebergabe des Platzes als ein durch ihn unabwendbares Er-
eigniß — welches er nur möglichst zu verzögern bemüht ist — voraussehen läßt, so leuchtet ein, daß jede Verwendung der Artillerie
des Platzes verwerflich ist, durch welche ein Abgang von Streitmitteln
herbeigeführt wird, der, wie im vorliegenden Falle, mit dem zu er-
wartenden Vortheile in keinem richtigen Verhältnisse steht.

Die Artillerie des Platzes wird aber, nicht nur um ihre Streitmittel überhaupt zu schonen, in den ersten Perioden des Angriffs den
Kampf mit den feindlichen Batterien vermeiden müssen, sondern aus
dem noch wichtigeren Grunde, weil sich die Verhältnisse für sie um
so günstiger gestalten, je näher die Belagerungsarbeiten dem Platze
rücken und weil es daher ihre Pflicht ist, für diese letzte entscheidende
Periode des Kampfes soviel Kräfte und Streitmittel als irgend zulässig aufzusparen. Aber auch noch in dieser letzten Periode, wo sich die
Artillerie des Platzes mit der des Belagerers in einen Kampf nicht
nur einlassen darf, sondern selbst einlassen muß, wird dieselbe noch
immer am entscheidendsten dadurch wirken, daß sie mehr der Zustandebringung der Batterien und Angriffsarbeiten überhaupt, als den
fertigen Batterien und Arbeiten entgegenwirkt. Nach diesen Voraus-
setzungen hätten wir nun bei:

2. der Einrichtung
AA. der Geschützröhre
zu erwägen.

A. Das Material

wofür das bei den Belagerungs-Geschützen Gesagte um so mehr seine
volle Anwendung finden wird, als der große Bedarf hier Wohlfeilheit und Dauerhaftigkeit (insofern aus derselben wieder die Wohlfeilheit hervorgeht) zu ganz besonders berücksichtigungswerthen Eigenschaften macht.

Wenn jedoch, wie wir weiter unten sehen werden, zur Armirung jedes Platzes eine bald größere bald geringere Zahl Kanonen von kleinem Kaliber erforderlich ist, so scheint es am entsprechendsten, diesen eine Einrichtung zu geben, wodurch ihrer Verwendung als Feldgeschütz keine Hindernisse in den Weg gestellt werden; wo also die Feldgeschützröhre aus Bronze gegossen sind, da würden auch die denselben angemessenen Kaliber der Festungs-Artillerie aus demselben Materiale gefertigt werden müssen, so daß nur die Geschützröhre, welche sich wegen ihrer eigenthümlichen Einrichtung oder wegen ihres Gewichts nicht zur Verwendung im freien Felde eignen, aus Eisen gegossen würden.

B. Geschützart.

Die Festungs-Artillerie hat es, wie oben gezeigt worden, vorzugsweise mit den Erdarbeiten und mit den Arbeitern des Belagerers zu thun, und zwar um so mehr, einen je regelrechteren Gang derselbe beim Angriff einschlägt; sie entspricht dabei um so erfolgreicher ihrer Bestimmung, je mehr sie der Vollendung der Arbeiten entgegenwirkt und je weniger sie sich, durch die Nichtbefolgung dieser Vorschrift, in die Lage versetzt, bereits vollendete Arbeiten zerstören zu sollen.

Die Zustandebringung der verschiedenen Angriffsarbeiten läßt sich nun, wenn auch nicht verhindern — wie dies namentlich die Belagerungen der Franzosen in Spanien lehren — doch sehr erschweren:

1) dadurch, daß man sein Feuer gegen die Arbeiter richtet.

Nach Maaßgabe der Entfernung vom Platze, der Art der Ausführung der Arbeit und der Umstände, welche den Arbeitern früher oder später genügende Deckung zu verschaffen im Stande sind, kann man sich hiezu der (namentlich schweren) Kartätschen bedienen, der Vollkugeln, so lange die Erdaufwürfe des Belagerers keine hinlängliche Stärke haben, um gegen das Durchdringen dieser Geschosse zu sichern, und endlich der Hohlgeschosse unter allen Verhältnissen.

2) Dadurch, daß man die begonnene Arbeit wieder zu zerstören sucht.

Dies kann nur für die Sappenköpfe, die im Bau begriffenen Batterien und diejenigen Stellen der feindlichen Linien gelten, deren Vollendung in der Nacht durch besondere Umstände verhindert ist. Wenn es auch dem Belagerer gelingen sollte, die zuletzt genannten

Punkte der Aufmerksamkeit der Festungs-Artillerie zu entziehen, so wird dies doch mit den ersteren nie der Fall sein können, und die Artillerie des Platzes wird hier durch Vollkugeln eben so sehr das Vorschreiten der Sappenköpfe aufzuhalten im Stande sein, als sie durch diese, so wie durch Hohlgeschosse, die Deckungen, die sich der Belagerer beim Erbauen der Batterien und bei der Zustandebringung seiner sonstigen Arbeiten bereits theilweise geschaffen hat, mehr oder weniger nutzlos zu machen vermag.

3) Dadurch, daß man die Kommunikation in den bereits fertigen Linien, das Heranschaffen der Baumaterialien, der Geschütze, Munition, die Ablösungen, wenigstens höchst unsicher macht. Da es hier nicht sowohl auf die Wirkung gegen einen bestimmten Punkt, als vielmehr auf das Beunruhigen der feindlichen Arbeiten in einer größeren Ausdehnung ankommt, so werden sich die Hohlgeschosse vorzugsweise dazu eignen.

Lassen sich nun auch in der Ausübung weder die genannten Zwecke, noch die beabsichtigten Wirkungen, so scharf wie es hier geschehen, von einander sondern, so liegt es doch am Tage, daß man sowohl Geschütze bedarf, welche durch die Perkussionskraft ihrer Geschosse, wie auch durch ihr Kartätschfeuer wirksam sind, als auch Geschütze, gegen deren Wirkungen der Feind selbst hinter seinen beklenden Brustwehren keinen Schutz findet, d. h. Kanonen und Wurfgeschütz.

Indem ich auf das verweise, was bereits oben über diesen Gegenstand gesagt ist, glaube ich nur noch — abgesehen von der sichereren Wirkung und dem geringeren Preise der Mörser — diejenigen Verhältnisse erwähnen zu müssen, welche im Platze allenthalben, wo es auf das Werfen der Geschosse im hohen Bogen ankommt, den Mörsern den Vorzug vor den Haubitzen sichern.

1) Man reicht bei ersteren mit weniger Bedienungsmannschaften aus.

2) Man hat bei den Mörsern in allen Beziehungen weniger von dem feindlichen Feuer zu fürchten, vom direkten Feuer gar nichts; vom Rikochettfeuer nur unter besonders ungünstigen Umständen; vom feindlichen Wurffeuer auch nur wenig, weil man seine Mörser sehr vereinzelt aufzustellen vermag und dabei doch:

3) im Stande ift, fein Feuer augenblidlich nach jedem beliebigen Punkte des feindlichen Angriffs zu richten und zu konzentriren;
während

4) die Mörfer in allen Perioden des Angriffs vorzüglich wirkfam
bleiben, ohne daß es weitläuftiger und zeitraubender Vorbereitungen
zu ihrer jedesmaligen Aufftellung bedarf. Die Haubizen find daher
auch hier nur für die Fälle anwendbar, in denen man die Unficher-
heit des Rikochettfchuffes durch das Krepiren des Gefchoffes aufwiegen will; alfo gegen die feindlichen Kommunifationen überhaupt, und
namentlich gegen die Zickzack's auf den Kapitalen. Erwägt man aber,
daß diefe Wirkung um fo größer fein wird, wenn man zugleich den
Sappenfopf trifft, wenn es den Gefchoffen nicht an Perfuffionsfraft
fehlt, wenn diefelben ihre Bahn recht weit fortfetzen, und daß es hier
nicht, wie beim Rikochettfchuß gegen die Linien des Platzes, auf kurze
und hohe Sprünge ankommt — fo leuchtet ein, daß, fo anwendbar
für den beabfichtigten Zweck auch die Granaten fein mögen, es doch
keineswegs die kurzen Haubizen find. Dies haben wohl auch alle
Schriftfteller gefühlt, welche, um eine genügende Wirkung zu erhalten, die Aufftellung fchwerer Haubizen auf den Kapitalen der Angriffsfront empfehlen. Da es fich jedoch hier nicht nur um die Wirkung der Hohlgefchoffe beim Krepiren, fondern zugleich um Wahr-
fcheinlichfeit des Treffens und Schußweite handelt, fo werden kurze
24pfünder — oder wenn man will: lange 7pfündige Haubizen — uns
nicht nur vollftändiger als kurze Haubizen von größerem Kaliber die
beabfichtigte Wirkung fichern, fondern noch durch ihre größere Kar-
tätfchwirkung und durch die nicht unbedeutende eventuelle Wirkung
ihrer Vollkugeln einen wefentlichen Vorzug behaupten.*)

*) Wir verweifen hier auf die Bemerkungen, welche bei der Bela-
gerungs-Artillerie über daffelbe Thema gemacht worden.
D. R.

(Schluß im nächften Heft.)

IV.

Ueber die chemische Analyse des nach der Verbrennung von Schießpulver bleibenden Rückstandes

von

Dr. G. Werther.

Wenn das Schießpulver der Theorie am meisten entsprechend zusammengesetzt ist, d. h. wenn in derselben auf 1 Aequivalentgewicht Salpeter 3 Aequivalente Kohle und 1 Aequivalent Schwefel enthalten sind, so sollte bei der vollkommenen Zersetzung desselben nach der Verbrennung der Rückstand — der sogenannte Pulverschleim — nur aus Schwefelkalium bestehen. Daß nun in der That diese letztgenannte Verbindung bei jeder Verbrennung des Schießpulvers sich bildet, beweist der Geruch des Rückstandes nach Schwefelwasserstoff, wenn der Pulverschleim nur eine kurze Zeit mit der Luft in Berührung war.

Aber selbst das beste Pulver, welches, so weit es bei der nie zu erreichenden vollkommenen Reinheit des Kohlenstoffs und bei einem technischen Verfahren in Fabriken überhaupt möglich ist, der von der Theorie verlangten Zusammensetzung sehr nahe kommt, läßt dennoch nach seiner Verbrennung nicht Schwefelkalium allein als Rückstand, sondern es befinden sich unter diesem auch schwefelsaures und kohlensaures Kali. Je mehr sich die Zusammensetzung des Pulvers der verlangten theoretischen nähert, desto mehr enthält allerdings der Pulverschleim an Schwefelkalium. Da nun der Rückstand nie der theoretischen Zusammensetzung entspricht, so wird dieses auch nicht bei den gasförmigen Bestandtheilen der Fall sein. Dies ist auch von allen denjenigen Experimentatoren gefunden worden, welche die Pulvergase aufgefangen und einer direkten Untersuchung unterworfen haben. So fanden sich außer Kohlensäure und Stickstoff, welche sich nur hätten bilden sollen, Kohlenoxydgas, Kohlenwasserstoff, eine gasförmige Oxydationsstufe des Stickstoffs und Schwefelwasserstoff. Es läßt sich aus den vorhandenen Angaben nicht mit Sicherheit schließen, ob die verschiedenen Beimengungen neben der Kohlensäure und dem Stickstoff durch eine von der Theorie sich sehr entfernende Zusammenmischung der Bestandtheile des Pulvers hervorgerufen seien — denn die Beobachter haben keine Analyse des Pulvers, dessen Gase sie untersuchten, mitgetheilt — oder ob es eben nur eine Anomalie in der Zersetzung sei. Wahrscheinlich aber ist theils das letztere der Fall, theils ist es eine unvermeidliche Folge von der Zusammensetzung der für das Schießpulver in der Regel angewendeten Kohle. Jene Anomalie wird sich überhaupt in allen Untersuchungen der Schießpulvergase aussprechen und man wird selbst aus einem und demselben Schießpulver in verschiedenen Versuchen Gase von ungleicher Zusammensetzung erhalten. Namentlich sind die Umstände, unter denen die Gase aus dem Pulver behufs der Untersuchung gewonnen werden, von denen, unter welchen sie sich beim gewöhnlichen Gebrauch in Schießgewehren bilden, so abweichend, daß man einen Schluß aus der Untersuchung jener nicht durchaus auf diese machen kann. Die Ursachen, welche eine unregelmäßige Zersetzung des Pulvers veranlassen, sind zur Zeit noch so wenig erforscht und ihre Erforschung ist wegen der mannigfaltigen mitwirkenden Faktoren so schwierig, daß nur eine lange Reihe scharfsinniger Beobachtungen und Versuche darüber Licht verbreiten werden.

Da sich bei der Zersetzung eines in seiner Zusammensetzung bekannten Körpers aus dem festen Rückstand ein Schluß auf die gasförmig entwichenen Bestandtheile machen läßt, da ferner zur Untersuchung der Gase mehr oder weniger kostspielige Apparate erforderlich sind, die nicht jedem Chemiker zu Gebote stehen, und da endlich, wie oben erwähnt, aus der Analyse der Gase auch nur ein beschränkter Schluß auf die ähnliche Zersetzung unter andern Umständen gemacht werden darf, so habe ich mich bemüht, eine sichere Methode zur quantitativen Trennung der im Pulverschleim enthaltenen Salze ausfindig zu machen, welche ich im Nachstehenden mittheilen will. Ich verkenne gleichfalls nicht, daß auch aus den Resultaten von der chemischen Analyse des Pulverschleims nur ein beschränkter Schluß auf die Zusammensetzung der bei der Verbrennung gebildeten Gase gemacht werden darf, schon aus dem einfachen Grunde, weil stets ein Theil des Pulverschleims während der Zersetzung des Pulvers aus dem Apparat, in welchem die Zersetzung stattfand, herausgeschleudert wird, und man in Ungewißheit bleibt, ob der herausgeschleuderte Theil mit dem zurückgebliebenen gleiche Zusammensetzung hat.

Aus einigen Versuchen, in welchen ich dasselbe Pulver einmal im luftleeren Raume verpuffte, also allen festen Rückstand erhielt, ein anderes Mal in einem weithalsigen Stöpselglas, welches auf einem gewöhnlichen Rohrstuhle festgebunden war, erlaube ich mir keinen triftigen Schluß, obwohl die Zusammensetzung der Rückstände beider Versuche nicht sehr von einander abwich. Daß man aber, um überhaupt Folgerungen ziehen zu können, von dem Pulver, dessen Gase man untersucht, auch die chemische Zusammensetzung kennen muß, versteht sich wohl von selbst.

Wenn man von dem in der Regel zum Gebrauch dienenden Schießpulver unter den der Wirklichkeit am nächsten stehenden Umständen eine Analyse des Pulverschleims machen will, so läßt man wohl am zweckmäßigsten aus einem groben Geschütz einige Schüsse abfeuern, ohne zwischen jedem folgenden auszuwischen, und kratzt den dabei gebildeten Rückstand heraus. Es hat auch dieses seine Schwierigkeiten, weil bei gutem Pulver sich meistens nur wenig Rückstand von einem Schusse bildet, also viele dazu gehören und bei der dadurch entstehenden Erwärmung der Geschützwände und dem wiederholten Zutritt der Luft schon eine chemische Veränderung des Rückstandes hervorgeracht werden kann, bei schlechtem Pulver aber, bei welchem der Rückstand meistens aus schwefelsaurem Kali besteht, derselbe so fest haftet, daß er herausgemeißelt werden muß. Indessen eine so geringe Menge, wie zu einer chemischen Analyse nothwendig ist, läßt sich schon erlangen.

Man verfährt nun behufs der Untersuchung auf folgende Weise: ungefähr das Doppelte vom Gewicht des zu untersuchenden Pulver-

rückstandes an kohlensaurem Kadmiumoxyd wird in einer mäßigen Menge deſtillirten Waſſers aufgeſchwemmt und in dieſe Flüſſigkeit, die ſich in einem verkorkbaren Glaſe befindet, bringt man die zu unterſuchende Subſtanz. Sofort wird alsdann die Maſſe tüchtig durcheinander geſchüttelt und dieſe Operation öfters wiederholt. Es zerſetzt ſich dabei das Schwefelkalium mit dem kohlenſauren Kadmiumoxyd leicht, während unterſchwefligſaures und ſchwefelſaures Alkali gar nicht, oder letzteres nur nach längerer Berührung mit dem Kadmiumoxydſalz, eine Zerlegung eingehen.

In dem Pulverrückſtand wird ſich ſtets auch unterſchwefligſaures Kali vorfinden, weil die Einwirkung der Luft zur Zerſetzung des Schwefelkaliums wohl ſchwerlich jemals ſchnell genug verhindert werden kann. Es befinden ſich daher in der vom unlöslichen gelblichen Pulver abfiltrirten Flüſſigkeit die Kaliſalze der Kohlenſäure, Schwefelſäure und unterſchwefligen Säure. So haben es mich wenigſtens zahlreiche Verſuche gelehrt, und ich bin nie eine andere Säure des Schwefels aufzufinden im Stande geweſen. Es iſt auch bei Betrachtung der Umſtände, unter denen ſich der Pulverſchleim bildet, ſchon von vornherein nicht wahrſcheinlich, daß etwas anderes als Schwefelſäure ſich bilden ſollte, denn die nachher ſich vorfindende unterſchweflige Säure iſt offenbar ein Zerſetzungsprodukt des Schwefelkaliums.

Das oben erwähnte gelbliche Pulver, welches bisweilen mit einigen ſparſamen ſchwarzen Flocken (Kohle) untermiſcht iſt, beſteht aus Schwefelkadmium und dem überſchüſſigen kohlenſauren Kadmiumoxyd. Es iſt in der Regel eine überflüſſige Arbeit, wenn man vor der Behandlung mit dem Kadmiumſalze den Pulverſchleim mit Waſſer behandeln und die Kohle davon abfiltriren wollte; denn die Menge derſelben iſt ſo gering, daß ſie dem Gewicht nach kaum beſtimmbar iſt. Um den Schwefelgehalt im Schwefelkadmium zu erfahren, oxydirt man daſſelbe, nachdem es vorher gehörig ausgewaſchen iſt. Man übergießt es zu dieſem Behuf in einem langhalſigen Kolben mit etwas rauchender Salpeterſäure und erhitzt ſo lange bis keine rothen Dämpfe mehr erſcheinen. Dann fügt man noch etwas verdünnte reine Salpeterſäure von 1,24 ſpezifiſchem Gewicht nebſt ein wenig chlorſaurem Kali hinzu, und kocht ſo lange, bis Alles zu einer klaren gelblichen

Punkte der Aufmerksamkeit der Festungs-Artillerie zu entziehen, so wird dies doch mit den ersteren nie der Fall sein können, und die Artillerie des Platzes wird hier durch Vollkugeln eben so sehr das Vorschreiten der Sappenköpfe aufzuhalten im Stande sein, als sie durch diese, so wie durch Hohlgeschosse, die Deckungen, die sich der Belagerer beim Erbauen der Batterien und bei der Zustandebringung seiner sonstigen Arbeiten bereits theilweise geschaffen hat, mehr oder weniger nutzlos zu machen vermag.

3) Dadurch, daß man die Kommunikation in den bereits fertigen Linien, das Heranschaffen der Baumaterialien, der Geschütze, Munition, die Ablösungen, wenigstens höchst unsicher macht. Da es hier nicht sowohl auf die Wirkung gegen einen bestimmten Punkt, als vielmehr auf das Beunruhigen der feindlichen Arbeiten in einer größeren Ausdehnung ankommt, so werden sich die Hohlgeschosse vorzugsweise dazu eignen.

Lassen sich nun auch in der Ausübung weder die genannten Zwecke, noch die beabsichtigten Wirkungen, so scharf wie es hier geschehen, von einander sondern, so liegt es doch am Tage, daß man sowohl Geschütze bedarf, welche durch die Perkussionskraft ihrer Geschosse, wie auch durch ihr Kartätschfeuer wirksam sind, als auch Geschütze, gegen deren Wirkungen der Feind selbst hinter seinen deckenden Brustwehren keinen Schutz findet, d. h. Kanonen und Wurfgeschütz.

Indem ich auf das verweise, was bereits oben über diesen Gegenstand gesagt ist, glaube ich nur noch — abgesehen von der sichereren Wirkung und dem geringeren Preise der Mörser — diejenigen Verhältnisse erwähnen zu müssen, welche im Platze allenthalben, wo es auf das Werfen der Geschosse im hohen Bogen ankommt, den Mörsern den Vorzug vor den Haubitzen sichern.

1) Man reicht bei ersteren mit weniger Bedienungsmannschaften aus.

2) Man hat bei den Mörsern in allen Beziehungen weniger von dem feindlichen Feuer zu fürchten, vom direkten Feuer gar nichts; vom Rikochettfeuer nur unter besonders ungünstigen Umständen; vom feindlichen Wurffeuer auch nur wenig, weil man seine Mörser sehr vereinzelt aufzustellen vermag und dabei doch:

3) im Stande ist, sein Feuer augenblicklich nach jedem beliebigen Punkte des feindlichen Angriffs zu richten und zu konzentriren; während

4) die Mörser in allen Perioden des Angriffs vorzüglich wirksam bleiben, ohne daß es weitläuftiger und zeitraubender Vorbereitungen zu ihrer jedesmaligen Aufstellung bedarf. Die Haubitzen sind daher auch hier nur für die Fälle anwendbar, in denen man die Unsicherheit des Rikochettschusses durch das Krepiren des Geschosses aufwiegen will; also gegen die feindlichen Kommunikationen überhaupt, und namentlich gegen die Zickzacks auf den Kapitalen. Erwägt man aber, daß diese Wirkung um so größer sein wird, wenn man zugleich den Sappenkopf trifft, wenn es den Geschossen nicht an Perkussionskraft fehlt, wenn dieselben ihre Bahn recht weit fortsetzen, und daß es hier nicht, wie beim Rikochettschuß gegen die Linien des Platzes, auf kurze und hohe Sprünge ankommt — so leuchtet ein, daß, so anwendbar für den beabsichtigten Zweck auch die Granaten sein mögen, es doch keineswegs die kurzen Haubitzen sind. Dies haben wohl auch alle Schriftsteller gefühlt, welche, um eine genügende Wirkung zu erhalten, die Aufstellung schwerer Haubitzen auf den Kapitalen der Angriffsfront empfehlen. Da es sich jedoch hier nicht nur um die Wirkung der Hohlgeschosse beim Krepiren, sondern zugleich um Wahrscheinlichkeit des Treffens und Schußweite handelt; so werden kurze 24pfünder — oder wenn man will: lange 7pfündige Haubitzen — uns nicht nur vollständiger als kurze Haubitzen von größerem Kaliber die beabsichtigte Wirkung sichern, sondern noch durch ihre größere Kartätschwirkung und durch die nicht unbedeutende eventuelle Wirkung ihrer Vollkugeln einen wesentlichen Vorzug behaupten. *)

*) Wir verweisen hier auf die Bemerkungen, welche bei der Belagerungs-Artillerie über dasselbe Thema gemacht worden.

D. R.

(Schluß im nächsten Heft.)

IV.

Ueber die chemische Analyse des nach der Verbrennung von Schießpulver bleibenden Rückstandes

von

Dr. G. Werther.

Wenn das Schießpulver der Theorie am meisten entsprechend zusammengesetzt ist, d. h. wenn in derselben auf 1 Aequivalentgewicht
Salpeter 3 Aequivalente Kohle und 1 Aequivalent Schwefel enthalten sind, so sollte bei der vollkommenen Zersetzung desselben nach der
Verbrennung der Rückstand — der sogenannte Pulverschleim — nur
aus Schwefelkalium bestehen. Daß nun in der That diese letztgenannte Verbindung bei jeder Verbrennung des Schießpulvers sich
bildet, beweist der Geruch des Rückstandes nach Schwefelwasserstoff,
wenn der Pulverschleim nur eine kurze Zeit mit der Luft in Berührung war.

Aber selbst das beste Pulver, welches, so weit es bei der nie zu
erreichenden vollkommenen Reinheit des Kohlenstoffs und bei einem
technischen Verfahren in Fabriken überhaupt möglich ist, der von der
Theorie verlangten Zusammensetzung sehr nahe kommt, läßt dennoch
nach seiner Verbrennung nicht Schwefelkalium allein als Rückstand,
sondern es befinden sich unter diesem auch schwefelsaures und kohlensaures Kali. Je mehr sich die Zusammensetzung des Pulvers der
verlangten theoretischen nähert, desto mehr enthält allerdings der Pulverschleim an Schwefelkalium. Da nun der Rückstand nie der theoretischen Zusammensetzung entspricht, so wird dieses auch nicht bei

den gasförmigen Bestandtheilen der Fall sein. Dies ist auch von allen denjenigen Experimentatoren gefunden worden, welche die Pulvergase aufgefangen und einer direkten Untersuchung unterworfen haben. So fanden sich außer Kohlensäure und Stickstoff, welche sich nur hätten bilden sollen, Kohlenoxydgas, Kohlenwasserstoff, eine gasförmige Oxydationsstufe des Stickstoffs und Schwefelwasserstoff. Es läßt sich aus den vorhandenen Angaben nicht mit Sicherheit schließen, ob die verschiedenen Beimengungen neben der Kohlensäure und dem Stickstoff durch eine von der Theorie sich sehr entfernende Zusammenmischung der Bestandtheile des Pulvers hervorgerufen seien — denn die Beobachter haben keine Analyse des Pulvers, dessen Gase sie untersuchten, mitgetheilt — oder ob es eben nur eine Anomalie in der Zersetzung sei. Wahrscheinlich aber ist theils das letztere der Fall, theils ist es eine unvermeidliche Folge von der Zusammensetzung der für das Schießpulver in der Regel angewendeten Kohle. Jene Anomalie wird sich überhaupt in allen Untersuchungen der Schießpulvergase aussprechen und man wird selbst aus einem und demselben Schießpulver in verschiedenen Versuchen Gase von ungleicher Zusammensetzung erhalten. Namentlich sind die Umstände, unter denen die Gase aus dem Pulver behufs der Untersuchung gewonnen werden, von denen, unter welchen sie sich beim gewöhnlichen Gebrauch in Schießgewehren bilden, so abweichend, daß man einen Schluß aus der Untersuchung jener nicht durchaus auf diese machen kann. Die Ursachen, welche eine unregelmäßige Zersetzung des Pulvers veranlassen, sind zur Zeit noch so wenig erforscht und ihre Erforschung ist wegen der mannigfaltigen mitwirkenden Faktoren so schwierig, daß nur eine lange Reihe scharfsinniger Beobachtungen und Versuche darüber Licht verbreiten werden.

Da sich bei der Zersetzung eines in seiner Zusammensetzung bekannten Körpers aus dem festen Rückstand ein Schluß auf die gasförmig entwichenen Bestandtheile machen läßt, da ferner zur Untersuchung der Gase mehr oder weniger kostspielige Apparate erforderlich sind, die nicht jedem Chemiker zu Gebote stehen, und da endlich, wie oben erwähnt, aus der Analyse der Gase auch nur ein beschränkter Schluß auf die ähnliche Zersetzung unter andern Umständen gemacht werden darf, so habe ich mich bemüht, eine sichere Methode zur quan-

titativen Trennung der im Pulverschleim enthaltenen Salze ausfindig
zu machen, welche ich im Nachstehenden mittheilen will. Ich verkenne gleichfalls nicht, daß auch aus den Resultaten von der chemischen Analyse des Pulverschleims nur ein beschränkter Schluß auf die
Zusammensetzung der bei der Verbrennung gebildeten Gase gemacht
werden darf, schon aus dem einfachen Grunde, weil stets ein Theil
des Pulverschleims während der Zersetzung des Pulvers aus dem Apparat, in welchem die Zersetzung stattfand, herausgeschleudert wird,
und man in Ungewißheit bleibt, ob der herausgeschleuderte Theil mit
dem zurückgebliebenen gleiche Zusammensetzung hat.

Aus einigen Versuchen, in welchen ich dasselbe Pulver einmal im
luftleeren Raume verpuffte, also allen festen Rückstand erhielt, ein
anderes Mal in einem weithalsigen Stöpselglas, welches auf einem
gewöhnlichen Rohrstuhle festgebunden war, erlaube ich mir keinen
triftigen Schluß, obwohl die Zusammensetzung der Rückstände beider
Versuche nicht sehr von einander abwich. Daß man aber, um überhaupt Folgerungen ziehen zu können, von dem Pulver, dessen Gase
man untersucht, auch die chemische Zusammensetzung kennen muß,
versteht sich wohl von selbst.

Wenn man von dem in der Regel zum Gebrauch dienenden
Schießpulver unter den der Wirklichkeit am nächsten stehenden Umständen eine Analyse des Pulverschleims machen will, so läßt man
wohl am zweckmäßigsten aus einem groben Geschütz einige Schüsse
abfeuern, ohne zwischen jedem folgenden auszuwischen, und kratzt den
dabei gebildeten Rückstand heraus. Es hat auch dieses seine Schwierigkeiten, weil bei gutem Pulver sich meistens nur wenig Rückstand
von einem Schusse bildet, also viele dazu gehören und bei der dadurch
entstehenden Erwärmung der Geschützwände und dem wiederholten
Zutritt der Luft schon eine chemische Veränderung des Rückstandes
hervorgebracht werden kann, bei schlechtem Pulver aber, bei welchem
der Rückstand meistens aus schwefelsaurem Kali besteht, derselbe so
fest haftet, daß er herausgemeißelt werden muß. Indessen eine so
geringe Menge, wie zu einer chemischen Analyse nothwendig ist, läßt
sich schon erlangen.

Man verfährt nun behufs der Untersuchung auf folgende Weise:
ungefähr das Doppelte vom Gewicht des zu untersuchenden Pulver-

rückstandes an kohlensaurem Kadmiumoxyd wird in einer mäßigen Menge destillirten Wassers aufgeschwemmt und in diese Flüssigkeit, die sich in einem verkorkbaren Glase befindet, bringt man die zu untersuchende Substanz. Sofort wird alsdann die Masse tüchtig durcheinander geschüttelt und diese Operation öfters wiederholt. Es zersetzt sich dabei das Schwefelkalium mit dem kohlensauren Kadmiumoxyd leicht, während unterschwefligsaures und schwefelsaures Alkali gar nicht, oder letzteres nur nach längerer Berührung mit dem Kadmiumoxydsalz, eine Zerlegung eingehen.

In dem Pulverrückstand wird sich stets auch unterschwefligsaures Kali vorfinden, weil die Einwirkung der Luft zur Zersetzung des Schwefelkaliums wohl schwerlich jemals schnell genug verhindert werden kann. Es befinden sich daher in der vom unlöslichen gelblichen Pulver abfiltrirten Flüssigkeit die Kalisalze der Kohlensäure, Schwefelsäure und unterschwefligen Säure. So haben es mich wenigstens zahlreiche Versuche gelehrt, und ich bin nie eine andere Säure des Schwefels aufzufinden im Stande gewesen. Es ist auch bei Betrachtung der Umstände, unter denen sich der Pulverschleim bildet, schon von vornherein nicht wahrscheinlich, daß etwas anderes als Schwefelsäure sich bilden sollte, denn die nachher sich vorfindende unterschweflige Säure ist offenbar ein Zersetzungsprodukt des Schwefelkaliums.

Das oben erwähnte gelbliche Pulver, welches bisweilen mit einigen sparsamen schwarzen Flocken (Kohle) untermischt ist, besteht aus Schwefelkadmium und dem überschüssigen kohlensauren Kadmiumoxyd. Es ist in der Regel eine überflüssige Arbeit, wenn man vor der Behandlung mit dem Kadmiumsalze den Pulverschleim mit Wasser behandeln und die Kohle davon abfiltriren wollte; denn die Menge derselben ist so gering, daß sie dem Gewicht nach kaum bestimmbar ist. Um den Schwefelgehalt im Schwefelkadmium zu erfahren, oxydirt man dasselbe, nachdem es vorher gehörig ausgewaschen ist. Man übergießt es zu diesem Behuf in einem langhalsigen Kolben mit etwas rauchender Salpetersäure und erhitzt so lange bis keine rothen Dämpfe mehr erscheinen. Dann fügt man noch etwas verdünnte reine Salpetersäure von 1,24 spezifischem Gewicht nebst ein wenig chlorsauren Kali hinzu, und kocht so lange, bis Alles zu einer klaren gelblichen

Flüſſigkeit geworden iſt. Aus dieſer wird alsdann mittelſt eines Baryſalzes die Schwefelſäure ausgeſchieden und auf die bekannte Weiſe beſtimmt. (Siehe dies Archiv Bd. XX. S. 110.)

Die unmittelbare Oxydation des gelblichen Pulvers iſt jedoch unausführbar, wenn die Quantität des angewandten kohlenſauren Kadmiumoxyds ſehr bedeutend war, denn dann iſt ein Ueberſteigen der Flüſſigkeit durch die heftige Kohlenſäureentwickelung unvermeidlich. In dieſem Falle kann man die größte Menge oder das Ganze des überſchüſſigen kohlenſauren Kadmiumoxyds durch verdünnte Eſſigſäure vom Schwefelkadmium trennen. Es iſt aber ausdrücklich zu bemerken, daß ſtatt der Eſſigſäure nicht etwa verdünnte Chlorwaſſerſtoffſäure genommen werden darf, weil durch dieſe ſtets ein Antheil Schwefelkadmium zerſetzt wird. Noch viel weniger darf Salpeterſäure Anwendung finden.

Aus der Löſung, welche die Kaliſalze der Kohlenſäure, Schwefelſäure und unterſchwefligen Säure enthält, ſcheidet man zuerſt die letztere aus, indem man zu der erwärmten Flüſſigkeit ſalpeterſaure Silberoxydlöſung zufügt. Es fällt dabei ein ſchwärzlicher Niederſchlag zu Boden, der aus Schwefelſilber ($\dot{\text{A}}\text{g} \ \overset{...}{\text{N}}$ und $\dot{\text{K}} \ \overset{..}{\text{S}} = \text{AgS}, \ \dot{\text{K}}\overset{...}{\text{N}}$ und $\overset{..}{\text{S}}$) und kohlenſaurem Silberoxyd beſteht. Letzteres zieht man auf dem Filtro (nach genügendem Auswaſchen unter Abſchluß des Lichts) durch Ammoniak aus, fällt die ammoniakaliſche Löſung, nachdem ſie durch Salpeterſäure neutraliſirt war, mit Salzſäure, beſtimmt das dabei erhaltene Chlorſilber mit den üblichen Vorſichtsmaßregeln und berechnet für jedes Atom Ag Cl, 1 At. $\dot{\text{K}} \ \overset{..}{\text{C}}$. Das auf dem Filtro zurückgebliebene Schwefelſilber wird in Salpeterſäure gelöſt, ebenfalls durch Salzſäure als Chlorſilber beſtimmt und von dieſem für je ein Atom zwei Atom Schwefel berechnet. Denn die obige Formel weiſt nach, daß von dem Schwefelgehalt der unterſchwefligen Säure nur die Hälfte ſich mit dem Silber verband, die andere Hälfte als Schwefelſäure in der Löſung blieb.

Die von dem Schwefelſilber und kohlenſauren Silberoxyd abfiltrirte Flüſſigkeit wird, nachdem ſie durch Salzſäure vom überſchüſſigen ſalpeterſauren Silberoxyd befreit, oder auch nachdem ſie blos mit Salpeterſäure ſtark angeſäuert iſt, bis zum Kochen erhitzt und mit einer Auflösung von salpetersaurer Baryterde gefällt. Von der hierbei ausgeschiedenen schwefelsauren Baryterde, welche auf die gewöhnliche Weise bestimmt wird, muß so viel abgezogen werden, als der aus der unterschwefligen Säure gebildeten Schwefelsäure entspricht, also eine dem Schwefelgehalt des Schwefelsilbers gleiche Menge Schwefel, als Schwefelsäure berechnet und zwar mit der äquivalenten Menge Baryterde verbunden. Der Rest enthält alsdann die ursprünglich vorhandene Menge Schwefelsäure. Man darf nicht versäumen, die erhaltene $\overset{\cdot}{Ba}\,\overset{\cdot\cdot}{S}$ nach dem Glühen mit verdünnter Salzsäure zu behandeln, weil $\overset{\cdot}{Ba}\,\overset{\cdot\cdot\cdot}{N}$, hartnäckig dem Auswaschen widerstehend, sich stets beigemengt findet, und diese kann erst weggeschafft werden, wenn sie durch Glühen zersetzt ist.

Man kann endlich aus der zuletzt rückständigen Flüssigkeit nach Ausfällung des Silberoxyds und der Baryterde durch Salz- und Schwefelsäure eine Controle über die bisherigen Operationen, namentlich über den Gehalt an kohlensaurem Kali, ausführen, indem man die schwefelsaure Lösung eindampft, den trocknen Rückstand, das schwefelsaure Kali, glüht und sein Gewicht ermittelt. Vor dem Eindampfen muß man sich jedoch durch Zusatz von Schwefelwasserstoffwasser zu der sauren Flüssigkeit überzeugen, ob nicht Kadmiumoxyd in der Lösung vorhanden ist, und wenn dieses, dann das Oxyd erst als Schwefelmetall entfernen.

Es ist einleuchtend, daß das zur Analyse zu verwendende kohlensaure Kadmiumoxyd rein sein muß, namentlich frei von kohlensaurem Alkali. Deshalb rathe ich, bei der Darstellung desselben zur Fällung des kohlensauren Ammoniaks, nicht eines kohlensauren Salzes der fixen Alkalien sich zu bedienen, weil letztere dem gefällten Pulver so hartnäckig anhaften, daß sie sich nur schwer durch Auswaschen entfernen lassen.

Es bedarf wohl kaum einer Rechtfertigung dafür, daß ich zur Bestimmung des Schwefelgehalts aus einem löslichen Schwefelalkali diese ungewöhnliche Methode statt der bekannten und sonst recht brauchbaren Ausfällung mittelst eines Zinksalzes angewendet habe, weil es sich hier gleichzeitig um die Bestimmung eines kohlensauren Alkalis handelt und das kohlensaure Zinkoxyd auf so bequeme Art nicht vom Schwefelzink zu trennen ist.

V.

Ueber Wurfgeschütze der Feldartillerie, namentlich die Feldmörserbatterien Oesterreichs.

Zwischen den beiden Hauptgruppen der Geschütze der Artillerie: den Kanonen, die nur zum direkten Schusse bestimmt sind und den Mörsern, den eigentlichen Wurfgeschützen, hat die Ausbildung der Waffe im Laufe der Jahrhunderte ein Mittelglied für nothwendig erachtet und die Haubitze ins Leben gerufen. Sie bildet der Idee nach die Zwischenstufe zwischen den reinen Schuß- und den spezifischen Wurfgeschützen, soll den Umständen nach bald die eine, bald die andere Geschützart ersetzen und kann die Zwecke beider in genügendem Grade nur erfüllen, wenn sie eine sogenannte kurze Haubitze darstellt. Unsere Vorväter haben wegen der Vielseitigkeit ihrer Anwendung die kurze Haubitze gehegt und gepflegt und ihren Werth trotz der nicht bedeutenden Wahrscheinlichkeit des Treffens ihrer Granaten vielfach anerkannt. Michael Mieth z. B. sagt: „die Haubitzen sind unter dem Geschütz das, was in dem edlen und sinnreichen Schachspiel die Königin ist, welche man allenthalben das Spiel über anwenden kann" und erkennt an einer anderen Stelle die Schwierigkeit des Werfens in folgenden derben Worten an: „Das Schmeißen der Granaten ist eine Kunst, wogegen Lapis filosoforum, die Wünschelruthe, ja sogar Doktor Faust mit allen seinen Gesellen lauter Eselsköpfe dagegen sind."

Die neuere Zeit hat die Artillerien verschiedener Staaten zum Theil wegen der geringen Wahrscheinlichkeit des Treffens mit Granaten aus kurzen Haubitzen und des wenig ergiebigen Kartätschwurfes derselben veranlaßt, die kurzen Haubitzen aus dem Materiale ihrer Feldartillerie zu verbannen und sie durch ein neues zwitterhaftes Geschütz: die lange Haubitze zu ersetzen. Die neuere Zeit hat außerdem eine lange Reihe solcher Zwittergeschütze entstehen sehen und sie mit den verschiedensten Namen, wie: Bombenkanonen, Granatkanonen, Kanonenhaubitzen, kurze Kanonen belegt. Sie haben mit den Wurfgeschützen die Anwendung der Hohlgeschosse gemein, sind aber dem Prinzipe und der Konstruktion nach nur auf den direkten Schuß angewiesen; bei aller Vortrefflichkeit, die sie für verschiedene Zwecke unangefochten in Anspruch zu nehmen berechtigt sind, können sie dennoch eine Wurfwirkung nicht erzeugen. Die Artillerien, welche die lange Haubitze mit Ausschluß der kurzen eingeführt, haben durch diesen Schritt auf jegliche mörserartige Wirkung ihrer Feldbatterien verzichtet. Die Erfahrung aller Kriege beweiset aber, daß eine derartige Wirkung zur Nothwendigkeit gehört, deshalb haben es auch manche Artillerien, wie die österreichische, bayersche und belgische Artillerie, vorgezogen, neben den eingeführten langen Haubitzen die kurzen in ihrem Feldmateriale beizubehalten. Die Nothwendigkeit, die mörserartige Wirkung bei der Feldartillerie zu kultiviren und zu verstärken, statt zu schwächen, haben namentlich die Oesterreicher in den jüngsten Feldzügen in der Lombardei fühlen gelernt. Daß diese Nothwendigkeit sich bei dem Fortschritte der Bodenkultur, bei der durch die Separationen der bäuerlichen Wirthe bedingten vervielfältigten Anlage einzelner Gehöfte und größerer oder kleinerer Meiereien in Zukunft noch entschiedener als bisher geltend machen wird, dürfte nicht zu bezweifeln sein. Wir sind daher der Meinung, daß die oft angefochtene kurze Haubitze auch für die Feldartillerie eine Zukunft hat, und daß die Zeit nicht zu fern sein dürfte, in der man des Miethe'schen Wortes eingedenk, sie wiederum mit der Königin des Schachspiels vergleicht.

Hat sie nicht bereits in der Gebirgsartillerie einzelner Staaten sich zur unbeschränkten Herrscherin emporgeschwungen und selbst die Kanonen vollständig in den Hintergrund geschoben? Fordert nicht z. B. der Verfasser der Beiträge zu einer Charakteristik des Kriegsschauplatzes und der Kriegführung in Oberitalien (Zürich 1850) in Folge

der gemachten Erfahrungen eine Vermehrung der kurzen Haubitzen im
Verhältniß zu der Zahl der langen bei dem italienischen Theile der
österreichischen Armee? Deuten nicht manche andere Vorgänge darauf
hin, daß das Anathema, das die neuere Zeit auf die kurzen Haubitzen
geschleudert, von ihnen schwinden wird, trotz des ihnen zur Last gelegten wenig ergiebigen Kartätsch- und Shrapnelwurfes? Haben die
Bemühungen, das Wurffeuer zu verbessern, nicht so glänzende Erfolge gehabt, daß die vor einem halben Jahrhundert noch etwas va-
gabondirenden Granaten jetzt mit einer geregelten Flugbahn selbst ein
Ziel von geringen Dimensionen im hohen Bogenwurf mit Sicherheit
zu treffen vermögen?

Doch wir wollen das Feld der Fragen verlassen und zu dem Ge-
genstande übergehen, der uns die Feder in die Hand gegeben. Er ist
ein neuer Beweis, wie dringend die Forderung ist, ein Wurfgeschütz
bei der Feldartillerie zu besitzen.

Die Idee, Mörser im Feldkriege zu verwenden, ist nicht neu, die
preußische Artillerie hat derselben in früheren Tagen mehrfach gehul-
digt, doch sind die hierauf bezüglichen Konstruktionen in die Zeug-
häuser gewandert und haben heute nur noch ein historisches Interesse.
Oesterreich hat diese Idee in Folge der Erfahrungen der neuesten Zeit
wieder aufgenommen, die Einführung von Feldmörserbatterien ist da-
selbst angeordnet und ihre Organisation bereits im Gange.

Wir haben uns bemüht eine genauere Kenntniß über diese Einrichtung zu erlangen, gestehen aber, daß diese Bemühungen nicht
vollständig mit Erfolg gekrönt sind, glauben aber nichts desto weniger, daß die gesammelten Notizen ein solches Interesse darbieten, daß
ihre Mittheilung nicht unzweckmäßig erscheint. Wir haben bei der
nachfolgenden Zusammenstellung die Angaben in der Darstellung der
Kriegsbegebenheiten der österreichischen Armee im Jahre 1848, mehrfache Notizen im österreichischen Soldatenfreunde und einen Artikel
des österreichischen Militair-Konversationslexikons benutzt.

Am 10. Juni 1848 wurden zur Unterstützung des Angriffs auf
Vicenza vier 8zöllige Mörser mit 400 Bomben aus Mantua herange-
zogen. Dieselben waren auf gewöhnlichen vierspännigen Militair-
fahrzeugen verladen und kamen am 11. Juni Mittags vor Vicenza
an. Hier mußten die einzelnen Stücke abgeladen, die Röhre eingelegt,

die Bettungen gestreckt, die Bomben geladen werden, so daß es erst nach vier Stunden gelang, das Feuer zu eröffnen, mit dem man während der Nacht fortfuhr. Die auf diese Weise in die Stadt geworfenen 80 Bomben trugen wesentlich zur Beschleunigung der Kapitulation der Stadt bei. Dieser Erfolg veranlaßte den Feldmarschall-Lieutenant Baron Stwrtnik, der die Heranziehung der Mörser vor Vicenza bewirkt hatte, nach hergestelltem Frieden alles Ernstes darauf zu denken, die Feldartillerie mit Mörserbatterien zu versehen. Mehrfache Projekte zeigten sich unausführbar, das von dem Ober-Lieutenant Alois Nalbrich, Adjutant des Feldmarschall-Lieutenant Baron Stwrtnik, bearbeitete, wurde dagegen als praktisch erkannt und zur Ausführung bestimmt. Hiernach sind Feldbatterien aus vier 30pfündigen Mörsern formirt, die alle Bedürfnisse bei sich führen, um das Feuer aus ihren nicht auf Bettungen befindlichen Mörsern zu eröffnen und längere Zeit zu unterhalten. Die in ihren Laffeten liegenden Röhre werden auf besonders konstruirten vierspännigen Sattelwagen transportirt. Bei diesen befinden sich vier durch Riegel verbundene Tragebäume auf der Hinterachse, von denen die äußeren zur Hervorbringung einer größeren Lenkbarkeit kürzer als die beiden inneren sind. Die ersteren greifen hinten weiter über die Achse hinaus als die letzteren, und haben hier eine Welle mit Haken für Taue und Löcher für Hebebäume. Die inneren Tragebäume sind vorne schräg abgeflächt und mit einem Schwanzriegel verbunden. Als Vorderwagen dient eine gewöhnliche Feldprotze. Behufs des Aufladens wird der Sattelwagen abgeprotzt, mit den Tragebäumen an die Mörserlaffete geschoben, diese mit dem Rohre mittelst der Welle bis hinter die Achse heraufgewunden, der Wagen aufgeprotzt, die Laffete zur besseren Vertheilung der Last auf beide Achsen etwas nach vorn geschoben und durch Stricke an beweglichen Blatthaken befestigt. Beim Abprotzen behufs Eröffnung des Feuers wird in entgegengesetzter Reihenfolge verfahren, die Protze wie gewöhnlich gefahren und der Hinterwagen ebenfalls acht bis zehn Schritt vom Mörser zurückgeschoben. Jede Batterie von vier Mörsern hat acht vierspännige Munitionswagen, von denen jeder 30 geladene Bomben und eine entsprechende Anzahl fertiger Kartuschen verschiedener Größe enthält, durch welche man die erforderlichen Ladungen zusammensetzen kann. Bei der Hauptreserve werden für jede Batterie außerdem noch eine Anzahl Bomben und Kartuschen mitgeführt.

Der am 28. Februar 1850 zu Verona vor dem Feldmarschall Graf Radetzki mit einer halben Mörserbatterie, so wie der am 23. April desselben Jahres vor dem damaligen Kriegsminister Feldmarschall-Lieutenant Graf Gyulai mit einer vollständigen Batterie ausgeführte Versuch fiel so zufriedenstellend aus, daß der Kaiser auf Antrag der General-Artillerie-Direktion die Einführung einer Feldmörserbatterie für jedes Armeekorps anordnete.

Die genannten Versuche zeigten, daß vom Kommando Halt! bis zum ersten Wurfe nur zwei Minuten erforderlich waren, und daß die Marschbereitschaft der Batterie nach dem Einstellen des Feuers in drei Minuten erreicht wurde.

Diese günstigen Erfolge haben sich bei dem Kaiser-Manöver auf den Ebenen von Verona im September 1851 wiederholt. Die 30-pfündige Feldmörserbatterie, von ihrem Organisator Hauptmann Raldrich geführt, exerzirte vor dem Kaiser im Feuer, protzte unter Anderem auf einer Entfernung von 1500 Schritt gegen ein Ziel ab und warf nach demselben ihre Bomben mit solcher Sicherheit, daß nur wenige Fehlwürfe eintraten.

Druck von E. S. Mittler und Sohn in Berlin, Spandauerstr. 52.

den gasförmigen Bestandtheilen der Fall sein. Dies ist auch von allen denjenigen Experimentatoren gefunden worden, welche die Pulvergase aufgefangen und einer direkten Untersuchung unterworfen
haben. So fanden sich außer Kohlensäure und Stickstoff, welche sich
nur hätten bilden sollen, Kohlenoxydgas, Kohlenwasserstoff, eine gasförmige Oxydationsstufe des Stickstoffs und Schwefelwasserstoff. Es
läßt sich aus den vorhandenen Angaben nicht mit Sicherheit schließen, ob die verschiedenen Beimengungen neben der Kohlensäure und
dem Stickstoff durch eine von der Theorie sich sehr entfernende Zusammenmischung der Bestandtheile des Pulvers hervorgerufen seien
— denn die Beobachter haben keine Analyse des Pulvers, dessen Gase
sie untersuchten, mitgetheilt — oder ob es eben nur eine Anomalie
in der Zersetzung sei. Wahrscheinlich aber ist theils das letztere der
Fall, theils ist es eine unvermeidliche Folge von der Zusammensetzung
der für das Schießpulver in der Regel angewendeten Kohle. Jene
Anomalie wird sich überhaupt in allen Untersuchungen der Schießpulvergase aussprechen und man wird selbst aus einem und demselben
Schießpulver in verschiedenen Versuchen Gase von ungleicher Zusammensetzung erhalten. Namentlich sind die Umstände, unter denen die
Gase aus dem Pulver behufs der Untersuchung gewonnen werden,
von denen, unter welchen sie sich beim gewöhnlichen Gebrauch in
Schießgewehren bilden, so abweichend, daß man einen Schluß aus der
Untersuchung jener nicht durchaus auf diese machen kann. Die Ursachen, welche eine unregelmäßige Zersetzung des Pulvers veranlassen,
sind zur Zeit noch so wenig erforscht und ihre Erforschung ist wegen
der mannigfaltigen mitwirkenden Faktoren so schwierig, daß nur eine
lange Reihe scharfsinniger Beobachtungen und Versuche darüber Licht
verbreiten werden.

Da sich bei der Zersetzung eines in seiner Zusammensetzung bekannten Körpers aus dem festen Rückstand ein Schluß auf die gasförmig entwichenen Bestandtheile machen läßt, da ferner zur Untersuchung der Gase mehr oder weniger kostspielige Apparate erforderlich
sind, die nicht jedem Chemiker zu Gebote stehen, und da endlich, wie
oben erwähnt, aus der Analyse der Gase auch nur ein beschränkter
Schluß auf die ähnliche Zersetzung unter andern Umständen gemacht
werden darf, so habe ich mich bemüht, eine sichere Methode zur quan-

Das Archiv wird auch künftig in Jahrgängen zu 6 Heften oder 2 Bänden erscheinen, und ungeachtet seiner weiteren Ausdehnung denselben Preis behalten. Die Herren Verfasser werden ergebenst ersucht, ihre Einsendungen portofrei an die Redaktion oder an die Buchhandlung von E. S. Mittler und Sohn zu richten und zugleich zu bestimmen, ob ihr Name dem Aufsatz vorgedruckt werden soll oder nicht. Auf Verlangen werden für den Druckbogen bei Originalaufsätzen 6 Thlr. und bei Uebersetzungen 5 Thlr. gezahlt. Besondere Abdrücke der Aufsätze müssen nach Maßgabe ihres Umfanges und ihrer Anzahl der Buchdruckerei vergütigt werden.

Sollten den Herren Subscribenten einzelne Hefte früherer Jahrgänge abhanden gekommen seyn, so können dergleichen, so weit der Vorrath noch reicht, ersetzt werden; die noch vorhandenen früheren Jahrgänge werden zu der Hälfte des Ladenpreises abgelassen.

rückstandes an kohlensaurem Kadmiumoxyd wird in einer mäßigen Menge destillirten Wassers aufgeschwemmt und in diese Flüssigkeit, die sich in einem verkorkbaren Glase befindet, bringt man die zu untersuchende Substanz. Sofort wird alsdann die Masse tüchtig durcheinander geschüttelt und diese Operation öfters wiederholt. Es zersetzt sich dabei das Schwefelkalium mit dem kohlensauren Kadmiumoxyd leicht, während unterschwefligsaures und schwefelsaures Alkali gar nicht, oder letzteres nur nach längerer Berührung mit dem Kadmiumoxydsalz, eine Zerlegung eingehen.

In dem Pulverrückstand wird sich stets auch unterschwefligsaures Kali vorfinden, weil die Einwirkung der Luft zur Zersetzung des Schwefelkaliums wohl schwerlich jemals schnell genug verhindert werden kann. Es befinden sich daher in der vom unlöslichen gelblichen Pulver abfiltrirten Flüssigkeit die Kalisalze der Kohlensäure, Schwefelsäure und unterschwefligen Säure. So haben es mich wenigstens zahlreiche Versuche gelehrt, und ich bin nie eine andere Säure des Schwefels aufzufinden im Stande gewesen. Es ist auch bei Betrachtung der Umstände, unter denen sich der Pulverschleim bildet, schon von vornherein nicht wahrscheinlich, daß etwas anderes als Schwefelsäure sich bilden sollte, denn die nachher sich vorfindende unterschweflige Säure ist offenbar ein Zersetzungsprodukt des Schwefelkaliums.

Das oben erwähnte gelbliche Pulver, welches bisweilen mit einigen sparsamen schwarzen Flocken (Kohle) untermischt ist, besteht aus Schwefelkadmium und dem überschüssigen kohlensauren Kadmiumoxyd. Es ist in der Regel eine überflüssige Arbeit, wenn man vor der Behandlung mit dem Kadmiumsalze den Pulverschleim mit Wasser behandeln und die Kohle davon abfiltriren wollte; denn die Menge derselben ist so gering, daß sie dem Gewicht nach kaum bestimmbar ist. Um den Schwefelgehalt im Schwefelkadmium zu erfahren, oxydirt man dasselbe, nachdem es vorher gehörig ausgewaschen ist. Man übergießt es zu diesem Behuf in einem langhalsigen Kolben mit etwas rauchender Salpetersäure und erhitzt so lange bis keine rothen Dämpfe mehr erscheinen. Dann fügt man noch etwas verdünnte reine Salpetersäure von 1,24 spezifischem Gewicht nebst ein wenig chlorsaurem Kali hinzu, und kocht so lange, bis Alles zu einer klaren gelblichen

einer Auflösung von salpetersaurer Baryterde gefällt. Von der hier=
bei ausgeschiedenen schwefelsauren Baryterde, welche auf die gewöhn=
liche Weise bestimmt wird, muß so viel abgezogen werden, als der aus
der unterschwefligen Säure gebildeten Schwefelsäure entspricht, also
eine dem Schwefelgehalt des Schwefelsilbers gleiche Menge Schwe=
fel, als Schwefelsäure berechnet und zwar mit der äquivalenten Menge
Baryterde verbunden. Der Rest enthält alsdann die ursprünglich
vorhandene Menge Schwefelsäure. Man darf nicht versäumen, die
erhaltene $\overset{..}{Ba}\overset{..}{S}$ nach dem Glühen mit verdünnter Salzsäure zu be=
handeln, weil $\overset{...}{Ba}\overset{..}{N}$, hartnäckig dem Auswaschen widerstehend, sich
stets beigemengt findet, und diese kann erst weggeschafft werden, wenn
sie durch Glühen zersetzt ist.

Man kann endlich aus der zuletzt rückständigen Flüssigkeit nach
Ausfällung des Silberoxyds und der Baryterde durch Salz= und
Schwefelsäure eine Controle über die bisherigen Operationen, na=
mentlich über den Gehalt an kohlensaurem Kali, ausführen, indem
man die schwefelsaure Lösung eindampft, den trocknen Rückstand, das
schwefelsaure Kali, glüht und sein Gewicht ermittelt. Vor dem Ein=
dampfen muß man sich jedoch durch Zusatz von Schwefelwasserstoff=
wasser zu der sauren Flüssigkeit überzeugen, ob nicht Kadmiumoxyd
in der Lösung vorhanden ist, und wenn dieses, dann das Oxyd erst
als Schwefelmetall entfernen.

Es ist einleuchtend, daß das zur Analyse zu verwendende kohlen=
saure Kadmiumoxyd rein sein muß, namentlich frei von kohlensaurem
Alkali. Deshalb rathe ich, bei der Darstellung desselben zur Fällung
des kohlensauren Ammoniaks, nicht eines kohlensauren Salzes der fixen
Alkalien sich zu bedienen, weil letztere dem gefällten Pulver so hartnäckig
anhaften, daß sie sich nur schwer durch Auswaschen entfernen lassen.

Es bedarf wohl kaum einer Rechtfertigung dafür, daß ich zur
Bestimmung des Schwefelgehalts aus einem löslichen Schwefelalkali
diese ungewöhnliche Methode statt der bekannten und sonst recht
brauchbaren Ausfällung mittelst eines Zinksalzes angewendet habe,
weil es sich hier gleichzeitig um die Bestimmung eines kohlensauren
Alkalis handelt und das kohlensaure Zinkoxyd auf so bequeme Art
nicht vom Schwefelzink zu trennen ist.

aufwand keineswegs in einem richtigen Verhältnisse zu der erlangten Wirkung stehe. Ist die Festungs-Artillerie daher, wie erwähnt, vorzugsweise darauf gewiesen, die im Bau begriffene Arbeiten zu stören, so wird der Vorzug der großen Kaliber einzig darin bestehen, daß die feindlichen Arbeiter etwas später hinter den von ihnen zu erzeugenden Brustwehren Deckung finden, da, bei der geringen Entfernung, der Vorzug der größeren Wahrscheinlichkeit des Treffens auf Seiten der größeren Kaliber fast ganz verschwindet. Das Gesagte wird aber auch nur auf den Batteriebau Anwendung finden, weil der Belagerer seine Laufgraben-Brustwehren nie vollkommen kugelfest machen kann und wird, um nicht zu viel Zeit und Kräfte auf eine Arbeit zu verwenden, die ihm am Ende wenig Nutzen bringt. Arbeitet der Belagerer aber fast immer, und namentlich bei Erbauung seiner Batterien, nur in der Nacht, sind letztere bei zweckmäßigen Anordnungen in der Regel in e i n e r Nacht vollendet, sind die Zielpunkte immer nur klein und wenig über den Erdboden erhaben, kennt man vielleicht die Arbeitsstellen nicht einmal genau, so wird der größere Munitions- und Kostenaufwand, der durch die Anwendung großer Kanonenkaliber herbeigeführt wird, noch weniger durch die zu erwartende Wirkung gerechtfertigt werden. Bringt man nun noch in Anschlag, daß die Geschütze in den meisten Fällen nach den Punkten hingeschafft werden müssen, von denen aus sie die feindlichen Arbeiten mit Erfolg zu beschießen im Stande sind, so wird man zur Armirung des Platzes nicht Kanonenkaliber auswählen, die, sowohl an und für sich, als durch den für sie erforderlichen Munitionsaufwand, sehr kostbar sind — die sehr schwer zu handhaben und bewegen sind, also mehr Bedienungsmannschaft und Transportmittel erheischen — die nach allen Erfahrungen um so weniger dauerhaft sind, einem je größeren Kaliber sie angehören — und deren Wirkungen endlich für die eigentliche Vertheidigung des Platzes von keinem ausgezeichneten Werthe sind.

Ist es demnach erwiesen, daß man auf keine Weise der großen Kaliber, wegen der ihren Geschossen beiwohnenden großen Perkussionskraft, im Platze bedarf; so läßt sich doch aus denselben insofern Nutzen ziehen, als sie große Entfernungen mit ziemlicher Wahrscheinlichkeit des Treffens zu erreichen im Stande sind. Das Schießen auf großen Entfernungen kann nur vom Platze aus wünschenswerth erscheinen:

1) gegen die feindlichen Depots;

2) gegen die feindlichen Arbeiten von entfernten Nebenfronten und Nebenwerken aus.

In beiden Fällen würde aber dieses Schießen mehr als nutzlos sein, wenn die Entfernungen so sehr zunähmen, daß die Zahl der treffenden Geschosse in keinem richtigen Verhältniß mit dem Kostenaufwande stände.

Gegen die feindlichen Depots können nun die Vollkugeln nur etwas Bedeutendes wirken, wenn sie glühende sind; bei der bedeutenden Ausdehnung des Ziels wird man aber um so mehr mit den 24pfündern ausreichen, als es, des eben erwähnten Gebrauchs der glühenden Kugeln wegen, auf die Perkussionskraft derselben nicht besonders ankommt.

Das Beschießen der feindlichen Angriffsarbeiten wird, wegen der Lage und Einrichtung der Werke des Platzes, nie von sehr entfernten Nebenwerken ausführbar sein, und in den Entfernungen, wo es zulässig ist, wird der 24pfünder hinlängliche Perkussionskraft und Wahrscheinlichkeit des Treffens haben, um dieser seiner Bestimmung vollkommen zu entsprechen, und ohne, in Bezug auf die Wirkung, die man bei der angegebenen Art des Gebrauchs überhaupt zu erwarten berechtigt ist, den Vergleich mit einem größeren Kaliber scheuen zu dürfen. Während nun zur Erreichung der vorerwähnten Zwecke 24pfünder — jedoch immer nur in einer im Verhältniß zum Umfange des Platzes geringen Zahl — vortheilhaft verwendet werden können, und daher als ein Bestandtheil der Ausrüstung des Platzes betrachtet werden müssen, wird die überwiegende Mehrzahl der Kanonen aus einem kleineren Kaliber nicht nur bestehen können, sondern selbst bestehen müssen.

„Bestehen können‟ weil die Aufgabe der Kanonen, welche der Vollendung der Angriffsarbeiten vorzüglich entgegenwirken sollen, weder darin besteht, mit großer Perkussionskraft noch auf bedeutenden Entfernungen zu wirken. „Bestehen müssen‟ weil, wie bereits erwähnt, die Artillerie des Platzes nicht nur sehr bald durch das feindliche Feuer zu Grunde gerichtet sein würde, wenn sie ihre einmal eingenommene Stellung dauernd behaupten wollte; sondern auch weil die einzelnen Geschütze, um etwas zu effektuiren, ihre Aufstellung, nach

Maßgabe des Vorschreitens der feindlichen Arbeiten, verändern müssen; denn wie wird der Vertheidiger über eine, so große Geschützzahl
verfügen können, um, ohne die Aufstellung derselben zu verändern,
allen feindlichen Arbeiten kräftig entgegen zu wirken im Stande zu
sein; und stände ihm auch wirklich eine so große Geschützzahl zu Gebote, so bliebe es doch immer ein Fehler, sie sämmtlich dem feindlichen Feuer zugleich bloßzustellen. Man muß also ein beweglicheres
Geschütz haben, als der 24pfünder ist.

Dieses beweglichere Geschütz wird entweder, bei einerlei Kosten-
aufwande, in viel größerer Zahl vorhanden sein können, oder bedeutend weniger Kosten verursachen, es wird weniger Bedienungsmannschaft, weniger Transportmittel aller Art, weniger Bettungsmaterial
erfordern, es wird durch das eigene Feuer weniger leiden, eine schnellere Bedienung gestatten u. s. w., und endlich eben durch seine Beweglichkeit den Belagerten in Stand setzen, schnell nicht nur auf jedem geeigneten Punkte wirksam auftreten, sondern auch überlegenes
Feuer gegen einzelne Stellen der Angriffsarbeiten konzentriren zu können, was er mit schweren Geschützen nie zu erreichen vermag.

Entsprächen diesen Zwecken auch, wenigstens großentheils, große
Kaliber von geringerer Länge — kurze 24pfünder — so ist doch den
12pfündern der Vorzug zu geben:

1) weil die Geschütze sehr häufig durch ganz ausgeschnittene Scharten feuern müssen; die, bei gleichem Gewichte, größere absolute Länge der 12pfünder, denselben also hierin einen Vorzug
   gewährt;

2) weil das Kartätschfeuer, wovon man im Platze häufig Gebrauch
   machen muß, aus den längeren 12pfündern auf größeren Entfernungen wirksam ist;

3) weil es fehlerhaft wäre, die überwiegende Mehrzahl der Festungskanonen aus einem Kaliber bestehen zu lassen, welches,
   ohne mehr zu wirken, viel kostbarere Munition erfordert.

4) Wenn demnach, sowohl beim Angriff, wie bei der Vertheidigung des Platzes, die kurzen 24pfünder vorzugsweise nur da zu
   empfehlen sind, wo es auf das Rikochettiren, oder überhaupt
   auf die Anwendung von Hohlgeschossen unter kleinen Erhö-
   bungswinkeln ankommt, so werden hier die 12pfünder um so

mehr den Vorzug verdienen, als es hinreicht, wenn auf den Kapitalen der Angriffsfront eine den Umständen angemessene Zahl kurzer 24pfünder aufgestellt ist.

Endlich bedarf man aber noch zur Vertheidigung des Platzes einer dem Umfange und der Einrichtung desselben entsprechenden Anzahl von Kanonen, die nicht sowohl gegen die Arbeiten des Belagerers, als vielmehr gegen die gewaltsamen Unternehmungen desselben wirken sollen; sie werden immer nur auf kurzen Entfernungen, fast ausschließlich nur gegen Truppen schießen, und daher ihrer Bestimmung um so mehr entsprechen, je ergiebiger ihre Kartätschwirkung ist.

Bei den großen Kalibern ist zwar unter sonst gleichen Umständen jeder Kartätschschuß, an und für sich betrachtet, wirksamer als bei den kleinen Kalibern. Abgesehen aber davon, daß die großen Kaliber viel kostbarer sind und mehr Bedienungsmannschaft erfordern, ist es im vorliegenden Falle noch ganz besonders die nothwendig langsamere Bedienung derselben, welche gegen ihre Anwendung zu dem genannten Zwecke spricht. Dergleichen gewaltsame Unternehmungen des Belagerers finden, mit seltenen Ausnahmen, nur des Nachts statt, man sieht seinen Gegner wenigstens nicht deutlich, besonders nicht in den ersten Momenten; es entscheiden daher hier nicht 1 oder 2 Kartätschschüsse, die durch die Zahl und Perkussionskraft der Kugeln eine große Wirkung versprechen, sondern vielmehr recht viele, wenn auch an und für sich minder wirksame Schüsse, die man recht schnell auf einander folgen läßt, und zwar nicht bloß, weil die ersten im Augenblicke der ersten Ueberraschung gethanen Schüsse vielleicht gar nichts gewirkt haben, sondern weil es von der höchsten Wichtigkeit ist, sein Feuer nicht nur gegen die Spitzen, sondern auch gegen die nachrückenden Sturmkolonnen selbst zu richten, um eine kräftige Unterstützung der vielleicht schon den Wall ersteigenden oder sonst eindringenden Spitze möglichst zu erschweren. Bringt man dabei die geringe Entfernung mit in Anschlag, so überzeugt man sich, daß leichte 6pfünder zu dem beabsichtigten Zwecke vollkommen ausreichen. Kleinere Kaliber als diese gestatten keine, mit ihrer geringeren Kartätschwirkung im Verhältniß stehende schnellere Bedienung, während sie sich auch nicht zum Ersatze der Feldartillerie eignen; eine Rücksicht, die bei der Einrichtung der Festungsartillerie im Auge zu behalten ist.

Daß es nämlich angemeßener sei, den bei der Feldartillerie unerwartet eintretenden Abgang, durch die Geschütze der Festungs-, als durch die der Belagerungs-Artillerie zu ersetzen, mögen folgende Bemerkungen darthun:

Während das vorherrschende Prinzip der Feldartillerie Beweglichkeit ist, ist dasselbe bei der Belagerungsartillerie die Wirkung; letztere kann daher, ohne mehr oder weniger von ihrem eigenthümlichen Wesen zu opfern, und ohne viel mehr Kosten zu veranlaßen, nie so eingerichtet werden, um als schicklicher Ersatz der Feldartillerie zu dienen, und wenn Friedrich der Große, so wie Napoleon u. a. m. unter dringenden Umständen schweres Geschütz in offener Feldschlacht gebraucht haben, so war dies weder Belagerungsgeschütz, noch ist es als eigentliches Feld-, sondern nur als Positionsgeschütz gebraucht worden. Bei der von uns oben angegebenen Einrichtung und Auswahl der Kaliber ist überdies eine solche doppelte Verwendung der Belagerungsartillerie durchaus unzuläßig.

Man könnte nun aber die ausschließliche Verwendung des 24-pfündigen Kanonenkalibers für die Belagerungsartillerie gerade deshalb als einen Fehler betrachten, weil dadurch eine Aushülfe für die Feldartillerie unmöglich gemacht ist. Hierauf ließe sich erwiedern: Abgesehen davon, daß die Belagerungsartillerie ihrer Bestimmung um so mangelhafter entsprechen wird, je mehr bei ihrer Einrichtung auf den möglichen Ersatz der Feldartillerie durch dieselbe Rücksicht genommen ist; wird ein solcher Ersatz einerseits nur in außerordentlichen Fällen vorkommen können, und andernseits um so mehr Werth haben, wenn er augenblicklich zu bewerkstelligen ist; um dies ausführbar zu machen, müßte sich wenigstens in jeder bedeutenden Festung des Staats ein Belagerungs-Train befinden. Kein Staat aber, am wenigsten, wenn derselbe so ausgedehnte Grenzen wie der Preußische hat, befindet sich in der Lage, die dazu erforderlichen Ausgaben bestreiten zu können. Die Gefahr des Verlustes und der für den Feind bei der Eroberung des Platzes daraus erwachsende Vortheil für dessen weitere Unternehmungen, dürfte überdies eine solche Maßregel nicht einmal wünschenswerth machen. Alle diese Nachtheile kommen entweder gar nicht, oder doch nur in sehr geringem Maaße in Betracht, wenn die Defensionsartillerie einer jeden Festung der Feldartillerie als

nöthigen Mittel zu ihrer Retablirung und Komplettirung darbietet, ohne daß sie selbst deswegen ihrer eigenthümlichen Bestimmung auch nur im geringsten weniger entspräche.

Die Festungskanonen bestünden demnach aus langen und kurzen 24pfündern, schweren und leichten 12pfündern — letztere besonders zur Verwendung auf der Angriffsfront selbst, erstere mehr auf den Kollateralwerken ꝛc. — und aus 6pfündern.*)

b) Mörser.

Das bei der Belagerungs-Artillerie über die Kaliber und Einrichtung der Mörser Angeführte wird hier aus dem Grunde noch mehr seine volle Anwendung finden, weil es hier noch seltener von besonderem Interesse sein wird, mit den Bomben sehr große Entfernungen zu erreichen.

Mit den 7pfündigen wird man, sobald dieselben bei einer größeren Länge auch größere Wurfweiten versprechen, gegen die Truppen und Arbeiter des Belagerers vollkommen ausreichen.

Die 30pfündigen (25pfdigen) werden Alles leisten, was man unter den obwaltenden Umständen, in Bezug auf die zu erreichende Wurfweite, Fallkraft und Wirkung beim Krepiren irgend verlangen kann. Fallen sie in die Scharten und Kasten, auf die Bettungen der feindlichen Batterien, so werden sie, bei hinlänglicher Sprengladung, die einen wie die andern unbrauchbar und erhebliche Ausbesserungen nothwendig machen; ihre umherfliegenden Stücke werden schwer genug sein und hinlängliche Perkussionskraft haben, um die Laffetentheile, welche sie treffen, zu ruiniren; und den Pulverkammern, welche sie gewiß ebenso häufig wie die 50pfündigen treffen, werden sie nicht viel geringeren Schaden als diese zufügen. Den Vorzug, den die 50pfündigen hierin behaupten dürften, wird um so mehr verschwinden, wenn man die Schwierigkeit ein Ziel von so geringer Ausdehnung mit Bomben zu treffen, und zugleich berücksichtigt, daß eine einzelne 50pfündige Bombe, welche die Pulverkammer trifft, dieselbe noch keineswegs zerstört, wenn sie sonst zweckmäßig erbaut ist.

---

*) Es ist bereits früher erwähnt, daß die Bombenkanonen und schweren Haubitzen auch bei der Vertheidigung sich sehr geltend machen werden. D. R.

Das Archiv wird auch künftig in Jahrgängen zu 6 Heften oder 2 Bänden erscheinen, und ungeachtet seiner weiteren Ausdehnung denselben Preis behalten. Die Herren Verfasser werden ergebenst ersucht, ihre Einsendungen portofrei an die Redaktion, oder an die Buchhandlung von E. S. Mittler und Sohn zu richten und zugleich zu bestimmen, ob ihr Name dem Aufsatz vorgedruckt werden soll oder nicht. Auf Verlangen werden für den Druckbogen bei Originalaufsätzen 6 Thlr. und bei Uebersetzungen 5 Thlr. gezahlt. Besondere Abdrücke der Aufsätze müssen nach Maßgabe ihres Umfanges und ihrer Anzahl der Buchdruckerei vergütigt werden.

Sollten den Herren Subscribenten einzelne Hefte früherer Jahrgänge abhanden gekommen seyn, so können dergleichen, so weit der Vorrath noch reicht, ersetzt werden; die noch vorhandenen früheren Jahrgänge werden zu der Hälfte des Ladenpreises abgelassen.

Inhalt.

VI.

Ueber die zur Belagerung und Vertheidigung der Festungen erforderliche Artillerie.

(Schluß.)

C. Kaliber.

a) Kanonen.

Zur Erledigung des vorliegenden Gegenstandes wird es genügen, einerseits das größte zulässige, und andernseits die kleineren anwendbaren Kaliber festzustellen.

Eine Erörterung der neuerdings von Rogniat und seinen Gegnern aufgestellten Ansichten sur l'armement des places würde zu weit führen; so viel steht jedoch fest, daß bei der Festungs-Artillerie die Größe des Kalibers und das dadurch vermehrte Gewicht der Geschütze, nie ein Hinderniß der Anwendung dieser Kaliber werden kann, wenn die Wirkung im geraden Verhältniß mit dem Kaliber wächst, und diese Wirkung auch für die Vertheidigung des Platzes besondere Vortheile erwarten läßt. Treten diese Verhältnisse aber nicht ein, so spricht gegen die Anwendung großer Kaliber hier eben so sehr ihre Kostbarkeit, als der, durch die schwierigere Bedienung herbeigeführte, größere Bedarf an Bedienungsmannschaften.

Die Erfahrung lehrt, daß von der Wirkung der Kanonenkugeln, selbst vom größten Kaliber, gegen Erdbrustwehren wenig oder gar nichts zu erwarten sei, wenn es auf das Zerstören derselben ankommt, und daß der durch die Anwendung großer Kaliber verursachte Kosten-

aufwand keineswegs in einem richtigen Verhältnisse zu der erlangten
Wirkung stehe. Ist die Festungs-Artillerie daher, wie erwähnt, vorzugsweise darauf gewiesen, die im Bau begriffene Arbeiten zu stören,
so wird der Vorzug der großen Kaliber einzig darin bestehen, daß die
feindlichen Arbeiter etwas später hinter den von ihnen zu erzeugenden Brustwehren Deckung finden, da, bei der geringen Entfernung,
der Vorzug der größeren Wahrscheinlichkeit des Treffens auf Seiten
der größeren Kaliber fast ganz verschwindet. Das Gesagte wird aber
auch nur auf den Batteriebau Anwendung finden, weil der Belagerer seine Laufgraben-Brustwehren nie vollkommen kugelfest machen
kann und wird, um nicht zu viel Zeit und Kräfte auf eine Arbeit zu
verwenden, die ihm am Ende wenig Nutzen bringt. Arbeitet der Belagerer aber fast immer, und namentlich bei Erbauung seiner Batterien, nur in der Nacht, sind letztere bei zweckmäßigen Anordnungen
in der Regel in e i n e r Nacht vollendet, sind die Zielpunkte immer
nur klein und wenig über den Erdboden erhaben, kennt man vielleicht
die Arbeitsstellen nicht einmal genau, so wird der größere Munitions-
und Kostenaufwand, der durch die Anwendung großer Kanonenkaliber
herbeigeführt wird, noch weniger durch die zu erwartende Wirkung
gerechtfertigt werden. Bringt man nun noch in Anschlag, daß die
Geschütze in den meisten Fällen nach den Punkten hingeschafft werden müssen, von denen aus sie die feindlichen Arbeiten mit Erfolg zu
beschießen im Stande sind, so wird man zur Armirung des Platzes
nicht Kanonenkaliber auswählen, die, sowohl an und für sich, als
durch den für sie erforderlichen Munitionsaufwand, sehr kostbar sind
— die sehr schwer zu handhaben und bewegen sind, also mehr Bedienungsmannschaft und Transportmittel erheischen — die nach allen
Erfahrungen um so weniger dauerhaft sind, einem je größeren Kaliber sie angehören — und deren Wirkungen endlich für die eigentliche
Vertheidigung des Platzes von letztem ausgezeichneten Werthe sind.

Ist es demnach erwiesen, daß man auf keine Weise der großen
Kaliber, wegen der ihren Geschossen beiwohnenden großen Perkussionskraft, im Platze bedarf, so läßt sich doch aus denselben insofern
Nutzen ziehen, als sie große Entfernungen mit ziemlicher Wahrscheinlichkeit des Treffens zu erreichen im Stande sind. Das Schießen auf
großen Entfernungen kann nur vom Platze aus wünschenswerth erscheinen:

1) gegen die feindlichen Geschütz,

2) gegen die feindlichen Arbeiten von entfernten Nebenfronten und Nebenwerken aus.

In beiden Fällen würde aber dieses Schießen mehr als nutzlos sein, wenn die Entfernungen so sehr zunähmen, daß die Zahl der treffenden Geschosse in keinem richtigen Verhältniß mit dem Kosten-aufwande stände.

Gegen die feindlichen Depots können nun die Vollkugeln nur etwas Bedeutendes wirken, wenn sie glühende sind; bei der bedeu-tenden Ausdehnung des Ziels wird man aber um so mehr mit den 24pfündern ausreichen, als es, des eben erwähnten Gebrauchs der glühenden Kugeln wegen, auf die Perkussionskraft derselben nicht be-sonders ankommt.

Das Beschließen der feindlichen Angriffsarbeiten wird, wegen der Lage und Einrichtung der Werke des Platzes, nie von sehr entfernten Nebenwerken ausführbar sein, und in den Entfernungen, wo es zu-lässig ist, wird der 24pfünder hinlängliche Perkussionskraft und Wahr-scheinlichkeit des Treffens haben, um dieser seiner Bestimmung voll-kommen zu entsprechen, und ohne, in Bezug auf die Wirkung, die man bei der angegebenen Art des Gebrauchs überhaupt zu erwarten berechtigt ist, den Vergleich mit einem größeren Kaliber scheuen zu dürfen. Während nun zur Erreichung der vorerwähnten Zwecke 24-pfünder — jedoch immer nur in einer im Verhältniß zum Umfange des Platzes geringen Zahl — vortheilhaft verwendet werden können, und daher als ein Bestandtheil der Ausrüstung des Platzes betrachtet werden müssen, wird die überwiegende Mehrzahl der Kanonen aus einem kleineren Kaliber nicht nur bestehen können, sondern selbst be-stehen müssen.

„Bestehen können" weil die Aufgabe der Kanonen, welche der Vollendung der Angriffsarbeiten vorzüglich entgegenwirken sollen, we-der darin besteht, mit großer Perkussionskraft noch auf bedeutenden Entfernungen zu wirken. „Bestehen müssen" weil, wie bereits er-wähnt, die Artillerie des Platzes nicht nur sehr bald durch das feind-liche Feuer zu Grunde gerichtet sein würde, wenn sie ihre einmal eingenommene Stellung dauernd behaupten wollte; sondern auch weil die einzelnen Geschütze, um etwas zu effektuiren, ihre Aufstellung, nach

Maßgabe des Vorschreitens der feindlichen Arbeiten, verändern müssen; denn nie wird der Vertheidiger über eine, so große Geschützzahl
verfügen können, um, ohne die Aufstellung derselben zu verändern,
allen feindlichen Arbeiten kräftig entgegen zu wirken im Stande zu
sein; und stünde ihm auch wirklich eine so große Geschützzahl zu Gebote, so bliebe es doch immer ein Fehler, sie sämmtlich dem feindlichen Feuer zugleich bloßzustellen. Man muß also ein beweglicheres
Geschütz haben, als der 24pfünder ist.

Dieses beweglichere Geschütz wird entweder, bei einerlei Kosten-
aufwande, in viel größerer Zahl vorhanden sein können, oder bedeutend weniger Kosten verursachen, es wird weniger Bedienungsmannschaft, weniger Transportmittel aller Art, weniger Bettungsmaterial
erfordern, es wird durch das eigene Feuer weniger leiden, eine schnellere Bedienung gestatten u. s. w., und endlich eben durch seine Beweglichkeit den Belagerten in Stand setzen, schnell nicht nur auf jedem geeigneten Punkte wirksam auftreten, sondern auch überlegenes
Feuer gegen einzelne Stellen der Angriffsarbeiten konzentriren zu können, was er mit schweren Geschützen nie zu erreichen vermag.

Entsprächen diesen Zwecken auch, wenigstens großentheils, große
Kaliber von geringerer Länge — kurze 24pfünder — so ist doch den
12pfündern der Vorzug zu geben:

1) weil die Geschütze sehr häufig durch ganz ausgeschnittene Scharten feuern müssen; die, bei gleichem Gewichte, größere absolute Länge der 12pfünder, demselben also hierin einen Vorzug
gewährt;

2) weil das Kartätschfeuer, wovon man im Platze häufig Gebrauch
machen muß, aus den längeren 12pfündern auf größeren Entfernungen wirksam ist;

3) weil es fehlerhaft wäre, die überwiegende Mehrzahl der Festungskanonen aus einem Kaliber bestehen zu lassen, welches,
ohne mehr zu wirken, viel kostbarere Munition erfordert.

4) Wenn demnach, sowohl beim Angriff, wie bei der Vertheidigung des Platzes, die kurzen 24pfünder vorzugsweise nur da zu
empfehlen sind, wo es auf das Rikochettiren, oder überhaupt
auf die Anwendung von Hohlgeschossen unter kleinen Erhöhungswinkeln ankommt, so werden hier die 12pfünder um so

mehr den Vorzug verdienen, als es hinreicht, wenn auf den Kapitalen der Angriffsfront eine den Umständen angemessene Zahl kurzer 24pfünder aufgestellt ist.

Endlich bedarf man aber noch zur Vertheidigung des Plaßes einer dem Umfange und der Einrichtung desselben entsprechenden Anzahl von Kanonen, die nicht sowohl gegen die Arbeiten des Belagerers, als vielmehr gegen die gewaltsamen Unternehmungen desselben wirken sollen; sie werden immer nur auf kurzen Entfernungen, fast ausschließlich nur gegen Truppen schießen, und daher ihrer Bestimmung um so mehr entsprechen, je ergiebiger ihre Kartätschwirkung ist.

Bei den großen Kalibern ist zwar unter sonst gleichen Umständen jeder Kartätschschuß, an und für sich betrachtet, wirksamer als bei den kleinen Kalibern. Abgesehen aber davon, daß die großen Kaliber viel kostbarer sind und mehr Bedienungsmannschaft erfordern, ist es im vorliegenden Falle noch ganz besonders die nothwendig langsamere Bedienung derselben, welche gegen ihre Anwendung zu dem genannten Zwecke spricht. Dergleichen gewaltsame Unternehmungen des Belagerers finden, mit seltenen Ausnahmen, nur des Nachts statt, man sieht seinen Gegner wenigstens nicht deutlich, besonders nicht in den ersten Momenten; es entscheiden daher hier nicht 1 oder 2 Kartätschschüsse, die durch die Zahl und Perkussionskraft der Kugeln eine große Wirkung versprechen, sondern vielmehr recht viele, wenn auch an und für sich minder wirksame Schüsse, die man recht schnell auf einander folgen läßt, und zwar nicht bloß, weil die ersten im Augenblicke der ersten Ueberraschung gethanenen Schüsse vielleicht gar nichts gewirkt haben, sondern weil es von der höchsten Wichtigkeit ist, sein Feuer nicht nur gegen die Spitzen, sondern auch gegen die nachrückenden Sturmkolonnen selbst zu richten, um eine kräftige Unterstützung der vielleicht schon den Wall ersteigenden oder sonst eindringenden Spitze möglichst zu erschweren. Bringt man dabei die geringe Entfernung mit in Anschlag, so überzeugt man sich, daß leichte 6pfünder zu dem beabsichtigten Zwecke vollkommen ausreichen. Kleinere Kaliber als diese gestatten keine, mit ihrer geringeren Kartätschwirkung im Verhältniß stehende schnellere Bedienung, während sie sich auch nicht zum Ersaße der Feldartillerie eignen; eine Rücksicht, die bei der Einrichtung der Festungsartillerie stets im Auge zu behalten ist.

Daß es nämlich angemeſſener ſei, den bei der Feldartillerie unerwartet eintretenden Abgang, durch die Geſchütze der Feſtungs-, als
durch die der Belagerungs-Artillerie zu erſetzen, mögen folgende Bemerkungen darthun:

Während das vorherrſchende Prinzip der Feldartillerie Beweglichkeit iſt, iſt daſſelbe bei der Belagerungsartillerie die Wirkung; letztere kann daher, ohne mehr oder weniger von ihrem eigenthümlichen
Weſen zu opfern, und ohne viel mehr Koſten zu veranlaſſen, wie ſo
eingerichtet werden, um als ſchicklicher Erſatz der Feldartillerie zu
dienen, und wenn Friedrich der Große, ſo wie Napoleon u.
a. m. unter dringenden Umſtänden ſchweres Geſchütz in offener Feld-
ſchlacht gebraucht haben, ſo war dies weder Belagerungsgeſchütz, noch
iſt es als eigentliches Feld-, ſondern nur als Poſitionsgeſchütz gebraucht worden. Bei der von uns oben angegebenen Einrichtung
und Auswahl der Kaliber iſt überdies eine ſolche doppelte Verwendung der Belagerungsartillerie durchaus unzuläſſig.

Man könnte nun aber die ausſchließliche Verwendung des 24-
pfündigen Kanonenkalibers für die Belagerungsartillerie gerade deshalb als einen Fehler betrachten, weil dadurch eine Aushülfe für die
Feldartillerie unmöglich gemacht iſt. Hierauf ließe ſich erwiedern:
Abgeſehen davon, daß die Belagerungsartillerie ihrer Beſtimmung um
ſo mangelhafter entſprechen wird, je mehr bei ihrer Einrichtung auf
den möglichen Erſatz der Feldartillerie durch dieſelbe Rückſicht genommen iſt; wird ein ſolcher Erſatz einerſeits nur in außerordentlichen Fällen vorkommen können, und andernſeits um ſo mehr Werth
haben, wenn er augenblicklich zu bewerkſtelligen iſt; um dies ausführbar zu machen, müßte ſich wenigſtens in jeder bedeutenden Feſtung
des Staats ein Belagerungs-Train befinden. Kein Staat aber, am
wenigſten, wenn derſelbe ſo ausgedehnte Grenzen wie der Preußiſche
hat, befindet ſich in der Lage, die dazu erforderlichen Ausgaben be-
ſtreiten zu können. Die Gefahr des Verluſtes und der für den Feind
bei der Eroberung des Platzes daraus erwachſende Vortheil für deſſen
weitere Unternehmungen, dürfte überdies eine ſolche Maßregel nicht
einmal wünſchenswerth machen. Alle dieſe Nachtheile kommen entweder gar nicht, oder doch nur in ſehr geringem Maaße in Betracht,
wenn die Defenſionsartillerie einer jeden Feſtung der Feldartillerie die

nöthigen Mittel zu ihrer Retablirung und Komplettirung darbietet, ohne daß sie selbst deswegen ihrer eigenthümlichen Bestimmung auch nur im geringsten weniger entspräche.

Die Festungskanonen beständen demnach aus langen und kurzen 24pfündern, schweren und leichten 12pfündern — letztere besonders zur Verwendung auf der Angriffsfront selbst, erstere mehr auf den Kollateralwerken ꝛc. — und aus 6pfündern.*)

b) Mörser.

Das bei der Belagerungs-Artillerie über die Kaliber und Einrichtung der Mörser Angeführte wird hier aus dem Grunde noch mehr seine volle Anwendung finden, weil es hier noch seltener von besonderem Interesse sein wird, mit den Bomben sehr große Entfernungen zu erreichen.

Mit den 7pfündigen wird man, sobald dieselben bei einer größeren Länge auch größere Wurfweiten versprechen, gegen die Truppen und Arbeiter des Belagerers vollkommen ausreichen.

Die 30pfündigen (25pfdigen) werden Alles leisten, was man unter den obwaltenden Umständen, in Bezug auf die zu erreichende Wurfweite, Fallkraft und Wirkung beim Krepiren irgend verlangen kann. Fallen sie in die Scharten und Kasten, auf die Bettungen der feindlichen Batterien, so werden sie, bei hinlänglicher Sprengladung, die einen wie die andern unbrauchbar und erhebliche Ausbesserungen nothwendig machen; ihre umherfliegenden Stücke werden schwer genug sein und hinlängliche Perkussionskraft haben, um die Laffetentheile, welche sie treffen, zu ruiniren; und den Pulverkammern, welche sie gewiß ebenso häufig wie die 50pfündigen treffen, werden sie nicht viel geringeren Schaden als diese zufügen. Den Vorzug, den die 50pfündigen hierin behaupten dürften, wird um so mehr verschwinden, wenn man die Schwierigkeit ein Ziel von so geringer Ausdehnung mit Bomben zu treffen, und zugleich berücksichtigt, daß eine einzelne 50pfündige Bombe, welche die Pulverkammer trifft, dieselbe noch keinesmegs zerstört, wenn sie sonst zweckmäßig erbaut ist.

---

*) Es ist bereits früher erwähnt, daß die Bombenkanonen und schweren Haubitzen auch bei der Vertheidigung sich sehr geltend machen werden. D. K.

So wie es aber dem Belagerten zur Erreichung einzelner besonderer Zwecke von Wichtigkeit sein konnte, Kanonen zu haben, welche
bei großer Schußweite noch ziemliche Wahrscheinlichkeit des Treffens
gewähren, so werden einige schwere — etwa 13zöllige — Mörser
im Platze ebenfalls mit Nutzen ihre Anwendung finden, theils um
sehr große Entfernungen zu erreichen und dabei durch die Wirkung
ihrer krepirenden Geschosse die abnehmende Wahrscheinlichkeit des
Treffens zu ersetzen, theils um auf den Punkten, wo sich der Belagerer gegen unser Feuer auch von oben decken muß, denselben zu einer größeren, gefahrvolleren und zeitraubenderen Arbeit zu nöthigen,
ohne daß er unter den obwaltenden Umständen im Stande sein wird,
sich gegen die Fallkraft und Sprengwirkung unserer sehr schweren
Bomben vollständig sicher zu stellen. Da die Schwierigkeit des Transports im Platze an und für sich geringer ist, und auch nothwendig
weniger als beim Angriffe in Betracht kommt; da ferner, wenn diese
schweren Mörser einmal auf der Angriffsfront aufgestellt sind, keine
bedeutenden Ortsveränderungen mit ihnen vorgenommen werden dürfen, so steht ihrer Anwendung hier noch weniger als auf Seiten des
Belagerers entgegen. Ueber die Steinmörser wäre hier nichts
Besonderes zu erwähnen, als etwa, daß die 13zölligen ebenfalls zum
Werfen mit Steinen ꝛc. mit großem Erfolge gebraucht werden können.

D. Sonstige Einrichtungen.

Die 50pfündigen langen und kurzen Röhre, so wie die Mörser
überhaupt, erhalten ganz dieselben Einrichtungen, wie sie für die
Belagerungs-Artillerie angegeben sind.

Die 12pfünder zerfallen, sowohl in Bezug auf ihre Verwendung im Platze, als in Bezug auf den nöthigen Ersatz der Feldartillerie durch dieselben, in zwei Klassen:

1) schwere zur Aufstellung auf den Kollateralwerken, Flanken
und Kurtinen der Angriffsfront kurz zur Aufstellung auf den
Punkten bestimmt, von denen aus sie, ohne ihre Aufstellung
zu verändern, möglichst lange gegen die Angriffsarbeiten in
Thätigkeit bleiben können, ohne die feindlichen Rikochett- und
Demontir-Batterien fürchten zu dürfen. Insofern ein größeres Gewicht der Röhre eine größere Länge derselben zuläßig

macht, und dadurch überhaupt eine bedeutendere Wirkung bedingt, während diese Länge zur Schonung der Scharten wesentlich beiträgt, scheint, bei Voraussetzung des eben erwähnten Gebrauchs dieser Geschütze, gegen das Gewicht der Preußischen schweren 12pfänder nichts Erhebliches einzuwenden zu
sein. Im Uebrigen wären die Röhre den 24pfündigen ganz
analog einzurichten. Um im Nothfalle eine gegenseitige Aushülfe möglich zu machen, und dadurch nicht nur die Dauer
der Vertheidigung verlängern zu können, sondern auch die Aus-
rüstungskosten durch den geringeren Bedarf an Vorrathslaffeten zu vermindern, erhalten sowohl die kurzen 24pfdigen, als
die schweren 12pfdigen Röhre Schildzapfenscheiben von einer
Länge und Stärke, die es möglich macht, die 24pfündigen so
wie die 12pfdigen Röhre in ein und dieselbe Laffete zu legen;

2) leichte, die — wenn ich mich hier des Ausdrucks bedienen
darf — manövrirfähig genug sein müssen, um auf der Angriffsfront selbst ihre Aufstellung den jedesmaligen Anordnungen des Belagerers entsprechend ändern, und eben dadurch
recht wirksam werden zu können, daß sie sich dem Feuer der
Batterien des Feindes möglichst entziehen, ohne deshalb seine
Arbeiten aus dem Auge zu lassen.

Müssen diese Geschütze, um ihrer Bestimmung zu entsprechen,
leichte sein, so werden sie, wenn sie wie die 12pfündigen Feldkano-
nenröhre eingerichtet sind, einen um so größeren Werth haben, indem
sie dadurch zum Ersatze der Feldartillerie geeigneter werden.

Die Röhre der zur Armirung des Platzes erforderlichen 6pfün-
der werden aus denselben Gründen ganz wie die der Feldartillerie
eingerichtet sein.

BB. Laffeten.

Ueber die Einrichtung der Mörserlaffeten wäre hier nichts
Besonderes zu erwähnen, es wird daher in der Folge nur von den
Kanonenlaffeten die Rede sein.

Abgesehen von den besonderen Erfordernissen aller Festungslaffe-
ten — daß dieselben nämlich möglichst wenig Bedienungsmannschaft
bedürfen, daß sie keinen bedeutenden Rücklauf veranlassen, überhaupt

nicht zuviel Raum zu ihrer Aufstellung und Bedienung einnehmen, daß ihre Röhre weit in die Scharten hineinreichen müssen — wird man noch die verschiedenen Bestimmungen der zugehörigen Geschütze bei ihrer Einrichtung zu unterscheiden haben. Ausschließlich zur Vertheidigung des Platzes sind bestimmt: die hohen Rahmen- so wie die Kasematten-Laffeten.

Die gegenwärtige Einrichtung der hohen Rahmenlaffeten entspricht, so weit es erreichbar scheint, allen an dieselben als solche zu machenden Anforderungen. Die größere Kostharkeit derselben an und für sich wird aber noch dadurch bedeutend gesteigert, daß sie theils nicht im Laufe der ganzen Belagerung volle Anwendung finden dürften, theils, daß entweder die zerschossenen Laffeten den Rahmen, oder der unbrauchbar gewordene Rahmen die Laffete für die weitere Vertheidigung werthlos macht. Diesem Uebelstande ließe sich vielleicht durch folgende Einrichtungen begegnen:

Der Rahmen erhält statt der Laufrinne eine Mittelschwelle, wie die niedere Rahmenlaffete.

An der Laffete fällt das Blockrad weg und die untersten Laffetenbohlen werden so lang gemacht, daß sie in einen Schwanz wie die Walllaffeten auslaufen — wüchsen die Kosten dadurch zu sehr, so könnte ein hinlänglich starker und gehörig befestigter Protzhebel auch wohl die Stelle des Laffetenschwanzes vertreten. — Ein Paar Leitholzen unter dem Schwanz- oder unter dem hintersten Riegel des Protzhebels würden den Gang der Laffete auf dem Rahmen, sicherer als jetzt das Blockrad, regeln, und die Laffete könnte auch ohne Rahmen gebraucht werden. Ob es dabei nöthig werden würde, des Vorbringens und Rücklaufs wegen ebenfalls eine Walze zwischen den Wänden anzubringen, müßten Versuche lehren. Um nicht einer zu langen Richtschraube zu bedürfen, würde der zum Tragen derselben bestimmte Riegel etwas höher gestellt werden müssen, was hier keinen Nachtheil haben kann.

Gäbe man dem Laffetenschwanze der 12- und 24pfündigen Walllaffeten die eben erwähnte Einrichtung, so wäre auch für sie der Rahmen anwendbar — natürlich immer nur, wenn die zu dem Rahmen gehörige Laffete unbrauchbar geworden. — Um auch mit ihnen über Bank feuern zu können, wäre vielleicht ein Mittel, dessen sich die

Franzosen in einzelnen Fällen bedient haben, zulässig; indem dieselben eine zweite Bohle auf die Brust der Wallaffeten aufsetzten. Jedenfalls bleiben immer die anderweitigen Vortheile zu beachten, die das Aufstellen der Geschütze auf Rahmen gewährt, wenn man auch nicht über Bank feuert.*)

Bei der vermehrten Länge der Rahmlaffeten, so wie bei der beabsichtigten Aufstellung der Wallaffeten auf Rahmen, wenn erstere früher als als die Rahmen unbrauchbar geworden sein sollten, könnte allerdings der stärkere Rücklauf als ein Uebelstand zu betrachten sein. Ist ein großer Rücklauf aber überhaupt bei allen Defensions-Geschützen wenigstens hinderlich, so vermindere man denselben zunächst allgemein bei allen Laffeten durch die Anwendung zylindrischer Achsschenkel, die hier in keiner Art irgend einen Nachtheil nach sich ziehen können, während dieselben unbedingt mehr aushalten; bei den auf Rahmen stehenden Geschützen wird eine größere Höhe der hintersten Unterlage eben dahin mitwirken, ohne der Leichtigkeit der Bedienung, der Wirkung oder der Dauerhaftigkeit der Laffeten Abbruch zu thun.**)

Da wo die Einrichtung des Platzes den Gebrauch der 12pfünder in den Kasematten zuläßt, scheint es allerdings vortheilhaft, dieselben auf Rahmen stellen zu können, theils um weniger Bedienungsmannschaft zu bedürfen, theils um durch das Festhalten der Richtung die feindlichen Arbeiten mit mehr Erfolg beschießen zu können.

Der Einrichtung der Preußischen für die Kasematten bestimmten Rahmen und der dazu gehörigen Laffeten, ließe sich nur derselbe Vorwurf machen, der die hohen traf: daß sie nämlich nur für den einen gegebenen Zweck brauchbar sind. Es wird demselben hier aber noch leichter dadurch zu begegnen sein, wenn man:

1) den Rahmen und den zweirädrigen Kasematten-Laffeten einerlei Geleise giebt;

2) für die niederen Rahmen-Laffeten einige 8 bis 9 Zoll höhere Blockräder vorräthig hält, um sie auch ohne Rahmen, sowohl in den Kasematten als auf dem Walle, gebrauchen zu können;

---

*) Die in neuester Zeit eingeführten Laffeten von Schmiedeeisen beseitigen die hier aufgeführten Mängel fast gänzlich.　　D. R.

**) Durch besonders vorgerichtete Keile von Holz wird der Rücklauf am sichersten und bequemsten gehemmt.　　D. R.

3) dem Schwanze und Schwanzriegel eine dieser Bestimmung entsprechende Gestalt und Einrichtung giebt, welche in keinem
Falle von der bestehenden wesentlich abweichen wird.

Die neuen zweirädrigen Kasematten-Laffeten haben bereits die sehr vortheilhafte Einrichtung, daß sie eben so wohl, ihrer
eigenthümlichen Bestimmung nach, in den Kasematten als auch auf
dem Walle, hinter Scharten gebraucht werden können. Sie würden
sich im Nothfalle auch auf den Kasematten-Rahmen gebrauchen lassen, wenn man die Drehbolzen-, so wie die vordere -Unterlage einige
Zoll tiefer legt, und gleichzeitig etwas niedrigere Blockräder für diesen
Zweck vorräthig hält.

Die vierrädrigen Kasematten-Laffeten entsprechen, sowohl wegen der Unsicherheit des Richtens, als wegen der Schwierigkeit ihrer Handhabung und ihres Transports in beschränkten Räu-
men, ihrer Bestimmung zu wenig, als daß ihre Wohlfeilheit die Einführung derselben rechtfertigen könnte.

Bei der Einrichtung der Wall-Laffeten ist die Bestimmung
ihrer zugehörigen Röhre zu berücksichtigen, insofern letztere nämlich
entweder ausschließlich für den Dienst im Platze, oder noch zu anderen Zwecken verwandt werden sollen.

Zu den ersteren gehören die Laffeten für die 24pfünder und
schweren 12pfünder.

Die Aufstellung derselben auf schmalen Wallgängen, so wie ihr
Stand auf Bettungen, macht eine Einrichtung derselben wünschenswerth, durch welche ein bedeutender Rücklauf möglichst vermieden
wird. Diesem Zwecke, so wie der Raumersparniß bei ihrer Aufstellung überhaupt, wird eine so geringe Länge entsprechen, als die sonstigen Umstände irgend zulässig machen. Damit diese aber der Dauerhaftigkeit der Laffete keinen Abbruch thue, sind einerseits niedrige Räder und andernseits zylinderische Achsschenkel zu empfehlen. Soll die
Kniehöhe bei dieser Einrichtung nicht zu gering ausfallen, so müssen
die Laffetenwände eine entsprechende Höhe erhalten, die zugleich einerseits die Haltbarkeit der Wand erhöht, während sie andernseits, bei
der vorausgesetzten geringen Länge, den Kostenaufwand nicht bedeutend vergrößern wird. Die Preußischen Wall-Laffeten, welche sich in
dieser Beziehung, so wie in Rücksicht auf ihr geringeres Gewicht, sehr

vortheilhaft vor denen der meisten anderen Mächte auszeichnen, möchten nur noch den Wunsch übrig lassen, daß sie mehr eine gegenseitige Aushülfe zulässig machten, da im Laufe der Belagerung der Abgang an Laffeten besonders stark sein dürfte. Diese gegenseitige Aushülfe wäre zu erreichen:

    1) durch gleiche Auseinanderstellung der Laffetenwände und gleiche Schildzapfenlager für die schweren 12pfünder und für kurze 24pfünder, um, bei der bereits bei den Belagerungs-Laffeten angegebenen Einrichtung der Richtmaschine, im Nothfalle sowohl 24pfdige Röhre in 12pfdige Laffeten, als 12pfdige Röhre in die 24pfdigen Laffeten legen zu können;

    2) durch Einführung gleich starker Achsschenkel und gleicher Räder für beide Kaliber, indem die Räder sowohl durch das eigene, als durch das feindliche Feuer und durch den Transport von allen Theilen der Laffete am meisten leiden werden, ihr Ersatz daher eine besondere Rücksicht verdient.

Wird dadurch auch jedes 12pfdige Laffetenrad um 2 Thaler theurer, so ist diese Mehrausgabe einerseits an und für sich nicht bedeutend, und vermindert sich dadurch noch mehr, daß man nun im Allgemeinen weniger Vorrathsräder bedarf, während die dadurch zulässige gegenseitige Aushülfe diese Mehrausgabe ganz verschwinden läßt.

Käme es darauf an, einen Belagerungs-Train durch die Geschütze des Platzes zu ergänzen, so würde es für den Transport derselben nur höherer Räder bedürfen, während man die niedrigen, zum Schießen bestimmten, besonders mitzuführen hätte; das geringere Gewicht der Wall-Laffeten wird die Sattelwagen noch entbehrlicher machen, ohne deshalb für ihre Dauer während der Fortschaffung Besorgniß erregen zu können, da, wie bemerkt, eine Laffete, welche das Schließen auf derselben aushält, ohne Zweifel auch den Transport aushalten wird.

Bei der Einrichtung der Laffeten für die leichten 12pfünder und für die 6pfünder käme noch besonders ihre etwanige Verwendung für die Feldartillerie in Betracht und daher Alles, was ihre größere oder geringere Beweglichkeit zu bedingen vermag. — Das Gewicht der Röhre ist dasselbe.

Das Gewicht der Wall Laffeten ist bei der jetzt bestehenden Einrichtung bedeutend geringer, als das der Feldlaffeten, so daß auch bei

Entgegnung. Es ist wahr, daß die fremden Artillerien das 6pfündige Kaliber verwenden, das 8pfdige wurde in Frankreich aber angenommen als vortheilhafter für die Divisionsartillerie. Man muß daher das vorgeschlagene Material mit dem bestehenden vergleichen, wenn man nicht auf den 6pfder zurückzukommen beabsichtigt. Nichts desto weniger ist unsere Divisionsartillerie, zum Theil wenigstens, schwerer als die des Auslandes, wir müssen daher eine weitere Gewichtsvermehrung strenge abwägen. Bei dem 4. Einwurfe ist angegeben, daß die Zunahme der Schwere gegenüber der 15 Centimeter Haubitze 8 Kilogramme beträgt, wenn man die 12 Kugeln der Protzbeladung durch 12 Granaten ersetzt. Diese Substitution ist ohne Inkonvenienz, wenn der Granatwagen auch nicht dem Geschütze unmittelbar folgt, denn die 12 Centimeter Granate hat bis zu 600 Meter in Bezug auf Treffwahrscheinlichkeit die Ueberlegenheit über die 12pfündige Kugel.

7. **Einwurf.** Die Divisionsbatterien müssen neben großer Beweglichkeit auch ein reichliches Quantum Munition besitzen; in letzterer Beziehung steht die Granatkanonenbatterie der 8pfdigen Kanonenbatterie nach.

Entgegnung. Es ist nicht zu leugnen, daß die Divisionsbatterie des vorgeschlagenen Systems weniger Schuß mit sich führt, als die bestehende, sie hat aber, wie die Versuche beweisen, dessen ungeachtet mehr Treffer, das möchte entscheiden.

8. **Einwurf.** Die Kugel des Granatkanons kann auf den größeren Entfernungen weder die Kraft, noch die Treffwahrscheinlichkeit der jetzigen 12pfdigen Kugeln besitzen. Sie erglebt selbst bei gleicher Aufsatzhöhe eine geringere Schußweite als die 8pfündige Kugel.*)

Entgegnung. Nach den Berechnungen des Comités sind die Geschwindigkeiten der 3 Geschosse die folgenden:

---

*) Wir theilen diesen Einwurf und glauben, daß trotz der folgenden Entgegnung es demnach schwer zu begründen sein dürfte, warum der Kugelschuß des Granatkanons mehr Wahrscheinlichkeit des Treffens haben soll, als der der gegenwärtigen 12pfünder und 8pfünder.   D. R.

	auf 500 Meter	900 Meter	1200 Meter.
aus dem 12pfündigen Kanon	300	221	179
⸬ ⸬ 8 ⸬ ⸬	289	203	160
⸬ ⸬ Granatkanon ⸬	291	215	175

Das Verhältniß der Kraft des Granatkanon und des 12pfdigen Kanon ist 0,87 an der Mündung, 0,95 auf 800 und 0,96 auf 1200 Meter; auf größeren Entfernungen nähert sich das Verhältniß noch mehr der Gleichheit. So viel über die Kraft. In Bezug auf die Treffwahrscheinlichkeit haben die Versuche ergeben, daß diese auf 900 Meter zu Gunsten des Granatkanon ausfällt. Der letzte Theil des Einwurfes beruht auf einem Irrthum, den wir aufklären müssen. Vergleicht man den Aufsatz des Granatkanon mit dem des 8pfünder auf 900 Meter, so findet man ihn etwas größer; zieht man die Flugbahnen der 3 Kugeln, so gewahrt man, daß die des Granatkanon auf 900 Meter sich unter der des 8pfünders befindet, wenn man sie von einem Punkte und unter gleichem Winkel ausgehen läßt; dies beweiset nur, daß man, um auf 900 Meter zu treffen, bei dem Granatkanon einen größeren Winkel als bei dem 8pfder anwenden muß; für die Treffwahrscheinlichkeit entscheidet aber nicht der Abgangs-, sondern der Einfallwinkel; in dieser Hinsicht hat die Kugel des Granatkanon, die besser ihre Geschwindigkeit bewahrt, auf den größeren Distancen einen entschiedenen Vorzug. Die Betrachtung, die zu den Resultaten geführt hat, auf die sich der Einwurf gründet, ist demnach nicht genau; sie zerfällt außerdem bei Beachtung der Thatsachen, die in allen Erfahrungswissenschaften das souveraine Gesetz bilden, denn der Kugelschuß des Granatkanon hat mehr Wahrscheinlichkeit des Treffens, als die beiden bestehenden Kanonen besitzen.

9. Einwurf. Der Verlust an Pulver während des Transports schwächt die Kraft der Kugel des Granatkanon. In Erwägung dieses Verlustes hat Gribeauval die Ladung zu ⅓ Kugelschwere festgesetzt.

Entgegnung. Der Pulververlust ist stets sehr geringfügig, wenn das Kartuschbeutelzeug nicht schadhaft ist; wenn er für die Kugel auch einen Nachtheil herbeiführt, so ist dieser dagegen für die Granate geringer bei dem projektirten, als bei dem bestehenden System. Gribeauval hat mannigfache Schwierigkeiten zu beseitigen gehabt, um mit Ausschluß der Ladung von ⅓ Kugelschwere die zu ¼ einzuführen, er konnte deshalb die zu ¼ Kugelschwere nicht vorschlagen. Wir kennen die Polemik vollständig, die er zu bekämpfen hatte; die Frage wegen der ¼ kugelschweren Ladung war damals ebenso wenig in Erwägung, als heute die wegen der ⅓ kugelschweren. Uebrigens würden die fremden Artillerien, die die Ladung zu ¼ Kugelschwere anwenden, dieselbe aufgegeben haben, wenn sie sich in der Praxis als nachtheilig bewiesen hätte.

10. Einwurf. Die Granaten sind speziell zur Bewerfung der Falten des Terrains bestimmt und sollen den Feind bekämpfen, den man nicht in direktem Schuß zu erreichen vermag, sie können daher im Allgemeinen nicht mit großen Geschwindigkeiten geschleudert werden.

Entgegnung. Um diesem Einwurfe zu begegnen, würde die Bemerkung genügen, daß die Granaten eine nur geringe Treffähigkeit besitzen, da er aber auf einem sehr verbreiteten und fest eingewurzelten Irrthum beruht, so scheint es nöthig, seine Quelle zu beleuchten.

Die Haubitzen waren zuerst nur eine Gattung Mörser, d. h. kurze Röhre auf Räderlaffeten, die ihre Geschosse unter größerem Winkel schleuderten. In Deutschland, wo man die kurzen Haubitzen beibehalten, gebraucht man sie noch unter solchen Winkeln, daß das Geschoß beim Einfalle liegen bleibt und krepirt. Die Granate kann auf solche Weise den Feind hinter Deckungen treffen und ihn vertreiben. Sie hat diese Eigenthümlichkeit vor dem Kanonengeschoß voraus und zwar aus zwei Rücksichten: 1) weil sie unter größeren Winkeln einfällt und 2) weil sie Sprengstücke liefert. Aber dieser Gebrauch der Haubitzen hat stets Schwierigkeiten gehabt, weil man die Wurfweite ohne Aenderung der Ladung nicht hinlänglich modifiziren kann.

Die Gribeauval'sche Haubitze war schon zu diesem Gebrauche nicht geeignet. Das Rohr war kurz und verglichen, aber es warf die Granaten nicht unter genügend großen Winkeln, um das Liegenbleiben zu bewirken. Die 6zölligen Granaten hatten beim Abgange eine geringe Geschwindigkeit und rikochettirten oder rollten nach ihrem Einfalle weiter. Das sehr leichte Rohr griff die Laffete stark an, trotz dem, daß sie sehr schwer war, und hatte weder Schußweite noch Wahrscheinlichkeit des Treffens in genügendem Grade; die Haubitzen befanden sich noch in der Kindheit. Man hat sie länger und schwerer gemacht, um den Schuß zu verbessern und ist nach und nach zu den heutigen Modellen gelangt. Man glaubt gewöhnlich, daß diese Geschütze zwei Ladungen haben, weil die kleinere vortheilhafter als die größere ist, da sie eine gekrümmtere Bahn und zahlreichere Rikochetts liefert. Diese Meinung ist eine irrthümliche. Die kleinere Ladung wurde eingeführt, weil die Laffete der großen keinen Widerstand zu leisten vermochte; die Nothwendigkeit hat demnach die Anzahl der großen Ladungen normirt. Die Darlegung der Betrachtungen, die die Annahme der gegenwärtigen Haubitzen herbeigeführt, wird die Frage erläutern und die Prüfung mehrerer weiteren Einwürfe erleichtern.

Wir beginnen mit einem Auszuge aus dem Bericht der Kommission, die den Auftrag hatte, dem Centralkomité der Artillerie Vorschläge zur Vervollkommnung der Haubitzen zu machen; derselbe ist unterm 3. April 1818 erstattet.

„Die Ordonnanz vom 30. Januar 1815 schrieb vor, daß das System der Artillerie das der Tafeln von 1789 sein solle, mit Ausnahme der Modifikationen, die an den Haubitzen erforderlich, um ihnen eine größere Schußweite, eine größere Treffwahrscheinlichkeit und eine größere Intensität der Mittel zu verschaffen. Wenn man diesen Betrachtungen die wichtige Pflicht zugesellt, den Verbrauch der Haubitzen, deren Munition so beschwerlich und hinderlich beim Transporte ist, auf das richtige Verhältniß der Wirkungen zu beschränken, so gelangt man zu der Einsicht, daß es in Rücksicht der Oekonomie, so wie in Hinsicht des Dienstes erforderlich wird, ein kleineres als das 6zöllige Kaliber für alle Verhältnisse des Krieges zu besitzen, in denen die Größe des bewegten Mittels wenig oder keinen Effekt hervorbringt und diese sind, wie bekannt, gerade die gewöhnlicheren.

(gez.) Graf Valbe.“

Diese Ideen wurden in dem Berichte des Artilleriekomités vom 3. Juli 1818 angenommen. Man liest hier:

„Die Schußweiten der Geschütze hängen zum großen Theil von der Größe der Ladung und der Länge der Seele ab; die alten Haubitzen konnten daher nur eine geringe Schußweite haben, weil sie sehr kurz waren und ihre Leichtigkeit keine Vermehrung der Ladung ge-

ftattete, ohne daß Nachtheile für die Haltbarkeit der Laffeten er-
wuchfen.

„Eine Vermehrung der Ladung bewirkt eine Vermehrung der
Schußweite und zwar eine um fo größere, je geringer die Ladung, es
erfcheint daher wünfchenswerth, die Ladung fo viel als möglich bei
den Haubitzen zu vergrößern; jedoch hat die Nothwendigkeit der Kon-
fervation der Laffeten, welche bei demfelben Rohre im Verhältniß der
Größe der Ladungen leiden, zu der Erwägung geführt, daß nach den
Refultaten genauer Verfuche, das Maximum der Verfuchsladungen
auf 5 Pfund für die 6zöllige und 4 Pfund für die 5½zöllige feftgefetzt
werde. Die Wirkungen diefer beiden Ladungen, fo wie geringerer
wird zu beobachten fein in Bezug auf Schußweite, Rückftoß und Einwirkung auf die Laffete. — Die Feldhaubitzen werden ein Gewicht erhalten, gleich dem der Kanonen, mit denen fie zu marfchiren beftimmt find."

Zu diefer Zeit beabfichtigte man, wie erfichtlich, nur die Wurfweite und die Wahrfcheinlichkeit des Treffens der Haubitzen zu vergrößern, aber da die Verfuche von 1819 zeigten, daß die Laffeten den
ftarken Ladungen nicht Widerftand leiften konnten, fo modifizirte der
General Valée feine Ideen und richtete unterm 29. Juli 1820 einen neuen Bericht an den Minifter, in dem er den Gebrauch fchwa-
cher Ladungen befürwortete, nicht, um die Vertiefungen des Terrains
damit zu bewerfen, fondern um die Granate in der Weite zum Liegenbleiben zu bringen, auf der ihr Krepiren die größte Wirkung hervorzubringen im Stande.

„Ladung: Die Feldhaubitzen treten mit den 8- und 12pfündigen
Kanonen in den Batterieverband und müffen deshalb ihre Hauptwir-
kung, d. h durch das Krepiren auf den Entfernungen äußern, auf denen die Kanonen gewöhnlich zum Sprunge kommen, hieraus ergiebt
fich die Nothwendigkeit des Gebrauchs zweier Ladungen, von denen
die eine die Granaten auf die kürzeren Weiten treibt und fie am
Weitergehen verhindert, die andere aber für die größeren Entfernungen beftimmt ift. Die bisherigen franzöfifchen kurzen Haubitzen erfüllen nur die erfte Forderung, die ruffifchen Einhörner genügen nur
der zweiten, da ihre Granaten bei den gewöhnlichen Erhöhungswinkeln am Ende ihrer Bahn krepiren und bei diefen Winkeln ftets bei-

nahe dieselbe Wurfweite erreichen. Zur Erreichung beider Zwecke wird die Annahme zweier Ladungen dienen, wodurch keine Komplikation eintritt."

Ein anderer vom General Valée am 4. August 1821 erstatteter Bericht war von einem Programm zu Versuchen begleitet, das den neuen Weg einschlagen sollte, ohne dabei auf das Bewerfen der Vertiefungen des Terrains zu rücksichtigen. Darin hieß es:

„Die Laffeten, die dem Gebrauche der kleinen Ladungen sehr gut widerstehen, haben sich bei starken Ladungen und bei Anwendung der Kartätschen als unhaltbar gezeigt. Nach den erlangten Resultaten unterliegt es keinem Zweifel, daß die Ladungen von 4¼ Pfund für die 6zöllige Haubitze und von 2¾ Pfund für die 24pfdige zu groß sind. Die Nothwendigkeit der größeren Einschränkung der Rückwirkung ist dringend, ebenso aber auch die, dies ohne zu große Beeinträchtigung der Wurfweite zu bewerkstelligen. Man kann daher nicht nur die Ladung vermindern, sondern muß auch andere Mittel zu Hülfe ziehen. In dieser Hinsicht bieten sich folgende Wege dar:

1) Man reduzirt die starken Ladungen auf 3 Pfund für die 6zöllige und auf 2 Pfund für die 24pfdige Haubitze; diese Verminderung hat natürlich auch eine Verkürzung der Wurfweite im Gefolge; aber man wird mit ten neuen Ladungen noch immer genügende Wurfweiten erhalten, wie es die Versuche zu Douai und Straßburg 1819 gezeigt haben.

„...... Zu den kleineren Ladungen wird man solche verwenden müssen, die Wurfweiten von 500 Toisen ergeben und auf diesen Entfernungen die Granaten zum Krepiren bringen. Hierzu gebraucht man 17 Unzen für die 6zöllige und 9 Unzen für die 24pfündige Haubitze; da aber die unten angegebenen Motive eine Veränderung des Durchmessers der Kammer und folglich der Kartuschen bedingen, so wird die Ermittelung der Größe der keinen Ladungen Gegenstand der Versuche sein ...."

Programm vom 4. August 1821. „Artikel 6. Die Haubitzen werden mit starken und schwachen Ladungen verwendet.

„Die 24pfündigen Haubitzen werden unter den im 8. Artikel angegebenen Winkeln gerichtet und mit der keinen Ladung von 9 Unzen, die 6zölligen mit der kleinen Ladung von 17 Unzen versucht.

Wenn diese Ladungen bei 2 Grad Elevation, einschließlich der Rikochetts, eine größere Wurfweite als 500 Toisen ergeben, so werden sie vermindert, wenn sie dagegen bei derselben Erhöhung eine geringere Totalwurfweite liefern, so werden sie vergrößert. In den Verhandlungen ist für jede Haubitze die Ladung zu bezeichnen, die annähernd der Entfernung von 500 Toisen entspricht."

Wir citiren nun einen Auszug aus dem Bericht der Kommission von Toulouse über die 1822 ausgeführten Versuche:

„Bei der Anwendung der Ladung von 8 Unzen haben die 24pfündigen Haubitzen eine mittlere Wurfweite von 400—580 Toisen geliefert. Der Richtungswinkel wechselte dabei von 0 bis 14 Grad.

2) Bei der starken Ladung von 2 Pfund und 0 bis 13 Grad lagen die erhaltenen Wurfweiten in den Grenzen von 685 und 904 Toisen.

„Die 6zölligen Haubitzen ergaben bei 11 Unzen und 0 bis 14 Grad Wurfweiten von 430 bis 628 Toisen und bei 3 Pfund und 0 bis 12 Grad dergleichen von 802 bis 1066 Toisen.

„Haltbarkeit der Laffeten. 1) Die vier Laffeten haben während der Versuche mit kleinen Ladungen keinen sichtbaren Schaden gelitten.

2) „Während der Anwendung der starken Ladungen haben sie in größerem oder geringerem Grade gelitten."

Es handelte sich damals um Gribeauval sche Laffeten und modifizirte dieser Art, die ungleich mehr Widerstand zu leisten vermögen, als die seither eingeführten Blocklaffeten.

Ein Bericht des Komité vom 5. April 1823 lautet: „Da die Versuche gezeigt haben, daß die Ladungen von 3 und 2 Pfund für die 6zöllige und 24pfündige Haubitze Wurfweiten von 1100 und 1000 Toisen gegeben haben, so kann man sie zu den Granaten und Kartätschen anwenden. Eine durch Vermehrung der Ladung zu erhaltende vergrößerte Wurfweite würde nicht die Inkonvenienzen aufwiegen, die ein bedeutender Rückstoß und ein zerstörender Einfluß auf die Laffeten hervorbringt. Die Versuchsladungen von 11 Unzen für die 6zöllige und von 8 Unzen für die 24pfündige können für die Haubitzen nicht genügen, deren Kammern die Dimensionen von 1820 haben. Man wird bei diesen 15 Unzen für die 6zöllige und 10 Unzen

für die 24pfdige bedürfen. Diese werden um so besser die Kartusch-
beutelreste und die Spiegelfragmente aus der Mündung schleudern."

Die Kommission für die Geschützröhre erstattete 1826, nachdem
sie die Berathungen über die neuen Haubitzen angestellt, einen Bericht, der die Unterschrift des General Ruty trug und sagte:

„.... Die 1819, 1820, 1821, 1822, 1823, 1824 und 1825 in den
Artillerieschulen ausgeführten Versuche über den Granat- und Kartätschwurf der langen Haubitzen haben bewiesen, daß die größte mit
der Haltbarkeit der 8- und 12pfündigen Laffeten vereinbare Ladung
1¼ Kilogramme für die 6zöllige und 1 Kilogramme für die 24pfdige
Haubitze beträgt.

„In einigen Schulen hat man zum Kartätschwurf ¼ Pfund mehr
Ladung verwendet als zum Granatwurf, und dabei keinen anderen
Nachtheil erfahren, als einen stärkeren Rücklauf; man könnte daher
das Maximum der Ladung um ebenso viel erhöhen, wenn die Erwägung nicht davon abriethe, daß man bei den Versuchen nur neue,
mit besonderer Sorgfalt gefertigte Laffeten benutzt und Laffeten der
gewöhnlichen Anfertigung, oder gebrauchte, oder zwar neue aber lange
Zeit aufbewahrte, jedenfalls bedeutend geringere Widerstandsfähigkeit
ergeben würden.

„Aus diesen Motiven hat die Kommission geglaubt, das Maximum der Ladungen, wie oben angeführt, festsetzen zu müssen, setzt
hierbei aber voraus, daß diese Ladungen nur in den Fällen zur Anwendung kommen, in welchen kleinere schlechterdings den erforderlichen Zweck nicht zu erfüllen vermögen. Die Kommission ist der Meinung, daß diese Wirkung auf folgende Weise geschätzt werden kann:

„Für den Granatwurf: von 1500 bis 2000 Meter für die
24pfdige Haubitze und von 2150 Meter für die 6zöllige Haubitze bei
Richtungswinkeln von 13 bis 14 Grad, den größten, die die Konstruktion der Laffete zuläßt. Das Maximum der Ladung darf, wie
erwähnt, nur benutzt werden, wenn die größte Wirkung erzielt wird;
für die gewöhnlichen Verhältnisse reicht man mit einer geringeren
Ladung aus. Die Kommission ist der Meinung, daß nur die Erfahrung die Größe dieser Ladung zu bestimmen vermag, dergestalt, daß
die Granaten noch auf den Entfernungen von 500 bis 900 Meter
eine genügende Wirkung zu leisten im Stande sind. Hierbei ist zu

beachten, daß bei den 1819 zu Straßburg und Lens bei Douai angestellten Versuchen mit 6zölligen und 24pfündigen ungefähr 8 Kaliber
langen Haubitzen sich ergeben, daß die Granaten bei den Ladungen
von 2, 3, 4 und 5 Pfund unter den verschiedenartigsten Richtungswinkeln abgefeuert, stets dieselbe Wurfweite erreichten und auf Entfernungen krepirten, auf denen die Sprengstücke keine Wirkung zu
äußern vermochten, so daß man daher bei größeren Kosten auf den
beabsichtigten Weiten nur die Wirksamkeit der Vollkugeln durch die
Granaten erhielt. Man strebte daher dahin, kleinere Wurfweiten zu
gewinnen und sah sich genöthigt zweierlei Ladungen zu verwenden,
von denen die eine die großen Wurfweiten, die andere die zwischen
500 und 900 Meter liegenden ergeben sollte.

„Die 1820, 1821, 1822 und 1824 ausgeführten Versuche lehrten,
daß die kleinen Ladungen auf 10 Unzen für die lange 24pfdige Haubitze und auf 15 Unzen für die lange 6zöllige Haubitze festgesetzt werden müßten. Die Ladungen ergeben eine mittlere Wurfweite von
1000 Meter und bewirken, daß die Granaten auf dieser Entfernung
springen.

„Aus dieser bedeutenden Verminderung der Ladung folgt aber:

„1) daß die Geschwindigkeit der Granate eine Art von Mini-
mum bildet und ein Maximum von Abweichungen mit sich führt;

„2) daß die Granate stets am Ende der Flugbahn oder nahe
demselben springt, d. h. an einem Punkte, an dem der Wurf am un-
sichersten ist;

„3) daß man freiwillig den Vortheilen entsagt, die man durch
die langen Haubitzen zu erreichen trachtet, sowohl in Bezug auf die
Ausdehnung der Wurfweiten, als auch rücksichtlich der Wahrscheinlichkeit des Treffens auf den Entfernungen von 500 bis 900 Meter,
die sich ergiebt, wenn man die Granaten mit der großen Ladung wirft;

„4) daß wahrscheinlich die Granaten nicht die erforderliche Perkussionskraft besitzen werden, um die Mauern der Gebäude zu durchdringen, in die man brennbare Materien zu schleudern beabsichtigt,
denn bisher gebrauchte man zu diesem Zwecke Ladungen von 17 bis
28 Unzen;

„5) daß man sich in die ungünstigste Lage setzt, die man wäh-
len kann.

„Das zu erreichende Resultat kann auch gewonnen werden, wenn man eine geringere Verminderung der Ladung mit einer Verkürzung des Zünders verbindet. Die Kommission bezieht sich hierbei auf die Shrapnels der Engländer.

„Nach diesem Systeme würde man zweierlei Ladungen und zweierlei Zünder haben. Das Gewicht der kleinen Ladung muß mit Rücksicht auf die Wahrscheinlichkeit des Treffens und die Anfangsgeschwindigkeit so bestimmt werden, daß sie den nöthigen Grad der Schonung für die Laffete darbietet. Nach diesen Angaben glaubt die Kommission die kleinen Ladungen auf

70 Decigramme oder 22 Unzen für die 24pfdige Haubitze und auf 1 Kilogramme oder 32 Unzen für die 6zöllige Haubitze normiren zu müssen."

Die in diesem Berichte durch den General Ruty dem Kriegsminister vorgetragene Meinung war in Opposition mit der des General Valée, sie wurde daher als nicht ausgesprochen betrachtet. Es ist nicht zu leugnen, daß schon die Einführung von zwei Ladungen eine Komplikation involvirt, und daß diese durch zwei Zünder noch vergrößert wird. Ersichtlich ist es aber, daß der General Ruty und die Kommission nicht an das Bewerfen der Einsenkungen des Terrains dachten. Diese Thatsache ist nicht unwichtig, da die Generale Valée und Ruty eine Kriegserfahrung zur Seite hatten, die gegenwärtig von Niemand besessen wird.

Die Versuche zur Ermittelung der kleinen Ladungen wurden 1828 bei Straßburg angestellt. Man versuchte 0,60 bis 0,70 und 0,80 Kilogramme bei der 6zölligen und 0,40 bis 0,50 und 0,60 Kilogramme bei der 24pfdigen Haubitze. Mit jeder Ladung geschahen nur 5 Wurf zuerst in Visirrichtung, dann mit den Aufsatzhöhen von 6, 12, 18, 24 und 30 Linien.

Die Kommission zu Straßburg empfahl die Annahme der versuchten Ladungen, da sie die Sprengung der Granaten auf den Entfernungen von 500 bis 900 Meter gestatteten, aber der General Neigre, Präsident der Versuche, sagte am Schlusse seines Berichtes: „Der wichtigste Zweck der kleinen Ladungen ist Rikochetts zu erhalten und sie so viel als möglich zu benutzen, man darf aber nie die Wahrscheinlichkeit des Treffens außer Acht lassen, die um so größer ist, je größer die mittlere Geschwindigkeit."

Auf diese Meinung gestützt, sagte das Komité in seinem Berichte vom 15. Januar 1829:

„Die Resultate der Versuche, so wie die Meinung des General Neigne führen zu der Ansicht, daß die Ladungen mittlerer Größe den kleinen vorzuziehen sind. Das Komité schlägt daher die Ladung von 0,50 Kilogramme für die 24pfündige Haubitze zur Annahme vor. In Bezug auf die 6zöllige Haubitze leitet die Erwägung, daß die Ladungen von 0,70 und 0,80 Kilogramme dieselben vortheilhaften Resultate geliefert, daß die kleine Ladung der 24pfündigen Haubitze die Hälfte der großen beträgt, daß dasselbe Verhältniß für die 6zöllige Haubitze durch die Annahme der Ladung von 0,75 Kilogramme eintreten würde, zu dem Wunsche hin, die Ladung von 0,75 Kilogramme reglementsmäßig einzuführen. Hierdurch würde außerdem die Möglichkeit erlangt, unter Umständen die große Ladung durch zwei kleine bilden zu können.“

In diesem Berichte kam die Entfernung des Springens der Granate am Endpunkte der Bahn nicht mehr zur Sprache; letzterer ergab sich nach den Straßburger Versuchen für die 6zöllige Granate zwischen 1200 und 1600 Meter und für die 24pfündige zwischen 1100 und 1400 Meter.

Die Geschichte der Versuche bezüglich der bestehenden Haubitzen läßt sich folgendergestalt zusammenfassen:

1) Anfangs wollte man zu dem Granatwurf nur die stärksten Ladungen verwenden; die Haltbarkeit der Laffeten gestattete dies nicht.

2) Die Widerstandsfähigkeit der Laffete begrenzte nicht nur die Größe der starken Ladungen, sondern auch die Zahl der von ihnen ins Feld mitzunehmenden Menge. *)

3) Man wollte die kleinen Ladungen so bestimmen, daß die Granaten zwischen 500 und 900 Meter vom Geschütz krepirten, erhielt hierbei jedoch so geringe Ladungen, daß die Wahrscheinlichkeit des Treffens beeinträchtigt wurde und mußte dieser Idee entsagen.

4) Die kleine Ladung wurde durch Uebereinkunft nach einer geringen Anzahl von Würfen und mit dem illusorischen Gedanken, die

---

*) Dieser Grundsatz dürfte ein sehr gefährlicher sein; die Zahl der Ladungen, welcher Art sie auch immer sein, muß immer von den damit zu erreichenden Zwecken abhängig gemacht werden. D. R.

große durch zwei kleine zu bilden, auf die Hälfte der großen Ladung normirt. Die Absicht, Granaten im hohen Bogen gegen Terraineinsenkungen zu verwenden, blieb den Bestrebungen fremd.

5) Das Zerspringen der jetzigen Granaten findet bei den großen Ladungen auf mehr als 2000 Meter und bei den kleinen zwischen 1100 und 1600 Meter statt. Man kann daher auf das Zerspringen nicht zwischen den beiden Treffen der feindlichen Truppen rechnen. Die Granate wirkt nur wie eine Vollkugel und, wie die Versuche von 1850 gezeigt, ohne große Treffwahrschrinlichkeit.

Wir bemerken noch, daß man die neuen Haubitzen zum Gebrauch aus den Kanonenlaffeten bestimmt; diese Vereinfachung des Materials ließ für die Haubitzen die Möglichkeit schwinden, im hohen Bogen verwendet zu werden.

11. Einwurf. Ein kleines Hohlgeschoß kann niemals die bestehenden Granaten auf vortheilhafte Weise ersetzen, deren Hauptkraft in ihrem größeren Kaliber begründet ist.

Entgegnung. Dieser Einwurf ist in einem der Berichte nachstehend besprochen:

„Im Kriege treten oft Verhältnisse ein, die den Gebrauch einer kräftig wirkenden Artillerie erforderlich machen. Wenn man z. B. genöthigt ist, eine stark verschanzte Position, ein Schloß, eine Meierei, die einen Stützpunkt für ein Armeekorps bilden, zu nehmen, so muß man schnell und entscheidend auftreten; nicht selten hängt der Erfolg einer Schlacht von der Schnelligkeit ab, mit der man sich in den Besitz einer wichtigen Position zu setzen vermag.

„Die Artillerie der Reserve, die zu dergleichen Zwecken ihre Hauptverwendung findet, muß demnach fähig sein, große Wirkung zu äußern; hierzu bedarf sie einer hinreichenden Beweglichkeit, starker Kaliber und Ladungen, einer reichlichen Ausrüstung mit Vollkugeln und einer zweckmäßigen Anzahl von Hohlgeschossen, um einen zähen Feind zu delogiren und die Orte in Brand zu setzen, zu denen ihm die Kugeln den Weg gebahnt."

Wir berühren um so lieber den letztgenannten Einwurf, da hierdurch gerade die Vortheile des proponirten Systems recht deutlich werden. Die angeführten Verhältnisse sind in der Schlacht von Waterloo eingetreten und haben wesentlich zu dem nachtheiligen Ausgange des Tages mitgewirkt.

Wenn diese Ladungen bei 2 Grad Elevation, einschließlich der Rikochetts, eine größere Wurfweite als 500 Toisen ergeben, so werden sie vermindert, wenn sie dagegen bei derselben Erhöhung eine geringere Totalwurfweite liefern, so werden sie vergrößert. In den Verhandlungen ist für jede Haubitze die Ladung zu bezeichnen, die annähernd der Entfernung von 500 Toisen entspricht."

Wir citiren nun einen Auszug aus dem Bericht der Kommission von Toulouse über die 1822 ausgeführten Versuche:

„Bei der Anwendung der Ladung von 8 Unzen haben die 24pfündigen Haubitzen eine mittlere Wurfweite von 400—580 Toisen geliefert. Der Richtungswinkel wechselte dabei von 0 bis 14 Grad.

2) Bei der starken Ladung von 2 Pfund und 0 bis 13 Grad lagen die erhaltenen Wurfweiten in den Grenzen von 685 und 904 Toisen.

„Die 6zölligen Haubitzen ergaben bei 11 Unzen und 0 bis 14 Grad Wurfweiten von 430 bis 628 Toisen und bei 3 Pfund und 0 bis 12 Grad dergleichen von 802 bis 1066 Toisen.

„Haltbarkeit der Laffeten. 1) Die vier Laffeten haben während der Versuche mit kleinen Ladungen keinen sichtbaren Schaden gelitten.

2) „Während der Anwendung der starken Ladungen haben sie in größerem oder geringerem Grade gelitten."

Es handelte sich damals um Gribeauval'sche Laffeten und modifizirte dieser Art, die ungleich mehr Widerstand zu leisten vermögen, als die seither eingeführten Blocklaffeten.

Ein Bericht des Komitó vom 5. April 1823 lautet: „Da die Versuche gezeigt haben, daß die Ladungen von 3 und 2 Pfund für die 6zöllige und 24pfündige Haubitze Wurfweiten von 1100 und 1000 Toisen gegeben haben, so kann man sie zu den Granaten und Kartätschen anwenden. Eine durch Vermehrung der Ladung zu erhaltende vergrößerte Wurfweite würde nicht die Inkonvenienzen aufwiegen, die ein bedeutender Rückstoß und ein zerstörender Einfluß auf die Laffeten hervorbringt. Die Versuchsladungen von 11 Unzen für die 6zöllige und von 8 Unzen für die 24pfündige können für die Haubitzen nicht genügen, deren Kammern die Dimensionen von 1820 haben. Man wird bei diesen 15 Unzen für die 6zöllige und 10 Unzen

barkeit der Laffeten nicht, da sie schon für die geringe Anzahl des jetzigen Approvisionnements nicht genügt.

Bei dem Angriff auf La Haie Sainte wie auf Hougomont wurden unsere Truppen vorgeschickt, ehe die Artillerie gegen die Mauern Wirkung geäußert und ihnen den Weg gebahnt hatte.

Damals würden 12pfünder mit ¼ kugelschwerer Ladung Frankreich von unschätzbarem Nutzen gewesen sein.

Wenn die 12pfdige Granate auch keine Wirkung gegen Mauern hat, so wird das projektirte System dennoch in dieser Hinsicht Vorzüge vor dem gegenwärtigen darbieten, da es nur 12pfündige Kugeln schießt.

Die 12pfündigen Granaten werden später in Folge ihrer Treffwahrscheinlichkeit, in Folge ihrer großen Zahl eine größere Wirkung sowohl direkt als durch ihre Sprengstücke hervorbringen, als es die im Gebrauch befindlichen Granaten zu thun vermögen.

12. Einwurf. Die 12pfündige Granate wird auf den größeren Entfernungen eine zu geringfügige Wirkung äußern.

Entgegnung. Die 12pfündige Granate hat auf 1200 Meter noch eine Geschwindigkeit von 127 Meter, die 8pfündige Kugel eine von 160 Meter. Das erstgenannte Projektil, das vor dem zweiten die Sprengwirkung voraus hat, kann daher noch auf größeren Entfernungen als 1200 Meter wirken; dieselbe Granate, aus der Gebirgshaubitze geworfen, hat nur eine Anfangsgeschwindigkeit von 244 Meter, dennoch beträgt ihre Wurfweite 1100 bis 1200 Meter. Das Aide Mémoire von 1844 empfiehlt mit Recht niemals weiter als auf 1100 bis 1200 Meter im Felde zu schießen.

13. Einwurf. Um der 12pfdigen Granate mehr Wahrscheinlichkeit des Treffens auf den größeren Weiten zu verleihen, muß man ihr Gewicht vergrößern.

Entgegnung. Auf 900 Meter hat das 12pfdige Granatkanon mehr Granaten in die Scheibe gebracht, als der 8pfder Kugeln; auf größeren Distancen werden die Sprengstücke die verminderte Trefffähigkeit ausgleichen. Zu beachten ist, daß nach Valée, Ruty und anderen Artilleriegeneralen des Kaiserreiches die Schlachten sich auf den Entfernungen von 500 bis 900 Meter entscheiden. Das projektirte System erfüllt daher alle Bedingungen eines wirksamen Feld-

keineswegs die 16 Centimeter Haubitzen aus,[*] man kann sie neben demselben so lange gebrauchen, bis die Kriegserfahrung ihr Urtheil gesprochen.

Besondere Haubitzbatterien des 16 Centimeter Kalibers zu formiren erscheint jetzt, nachdem man die Ueberzeugung gewonnen, daß dies Geschütz eine geringere Treffwahrscheinlichkeit gewährt, als man bisher geglaubt, nicht rathsam. Dasselbe ergiebt auf 500, 600, 700, 800 und 900 Meter nur ungefähr 29 Prozent Treffer, während der 8pfünder deren 40 Prozent liefert.

15. Einwurf. In dem projektirten Systeme wird eine zu große Anzahl Granaten mitgeführt.

Entgegnung. Es ist wahr, daß sich bei dem neuen System eine größere Zahl Granaten als bei den früheren befindet; dies ist ein Vortheil, da das Werfen sich wesentlich gebessert hat. Die 12pfdige Granate übertrifft zwischen 500 und 900 Meter die 8pfdige Kugel an Treffsicherheit, daraus kann man schließen, daß die 12pfdige Granate die 8pfdige Kugel, die mit ihr ziemlich dasselbe Gewicht hat, gegen Truppen vortheilhaft ersetzen kann, da sie noch eine Sprengwirkung in die Wagschaale legt. Zum Beweise der Wirksamkeit der 12pfdigen Granate citiren wir den Bericht, der ihre Annahme mit Ausschluß der Vollkugeln für die Gebirgsartillerie veranlaßt hat.

Bericht über die Gebirgsartillerie vom General Berge am 18. Juli 1826 erstattet:

„Es ist unbestreitbar, daß die 4pfündigen Kanonen eine größere Schußweite und Treffwahrscheinlichkeit als die Haubitzen haben, deshalb herrscht auch eine Meinungsverschiedenheit bezüglich der Annahme dieses Geschützes. Um die Motive der verschiedenen Meinungen zu würdigen, ist es nöthig die Dienstleistungen und Wirkungen der Feldartillerie und Gebirgsartillerie zu prüfen.

„Die Feldartillerie ist in Batterien zu 4 Kanonen und 2 Haubitzen formirt: diese Batterien sind den Divisionen der Infanterie

---

[*] Dieser Ausspruch scheint darzuthun, daß man fühlt wie der eigenthümliche Gebrauch der Haubitze nicht durch den der Granatkanone ersetzt werden kann. Uns scheint das einfachste und entsprechendste System darin zu bestehen: Anstatt der bisherigen Kanone nur einen leichten (kurzen) 12pfünder, und, Beibehaltung der 5zölligen kurzen Haubitze.   D. R.

oder Kavallerie attachirt, sie folgen ihren Bewegungen und manövriren mit ihnen auf dem Schlachtfelde. Die Kanonen befinden sich in größerer Zahl als die Haubitzen, weil sie mehr Treffwahrscheinlichkeit besitzen, weil ihre Schußweiten ausgedehnter und der Transport ihrer Munition mit weniger Beschwerden und Kosten verknüpft ist. Die Haubitzen werden benutzt, weil ihre Geschosse die Wirkung der Vollkugel mit der Sprengwirkung verbinden, weil sie auf das moralische Element der feindlichen Truppen wirken, weil sie hinter Deckungen den Feind zu treffen vermögen, und weil sie durch ihre Geschosse eine Brandwirkung leisten können.

„Die Gebirgsartillerie ist nur in administrativer Rücksicht in Batterien formirt, um die Ausführung der höheren Befehle zu erleichtern. Die verschiedenen Züge, aus denen diese Batterien bestehen sind selten vereinigt und manövriren nicht mit den Truppenabtheilungen, denen sie beigegeben sind. Diese Züge sind gewöhnlich aus zwei Geschützen zusammengesetzt. Der Erfolg der Gefechte des Gebirgskrieges hängt in der Regel von der Eroberung oder der Behauptung eines Rückens oder einer Höhe ab, die das Thal oder die anliegenden Ebenen beherrscht, auf denen die Truppen manövriren. Dies geschieht nicht in Linien oder Kolonnen, sondern in Tirailleurmassen, bei denen der Erfolg viel mehr von dem Willen und dem Eifer der Einzelnen abhängt, als in den rangirten Schlachten, in denen sich Jeder unter steter Aufsicht seiner Oberen befindet. Der moralische Einfluß der Artillerie ist daher im Gebirgskriege bedeutend größer als im rangirten Gefecht, die reelle Wirkung der Gebirgsartillerie ist daher stets geringer als die der Feldartillerie, und es muß vorzüglich dahin gestrebt werden, der Ersteren den größtmöglichsten moralischen Einfluß zu verleihen. In den meisten Fällen ist ihr Gesichtsfeld ein sehr beschränktes, die reelle Wirkung der Kugeln ist eine sehr geringe, ihre moralische Wirkung vollends gleich Null; die Art des Terrains begünstigt die Wirksamkeit der Granaten, die durch ihre Perkussionskraft und durch ihre Sprengstücke wirken; ihre reelle Wirkung ist der, der Kugeln gleich, denn wenn sie bei starker Ladung auch eine geringere haben, so erlaubt ihre gekrümmte Flugbahn das Treffen von Truppen hinter Deckungen, die dem Kugelschuß unzugänglich sind; die Granaten wirken außerdem durch ihre Sprengkraft und durch den

Auf diese Meinung gestützt, sagte das Komité in seinem Berichte vom 15. Januar 1829:

„Die Resultate der Versuche, so wie die Meinung des General Neigne führen zu der Ansicht, daß die Ladungen mittlerer Größe den kleinen vorzuziehen sind. Das Komité schlägt daher die Ladung von 0,50 Kilogramme für die 24pfündige Haubitze zur Annahme vor. In Bezug auf die 6zöllige Haubitze leitet die Erwägung, daß die Ladungen von 0,70 und 0,80 Kilogramme dieselben vortheilhaften Resultate geliefert, daß die kleine Ladung der 24pfündigen Haubitze die Hälfte der großen beträgt, daß dasselbe Verhältniß für die 6zöllige Haubitze durch die Annahme der Ladung von 0,75 Kilogramme eintreten würde, zu dem Wunsche hin, die Ladung von 0,75 Kilogramme reglementsmäßig einzuführen. Hierdurch würde außerdem die Möglichkeit erlangt, unter Umständen die große Ladung durch zwei kleine bilden zu können."

In diesem Berichte kam die Entfernung des Springens der Granate am Endpunkte der Bahn nicht mehr zur Sprache; letzteres ergab sich nach den Straßburger Versuchen für die 6zöllige Granate zwischen 1200 und 1600 Meter und für die 24pfündige zwischen 1100 und 1400 Meter.

Die Geschichte der Versuche bezüglich der bestehenden Haubitzen läßt sich folgendergestalt zusammenfassen:

1) Anfangs wollte man zu dem Granatwurf nur die stärksten Ladungen verwenden; die Haltbarkeit der Laffeten gestattete dies nicht.

2) Die Widerstandsfähigkeit der Laffete begrenzte nicht nur die Größe der starken Ladungen, sondern auch die Zahl der von ihnen ins Feld mitzunehmenden Menge. *)

3) Man wollte die kleinen Ladungen so bestimmen, daß die Granaten zwischen 500 und 900 Meter vom Geschütz krepirten, erhielt hierbei jedoch so geringe Ladungen, daß die Wahrscheinlichkeit des Treffens beeinträchtigt wurde und mußte dieser Idee entsagen.

4) Die kleine Ladung wurde durch Uebereinkunft nach einer geringen Anzahl von Würfen und mit dem Maßorischen Gedanken, die

*) Dieser Grundsatz dürfte ein sehr gefährlicher sein; die Zahl der Ladungen, welcher Art sie auch immer sein, muß immer von den damit zu erreichenden Zwecken abhängig gemacht werden. D. R.

große durch zwei kleine zu bilden, auf die Hälfte der großen Ladung normirt. Die Absicht, Granaten im hohen Bogen gegen Terraineinsenkungen zu verwenden, blieb den Bestrebungen fremd.

5) Das Zerspringen der jetzigen Granaten findet bei den großen Ladungen auf mehr als 2000 Meter und bei den kleinen zwischen 1100 und 1600 Meter statt. Man kann daher auf das Zerspringen nicht zwischen den beiden Treffen der feindlichen Truppen rechnen. Die Granate wirkt nur wie eine Vollkugel und, wie die Versuche von 1850 gezeigt, ohne große Treffwahrscheinlichkeit.

Wir bemerken noch, daß man die neuen Haubitzen zum Gebrauch auf den Kanonenlaffeten bestimmt; diese Vereinfachung des Materials ließ für die Haubitzen die Möglichkeit schwinden, im hohen Bogen verwendet zu werden.

11. Einwurf. Ein kleines Hohlgeschoß kann niemals die bestehenden Granaten auf vortheilhafte Weise ersetzen, deren Hauptkraft in ihrem größeren Kaliber begründet ist.

Entgegnung. Dieser Einwurf ist in einem der Berichte nachstehend besprochen:

„Im Kriege treten oft Verhältnisse ein, die den Gebrauch einer kräftig wirkenden Artillerie erforderlich machen. Wenn man z. B. genöthigt ist, eine stark verschanzte Position, ein Schloß, eine Meierei, die einen Stützpunkt für ein Armeekorps bilden, zu nehmen, so muß man schnell und entscheidend auftreten; nicht selten hängt der Erfolg einer Schlacht von der Schnelligkeit ab, mit der man sich in den Besitz einer wichtigen Position zu setzen vermag.

„Die Artillerie der Reserve, die zu dergleichen Zwecken ihre Hauptverwendung findet, muß demnach fähig sein, große Wirkung zu äußern; hierzu bedarf sie einer hinreichenden Beweglichkeit, starker Kaliber und Ladungen, einer reichlichen Ausrüstung mit Vollkugeln und einer zweckmäßigen Anzahl von Hohlgeschossen, um einen zähen Feind zu delogiren und die Orte in Brand zu setzen, zu denen ihm die Kugeln den Weg gebahnt.“

Wir berühren um so lieber den letztgenannten Einwurf, da hierdurch gerade die Vortheile des proponirten Systems recht deutlich werden. Die angeführten Verhältnisse sind in der Schlacht von Waterloo eingetreten und haben wesentlich zu dem unglücklichen Ausgange des Tages mitgewirkt.

Die feindliche Armee hatte auf dem rechten Flügel das Schloß und die Meierei Hougomont und vor dem Centrum La Haie Sainte besetzt.

Der französische linke Flügel beschoß zuerst Hougomont, darauf rückten die Truppen zum Angriff vor, dieser gelang aber nicht, trotzdem sich mehrere Divisionen in Anstrengungen erschöpften. Der Kaiser sandte dem General Reille, der das Armeekorps kommandirte, eine Haubißbatterie, die die Meierei in Brand setzte, die feindlichen Truppen behaupteten sich aber dennoch hinter den Mauern des Hofes und des Gartens. „Es war uns unmöglich", sagt der General Vaudoncourt, „den Garten zu nehmen, da seine Mauern dem Artilleriefeuer Widerstand leisteten."

Zu beachten bleibt hierbei, daß die Divisionsartillerie 1815 mit 6pfündigen Kanonen versehen war.

Man vergleiche die Wirkung des vorgeschlagenen und des bestehenden Systems in dem vorliegenden Falle. Wegen seiner großen Ueberlegenheit in der Treffsähigkeit wird das projektirte System ebenso schnell wie das gegenwärtige brennbare Gegenstände der Landwirthschaft in Brand zu setzen vermögen. Um die Wirkung gegen die Mauern, die ungefähr die Oberfläche der Scheiben der Versuche darbieten, zu schätzen, ist zu bemerken, daß das projektirte System eine größere Anzahl Treffer mit 12pfdigen Kugeln, die eine größere Kraft als die 6pfdigen besitzen, ergiebt. Dies ist aber nicht der einzige Vortheil; in solchen Momenten ist die Zeit das kostbarste Element; wir haben nicht nöthig die Ankunft der Batterien der Reserve abzuwarten, denn alle unsere Divisionsbatterien feuern 12pfdige Kugeln und alle sechs Geschütze wirken gleichzeitig gegen die Mauer. Handelt es sich darum, einen gedeckt aufgestellten Feind in Gebüschen oder Gebäuden zu erreichen, so werfen wir Granaten, deren Sprengstücke den Feind delogiren werden.

Von den bestehenden Granaten werden, selbst wenn man zugiebt, daß sie bei den starken Ladungen an der Mauer nicht zerschellen, nur wenige treffen, außerdem ist man genöthigt, sie aus einer großen Zahl von Munitionsbehältnissen zu entnehmen, so daß das Feuern leicht Unterbrechungen erleiden dürfte. Hierauf erwidert man, daß man eine größere Anzahl starker Ladungen mitführen könne, dies erlaubt aber die Haltbarkeit der Laffeten nicht, da fie fchon für die geringe Anzahl des jeßigen Approvifionnements nicht genügt.

Bei dem Angriff auf La Haie Sainte wie auf Hougomont wurden unfere Truppen vorgefchickt, ehe die Artillerie gegen die Mauern Wirkung geäußert und ihnen den Weg gebahnt hatte.

Damals würden 12pfünder mit ¼ kugelfchwerer Ladung Frankreich von unfchäßbarem Nußen gewefen fein.

Wenn die 12pfdige Granate auch keine Wirkung gegen Mauern hat, fo wird das projektirte Syftem dennoch in diefer Hinficht Vorzüge vor dem gegenwärtigen darbieten, da es nur 12pfündige Kugeln fchießt.

Die 12pfündigen Granaten werden fpäter in Folge ihrer Treffwahrfcheinlichkeit, in Folge ihrer großen Zahl eine größere Wirkung fowohl direkt als durch ihre Sprengftücke hervorbringen, als es die im Gebrauch befindlichen Granaten zu thun vermögen.

12. Einwurf. Die 12pfündige Granate wird auf den größeren Entfernungen eine zu geringfügige Wirkung äußern.

Entgegnung. Die 12pfündige Granate hat auf 1200 Meter noch eine Gefchwindigkeit von 127 Meter, die 8pfündige Kugel eine von 160 Meter. Das erftgenannte Projektil, das vor dem zweiten die Sprengwirkung voraus hat, kann daher noch auf größeren Entfernungen als 1200 Meter wirken; diefelbe Granate, aus der Gebirgshaubiße geworfen, hat nur eine Anfangsgefchwindigkeit von 244 Meter, dennoch beträgt ihre Wurfweite 1100 bis 1200 Meter. Das Aide Mémoire von 1844 empfiehlt mit Recht niemals weiter als auf 1100 bis 1200 Meter im Felde zu fchießen.

13. Einwurf. Um der 12pfdigen Granate mehr Wahrfcheinlichkeit des Treffens auf den größeren Weiten zu verleihen, muß man ihr Gewicht vergrößern.

Entgegnung. Auf 900 Meter hat das 12pfdige Granatkanon mehr Granaten in die Scheibe gebracht, als der 8pfder Kugeln; auf größeren Diftancen werden die Sprengftücke die verminderte Treffähigkeit ausgleichen. Zu beachten ift, daß nach Valée, Ruty und anderen Artilleriegeneralen des Kaiferreiches die Schlachten fich auf den Entfernungen von 500 bis 900 Meter entfcheiden. Das projektirte Syftem erfüllt daher alle Bedingungen eines wirkfamen Feldgeſchützes. Seine Annahme würde keineswegs die Anstellung von Verſuchen zur Feſtſtellung der günſtigſten Eiſenſtärke der Granaten ausſchließen.

Man hat bereits die Meinung ausgeſprochen, daß die Eiſenſtärke der Granaten vermehrt werden müſſe und dieſe Anſicht auf die Verſuche gegen gelagertes Erdreich auf ſehr kurzen Weiten gegründet, ohne zu bedenken, daß die 12pfündige Granate eine größere Anfangsgeſchwindigkeit als alle anderen Geſchoſſe hat, dieſelbe aber bald einbüßt, dergeſtalt, daß ein Zerſchellen derſelben auf den gewöhnlichen Entfernungen von 500 Meter ab, nicht zu befürchten ſteht.

14. Einwurf. Man kann die Granate von 15 Centimeter aufgeben, muß aber die von 16 Centimeter beibehalten und beſondere Batterien der Reſerve dieſes Haubitzkalibers formiren.

Entgegnung. Man lieſt im Aide Mémoire: „Die Wirkung der Granaten gegen Mauerwerk iſt gleich Null zu erachten, ſie zerſchellen im Momente des Choks, oder bringen kaum merkliche Eindrücke bei keinen Ladungen hervor."

Wir beginnen unſere Entgegnung mit dieſem Citat, weil man mit Rückſicht auf den Chok die ſchweren Granaten beizubehalten wünſcht. Wenn eine beſtehende 12pfündige Batterie der Reſerve ihr ganzes Munitionsquantum zu gleichen Theilen auf den Entfernungen von 500, 600, 700, 800 und 900 Meter gegen eine Scheibe von der Größe, wie ſie bei den Verſuchen benutzt wurde, verfeuert, ſo treffen von den 296 Stück 16 Centimeter Granaten 82, während von den 744 Stück 12pfdigen Granaten des neuen Syſtems 369 treffen würden (?); man hat demnach 9 treffende 12pfdige Granaten auf 1 treffende 16 Centimeter Granate. Von den 82 Granaten von 16 Centimeter ſind nur 20 mit der großen Ladung geworfen, ſie allein haben daher nur eine bedeutende Perkuſſionskraft auf den Entfernungen von 500 bis 900 Meter; die 20 Ladungen muß man aber aus den 22 Munitionsbehältniſſen der Batterie entnehmen, ein Umſtand, der dem ununterbrochenen Feuer nicht vortheilhaft iſt.

Wir leugnen nicht, daß es Fälle geben kann, in denen die 16 Centimeter Granaten die Umfaſſungsmauer eines Gebäudes durchdringen und durch ihr Krepiren eine große Wirkung hervorbringen können. In dieſen Fällen würden die 12pfündigen Granaten ihnen nachstehen, aber diese Fälle bilden Ausnahmen und können demnach die Inferiorität des proponirten Systems nicht festtellen. Das Letztere wird in solchen Fällen seine Granaten durch die Oeffnungen treiben und wenn keine solche vorhanden, sich zuerst dergleichen durch seine 12pfündigen Kugeln bilden.

In Bezug auf den Gebrauch der Geschosse bietet das projektirte System einen anderen Vortheil dar. Man liest nämlich im Aide-Mémoire: „Beim Angriff auf ein Dorf wirft man Granaten, um es in Brand zu setzen, wenn man nur den Feind daraus vertreiben will; beabsichtigt man aber es zu besetzen oder zu passiren, so wendet man den Kugelschuß an." Im letzteren Falle sind die Haubitzen des bestehenden Systems, um nicht eine Feuersbrunst zu veranlassen, genöthigt zu schweigen, so daß nur die 4 Kanonen wirken können; bei dem vorgeschlagenen System werden die 6 Granatkanonen ohne Stokkung in Wirksamkeit bleiben.

Der Wunsch, sich von den großen Geschossen nicht zu trennen, der nicht selten bis zur Hartnäckigkeit ausartet, ist natürlich und wird durch die Geschichte der Artillerie als oft wiederkehrend gezeigt. Als Gribeauval die 8zöllige Haubitze ausschloß und die 6zöllige in die Feldartillerie einführte, sagte man, letztere sei zu kleinen Kalibers und von zu geringer Wirkung. Als er die 24pfündigen Kanonen aus der Feldartillerie verbannte, rief man ihm zu: Wie! bieten sich im Felde nicht oft Hindernisse dar, die die 24pfdige Kugel bei 12 Pfund Ladung zu durchdringen vermag, während sie Ihren 12pfdigen Geschossen bei 4 Pfund Ladung Hohn lachen. Wie können Sie sich vollständig einer solchen Hülfe entäußern?

Gribeauval, der erwiderte, daß dergleichen Fälle selten seien, und daß dieser Vortheil der 24pfder zu theuer durch andere Inkonvenienzen erkauft werden müsse, konnte in der Artillerie seine in Gewohnheit gewiegte Gegner nicht überzeugen. Vor den im Konseil versammelten Marschällen gelang es ihm, seine Meinung triumphiren zu lassen; alle Artillerien Europas haben seit dieser Zeit die großen Verbesserungen angenommen, deren Einführung ihrem Schöpfer so viel Kämpfe gekostet. — Die Adoption des neuen Systems schließt keineswegs die 16 Centimeter Haubitzen aus,*) man kann sie neben demselben so lange gebrauchen, bis die Kriegserfahrung ihr Urtheil gesprochen.

Besondere Haubitzbatterien des 16 Centimeter Kalibers zu formiren erscheint jetzt, nachdem man die Ueberzeugung gewonnen, daß dies Geschütz eine geringere Treffwahrscheinlichkeit gewährt, als man bisher geglaubt, nicht rathsam. Dasselbe ergiebt auf 500, 600, 700, 800 und 900 Meter nur ungefähr 29 Prozent Treffer, während der 8pfünder deren 40 Prozent liefert.

15. Einwurf. In dem projektirten Systeme wird eine zu große Anzahl Granaten mitgeführt.

Entgegnung. Es ist wahr, daß sich bei dem neuen System eine größere Zahl Granaten als bei den früheren befindet; dies ist ein Vortheil, da das Werfen sich wesentlich gebessert hat. Die 12pfdige Granate übertrifft zwischen 500 und 900 Meter die 8pfdige Kugel an Treffsicherheit, daraus kann man schließen, daß die 12pfdige Granate die 8pfdige Kugel, die mit ihr ziemlich dasselbe Gewicht hat, gegen Truppen vortheilhaft ersetzen kann, da sie noch eine Sprengwirkung in die Wagschaale legt. Zum Beweise der Wirksamkeit der 12pfdigen Granate citiren wir den Bericht, der ihre Annahme mit Ausschluß der Vollkugeln für die Gebirgsartillerie veranlaßt hat.

Bericht über die Gebirgsartillerie vom General Berge am 18. Juli 1826 erstattet:

„Es ist unbestreitbar, daß die 4pfündigen Kanonen eine größere Schußweite und Treffwahrscheinlichkeit als die Haubitzen haben, deshalb herrscht auch eine Meinungsverschiedenheit bezüglich der Annahme dieses Geschützes. Um die Motive der verschiedenen Meinungen zu würdigen, ist es nöthig die Dienstleistungen und Wirkungen der Feldartillerie und Gebirgsartillerie zu prüfen.

„Die Feldartillerie ist in Batterien zu 4 Kanonen und 2 Haubitzen formirt: diese Batterien sind den Divisionen der Infanterie

---

*) Dieser Ausspruch scheint darzuthun, daß man fühlt wie der eigenthümliche Gebrauch der Haubitze nicht durch den der Granatkanone ersetzt werden kann. Uns scheint das einfachste und entsprechendste System darin zu bestehen: Anstatt der bisherigen Kanone nur einen leichten (kurzen) 12pfünder, und, Beibehaltung der 5½zölligen kurzen Haubitze.   D. R.

oder Kavallerie attachirt, sie folgen ihren Bewegungen und manövriren mit ihnen auf dem Schlachtfelde. Die Kanonen befinden sich in größerer Zahl als die Haubitzen, weil sie mehr Treffwahrscheinlichkeit besitzen, weil ihre Schußweiten ausgedehnter und der Transport ihrer Munition mit weniger Beschwerden und Kosten verknüpft ist. Die Haubitzen werden benutzt, weil ihre Geschosse die Wirkung der Vollkugel mit der Sprengwirkung verbinden, weil sie auf das moralische Element der feindlichen Truppen wirken, weil sie hinter Deckungen den Feind zu treffen vermögen, und weil sie durch ihre Geschosse eine Brandwirkung leisten können.

„Die Gebirgsartillerie ist nur in administrativer Rücksicht in Batterien formirt, um die Ausführung der höheren Befehle zu erleichtern. Die verschiedenen Züge, aus denen diese Batterien bestehen sind selten vereinigt und manövriren nicht mit den Truppenabtheilungen, denen sie beigegeben sind. Diese Züge sind gewöhnlich aus zwei Geschützen zusammengesetzt. Der Erfolg der Gefechte des Gebirgskrieges hängt in der Regel von der Eroberung oder der Behauptung eines Rückens oder einer Höhe ab, die das Thal oder die anliegenden Ebenen beherrscht, auf denen die Truppen manövriren. Dies geschieht nicht in Linien oder Kolonnen, sondern in Tirailleurmassen, bei denen der Erfolg viel mehr von dem Willen und dem Eifer der Einzelnen abhängt, als in den rangirten Schlachten, in denen sich Jeder unter steter Aufsicht seiner Oberen befindet. Der moralische Einfluß der Artillerie ist daher im Gebirgskriege bedeutend größer als im rangirten Gefecht, die reelle Wirkung der Gebirgsartillerie ist daher stets geringer als die der Feldartillerie, und es muß vorzüglich dahin gestrebt werden, der Ersteren den größtmöglichsten moralischen Einfluß zu verleihen. In den meisten Fällen ist ihr Gesichtsfeld ein sehr beschränktes, die reelle Wirkung der Kugeln ist eine sehr geringe, ihre moralische Wirkung vollends gleich Null; die Art des Terrains begünstigt die Wirksamkeit der Granaten, die durch ihre Perkussionskraft und durch ihre Sprengstücke wirken; ihre reelle Wirkung ist der der Kugeln gleich, denn wenn sie bei starker Ladung auch eine geringere haben, so erlaubt ihre gekrümmte Flugbahn das Treffen von Truppen hinter Deckungen, die dem Kugelschuß unzugänglich sind; die Granaten wirken außerdem durch ihre Sprengkraft und durch den moralischen Einfluß. Die letzteren Wirkungen haben die Erfolge im Gebirgskriege hervorgebracht und sie müssen über die Formation der Gebirgsartillerie entscheiden. Zum Beleg dieser Meinung ist es nur nöthig, an die Resultate zu erinnern, die man bei der Südarmee in Spanien während der Feldzüge von 1810, 1811 und 1812 bei mehreren Gebirgsbatterien erhielt. Diese waren aus 3- und 4pfdigen Kanonen und 12pfdigen Haubitzen formirt; die Erfahrung bewies, daß die 3- und 4pfder nur geringe, die Haubitzen stets entscheidende Wirkung hervorbrachten, so daß ein Ersatz von Kanonenmunition nie, der von Haubitzmunition dagegen desto häufiger nothwendig wurde. Die Haubitzen einer Batterie entschieden die Einnahme des Forts von Marbella an der Küste des mittelländischen Meeres unweit Malaga, während die Kanonen nicht die geringste Wirkung ergaben. Die Haubitzen kämpften darauf wiederholt mit den spanischen Kanonenbooten, welche 24pfder führten, an dem Eingange des Rio Tinto in die Grafschaft Niebla, während die Kanonen zu diesem Kampfe vollständig ungeeignet waren. Meine Stellung als Chef der Artillerie der Südarmee gestattete mir diese Verhältnisse zu würdigen, deren Kenntniß mich 1823 veranlaßte, für die Gebirgsbatterie des 4. Armeekorps der Pyrenäen, bei welchem das Kommando der Artillerie mir übertragen war, nur 12pfündige Haubitzen zu fordern. Mehrere Mitglieder der Kommission haben die Forderung gestellt, daß die Gebirgsbatterien aus einer gleichen Zahl 4pfder und 12pfdige Haubitzen formirt würden und führen als Vortheil der 4pfder an, daß deren Munitionsquantum bei gleichem Gewichte die doppelte Anzahl Schüsse desjenigen der 12pfdigen Haubitze enthält. Dieser Vortheil ist unbestreitbar, man kann aber auch behaupten, daß eine 12pfdige Granate im Gebirgskriege die Wirkung von 3 bis 4 Kugeln des 4pfders aufwiegt.

„Aus diesen Gründen wird vorgeschlagen:

„Die 12pfündige Haubitze, auf dem Rücken von Maulthieren transportabel, bildet das alleinige Gebirgsgeschütz."

Die 12pfündigen Granaten, von denen in diesem Berichte die Rede, waren vom General Senarmont bei der spanischen Armee eingeführt, waren schwerer als die heutigen, ergaben weniger Sprengstücke und besaßen eine geringere Treffwahrscheinlichkeit.

16. **Einwurf.** Das projektirte System steht dem gegenwärtigen in Bezug auf die Brandwirkung nach, denn die 12pfdige Granate enthält nur einen einzigen Cylinder Geschmolzenzeug, während die Granaten von 15 und 16 Centimeter deren zwei und drei enthalten.

Entgegnung. Um diesem Einwurfe zu begegnen, wird es genügen eine Stelle aus der Verhandlung des Unterrichtskonseil der Centralschule für Militair-Pyrotechnik zu citiren. Ein Artillerieoffizier dieser Schule hatte den Wegfall des Geschmolzenzeugs aus den Granaten vorgeschlagen, da die Explosion dieses Ernstfeuer nicht entzündet, und man während der Kriege der Revolutionszeit und des Kaiserreichs keinen Gebrauch von demselben gemacht. Das Konseil berieth diese Angelegenheit am 16. Dezember 1850 und sprach seine Meinung folgendermaßen aus:

„Wenn das Hohlgeschoß zuweilen eine Brandwirkung äußert, so kann dies nicht dem Geschmolzenzeug zugeschrieben werden, das nebenbei die Explosionswirkung des Projektils schwächt.

„Das Konseil ist daher der Meinung, daß das Geschmolzenzeug aus den Hohlgeschossen fortbleiben müsse, und daß man niemals gleichzeitig eine Spreng- und Brandwirkung durch Hohlgeschosse zu erreichen im Stande sein wird."

17. **Einwurf.** Die russischen Einhörner sind der französischen Artillerie niemals gefährlich gewesen.

Entgegnung. Die 12pfdige Granate, die aus dem russischen Einhorn mit 0,82 Kilogramme Ladung gefeuert wird, wiegt 3,88 Kilogramme, ist deshalb leichter als die projektirte und wird nur mit einer Ladung von ⅓ des Geschoßgewichts verwendet. Sie hat daher bedeutend weniger Treffwahrscheinlichkeit und auch weniger Sprengstücke. Während der Kriege des Kaiserreichs krepirte sie nur am Ende ihrer Bahn und wurde vielleicht mit einer geringeren Ladung als der heutigen gefeuert.

Das projektirte System, das nur eine Ladung gebraucht, wird das rechtzeitige Sprengen des Projektils begünstigen. Ein Zünder, der für die kleine Ladung günstig, ist es nicht für die große und entgegengesetzt. In Zukunft wird man die Zünder nach den Entfernungen regeln müssen; die Versuche mit Shrapnels haben die Möglichzeit der Ausführung dargethan. Die Einfachheit des neuen Systems, das nur eine Granate und eine Ladung hat, wird die Lösung der Frage erleichtern.

18. **Einwurf.** Die gegenwärtigen Reservebatterien sind fähig, eine bedeutend größere Wirkung hervorzubringen, als die projektirten, da sie mehr Kugelschüsse mitführen.

Entgegnung. Eine jetzige 12pfdige Batterie hat 861 Kugelschuß und trifft davon mit 399 die Scheibe auf den 5 Entfernungen, die bei den Versuchen benutzt worden. Die Reservebatterie des projektirten Systems hat 744 Kugeln und ergiebt 359 Treffer, d. h. 40 weniger. Dieser Unterschied wird nicht fühlbar werden, wenn man die ganze Munitionsausrüstung verfeuert, da die Granaten vortheilhafter gegen Truppen wirken. Sollen Mauern eingeschossen werden, so hat die Reservebatterie des projektirten Systems einen Nachtheil gegen die des alten, der aber durch die anderen Vortheile mehr als kompensirt werden dürfte.

19. **Einwurf.** Man muß die bestehenden Haubitzen dergestalt modifiziren, daß man sie nur mit der starken Ladung verwenden kann, dann werden sie mit den Granatkanonen auf den kurzen Distancen rivalisiren können und sie wahrscheinlich auf den weiteren übertreffen.

Entgegnung. Damit die Haubitzen von 15 und 16 Centimeter nur die starke Ladung gebrauchen können, müssen sie bedeutend schwerer in ihren Laffeten werden; dies ist nicht zulässig.

20. **Einwurf.** Man muß die Vortheile, die die Reduktion der Ladung auf ¼ Kugelschwere im Gefolge hat, für die 8pfündigen Kanonen nutzbar machen, die Röhre derselben erleichtern, die Zahl der 12pfündigen Batterien vermehren und die bestehenden Haubitzen beibehalten.

Entgegnung. Dann müßte man eine Laffete für den erleichterten 8pfder konstruiren, und würde dann 3 Laffeten und 4 Geschütze haben, wodurch die Artillerie komplizirter würde. Die Haubitze von 16 Centimeter, die ein größeres Gewicht als die anderen Geschütze und eine besondere Laffete hat, könnte mit denselben nicht in eine Batterie treten. Die 12pfündige Kanone und die Haubitze von 15 Centimeter würden zusammen gehören; die erleichterten 8pfünder müßten ohne Haubitzen in Batterien formirt werden, wenn ihre Be-

weglichkeit nicht durch die schwereren Haubitzen Fesseln angelegt erhalten soll.

21. **Einwurf.** Die Munitionswagen können die 28 Wurf per
Kasten, die für das projektirte System normirt sind, nicht auf-
nehmen.

Entgegnung. Der Oberst-Lieutenant Albiat hat einen Ver-
packungsmodus für die 28 Wurf gefunden; derselbe hat sich, da ein
Theil der Kartuschen horizontal gelegt worden, bei den Transport-
versuchen nicht vollkommen bewährt. Dies beweiset, daß der Raum
für die 27 Wurf, auf die die Zahl reduzirt worden, nicht mangelt,
man würde die Verpackung ohne Schwierigkeit ausführen können,
wenn man die Ladung von dem Geschosse trennte, wie es für die
Granaten von 15 und 16 Centimeter geschieht. Selbst wenn man in
die Kasten nur 23 oder 24 Wurf placirte, so würde das projektirte
System immer noch den Vortheil der größeren Trefferzahl vor dem
bestehenden behalten.

22. **Einwurf.** Die Annahme des neuen Systems würde den
Verlust eines Theiles des jetzigen Materials, der einen bedeutenden
Werth besitzt, bedingen.

Entgegnung. Um diesen Einwurf nicht zu schwächen, wollen
wir zunächst die Worte anführen, in die er gekleidet ist:

„Der Wechsel eines Artilleriesystems ist ein ernster Gegenstand
wegen der bedeutenden Kosten, die er veranlaßt und der Komplikation,
die während längerer Zeit in der Ausrüstung durch ihn hervorgerufen
wird. Die Inkonvenienzen, die sich aus dem gleichzeitigen Bestehen
des alten und neuen Modells ergeben, bestehen so lange, bis das alte
System vollständig verschwunden ist. Sie sind ohne Zweifel bei dem
projektirten System geringer, als bei einem vollkommen verschiedenen,
da das erstere die 8pfdigen Laffeten, die Protzen, die 12pfdigen Kugeln
und Granaten beibehält; es beseitigt aber dennoch die 5600 Feldgeschütze, die Frankreich zur Zeit zählt, 700 - 12pfdige Laffeten, 1453000
8pfdige Kugeln und 952000 Granaten von 16 und 15 Centimeter.
Nach einer langen Reihe von Jahren würde man daher erst zu einem
einfachen Material gelangen können.‟

Glücklicher Weise verlangt die Realisation des projektirten Systems weder so viel Zeit noch so viele Opfer.

Um die große Einfachheit und die anderen Vortheile des neuen Systems zu gewinnen, ist es freilich erforderlich, daß das neue Geschütz allein in die Feldartillerie trete, aber 5600 Geschütze sind hierzu nicht bestimmt, die Mehrzahl derselben gehört zur Bewaffnung der Festungen, wo man sie ohne Inkonvenienzen beibehalten kann. Gegenwärtig zählt man 1800 Geschütze, die die doppelte Ausrüstung der Feldartillerie bilden, die übrigen 3800 Geschütze gehören den Festungen an. Man kann sie, so wie die 8pfdigen Kugeln und Granaten, von 15 und 16 Centimeter denselben lassen.

Man findet im Aide-Mémoire bezüglich der Ausrüstung der Festungen: „Die 12- und 8pfündigen Festungsgeschütze können leicht durch die 12- und 8pfündigen Feldgeschütze ersetzt werden. Die 16-, 12- und 8pfdigen Kanonen werden in gewissem Verhältniß ohne Nachtheil durch Haubitzen von 22, 16 und 15 Centimeter vertreten. Die Haubitzen dürfen nicht durch Kanonen ersetzt werden."

Man kann daher die Haubitzen von 16 Centimeter, die die 12pfündigen Laffeten benutzen, so wie die von 15 Centimeter und die 8pfdigen Kanonen für die Festungen bestimmen, und muß 900 - 12pfündige und 900 - 8pfdige Kanonen einschmelzen, um die 1800 Granatkanonen zur doppelten Ausrüstung der Feldartillerie zu erhalten. Man müßte die 8pfdigen Kugeln den Festungen überweisen und aus diesen so viel 12pfdige Kugeln entnehmen, als für die neuen Batterien erforderlich. Die Granaten von 15 und 16 Centimeter können in den Festungen als Rollbomben benutzt werden, die 15 Centimeter Granate auch zum Werfen aus dem Mörser dieses Kalibers. Zur Kompletirung der Ausrüstung wäre nur die Zahl der 12pfdigen Granaten zu vermehren.

Ein Jahr wäre für die drei Gießereien genügend, um die 1800 Granatkanonen zu fabriziren. Da die Bronze vorhanden, so wäre nur die Arbeit zu bezahlen, die 300 Franken aufs Geschütz gerechnet, 540000 Franken Kosten verursachen würde. Hierzu 90000 Franken für den Transport, 775000 Franken zum Ankauf neuen Metalls, der Preis der erforderlichen 12pfündigen Granaten und 8pfdigen Laffeten zugeschlagen, würde die Ausgabe im Ganzen auf 2 Millionen stellen.

In einem Jahre ließe sich daher mit 2 Millionen Francs das projektirte System in Frankreich einführen.

Zum Schluß müssen wir noch die Shrapnels berühren. Die Engländer, Oesterreicher, Preußen und Russen haben diese Geschosse in ihrer Ausrüstung. In Frankreich haben alle Kommissionen die großen Vortheile dieses Geschosses hervorgehoben und seine Einführung empfohlen. Dies wird unbedingt geschehen, aber die Shrapnels können aus den bestehenden Haubitzen nicht gefeuert werden, da dies nur bei den starken Ladungen möglich und diese die Laffeten zu sehr benachtheiligen, selbst wenn sie einen verstärkten Block erhalten haben. Das projektirte System bietet dagegen für die Anwendung der Shrapnels große Vortheile dar.

Kein System wird, wenn es auch noch so große Verbesserungen herbeiführt, frei von Fehlern und Mängeln sein; in dem projektirten erblicken wir außer einigen keinen und noch zweifelhaften Inkonvenienzen große und entscheidende Vortheile für den Feldkrieg, eine ungemeine Vereinfachung des Materials und der Ausrüstung, eine vermehrte Wahrscheinlichkeit des Treffens und Perkussionskraft, eine Begünstigung der Dauer der Laffeten.

VIII.

Betrachtungen über die Offensivität des Pulvers neuerer Fabrikation.

Es kommen in neuerer Zeit nicht selten Fälle vor, daß Geschütz=
röhre nach einer geringen Zahl von Schüssen unbrauchbar oder doch
sehr beschädigt werden. Wenn gegenwärtig auch in allen Armeen bei
den Friedensübungen viel mehr geschossen wird als früher, und wenn
gegenwärtig die Fälle, in denen Geschützröhre in auffallender Weise
unbrauchbar geworden, auch leichter und schneller zur allgemeinen
Kenntniß gelangen als früher, so ist die beregte Thatsache doch nicht
in Zweifel zu ziehen und die Erforschung der Ursachen dieser Erschei=
nung von großem Interesse.

Man erblickt die Veranlassung zu diesem frühzeitigen Unbrauch=
barwerden der Geschützröhre eines Theils in der gegenwärtigen Be=
schaffenheit und Einrichtung der Geschützröhre, andern Theils in der
Beschaffenheit des Pulvers neuerer Fabrikation.

Was die Geschützröhre betrifft, so liegen für die Annahme, daß
die Kunst des Geschützgießens Rückschritte gemacht habe, keine ande=
ren Thatsachen vor, als eben die geringe Dauer einzelner Röhre bei
Anwendung von Pulver neuerer Fabrikation, und diese Annahme er=
scheint um so weniger begründet, als dieselben Erscheinungen fast in
allen größeren Artillerieen vorkommen, also auch in allen diesen jetzt
weniger haltbare Geschütze als früher gegossen werden müßten. Es
spricht gegen diese Annahme aber auch noch die Erfahrung, daß un=
ter denselben Umständen gefertigte Geschützröhre bei Anwendung von
Pulver älterer Fabrikation genügende Dauer zeigen.

In den meisten Artillerieen hat man in neuerer Zeit das Gewicht der Geschützröhre, aber nicht ihre Seelenlänge, herabgesetzt und den Spielraum vermindert, während man sich häufig der Shrapnels bedient, also eines weit schwereren Geschosses als früher. Daß bei diesen Einrichtungen die Pulverladung viel heftiger auf die Röhre einwirkt und diese eine um so geringere Dauer haben müssen, wenn gleichzeitig die Metallstärken vermindert sind, liegt in der Natur der Sache; daß diesen Verhältnissen aber in dieser Beziehung kein überwiegender Einfluß beigemessen werden darf, geht daraus hervor, daß eben solche Geschützröhre, unter denselben Umständen gebraucht, bei Anwendung von Pulver älterer Fabrikation nicht unbrauchbar wurden. Wenn daher die wesentlichste Ursache der geringen Dauer der Geschützröhre in der Beschaffenheit des Pulvers gesucht werden muß, so ist doch nicht in Abrede zu stellen, daß ein Pulver, welches sich bei den jetzigen Geschützröhren schon offensiv zeigt, die älteren Röhre unbeschädigt gelassen, oder doch erst nach einer größeren Zahl von Schüssen nachtheilig auf dieselben eingewirkt haben würde.*)

Bei jedem Schusse äußert das Pulvergas das Bestreben, das Geschützrohr zu zersprengen und diese Einwirkung auf das letztere wird um so größer sein, je kräftiger das Pulver auf das Geschoß wirkt, d. h. je größere Schuß- und Wurfweiten dasselbe ergiebt. Nun hat man aber in neuerer Zeit im Allgemeinen die Ladungen für die Feuerwaffen herabgesetzt, ohne von der Wirkung derselben etwas Wesentliches zu opfern; das zu diesen Ladungen verwendete Pulver muß daher überhaupt kräftiger wirken, eben deshalb aber auch die Geschützröhre mehr angreifen, wobei selbst der kleinere Raum, den die schwächere Pulverladung im Rohre einnimmt, nicht ohne Einfluß ist. In welchem Maaße das heutige Pulver kräftiger wirkt, als das Pulver älterer Fabrikation, möge folgendes Beispiel zeigen:

Beim 10pfdigen Mörser bei 45 Grad Erhöhung wird die Ladung für die Wurfweite von 600 Schritt angegeben

---

*) Mit Rücksicht auf die eben angedeuteten Verhältnisse ist anzunehmen, daß man mit den Anforderungen an die bronzenen Geschützröhre jetzt nahe an die Gränze ihrer möglichen Haltbarkeit gelangt ist.

D. R.

in den Wurftafeln vor dem Erscheinen des Leitfadens von 1818
zu 20 Loth F. P.

in dem Leitfaden von 1818 zu 11 Loth F. P.

jetzt beträgt dieselbe 10½ Loth Geschützpulver, während 10 Loth Gewehrpulver gegenwärtiger Fabrikation eine mittlere Wurfweite von
650 Schritt ergeben. Man erreicht daher mit 10 Loth Gewehrpulver jetziger Fabrikation größere Wurfweiten, als früher mit 20 Loth
F. P. älterer Fabrikation, wobei zu erwähnen, daß das Gewicht der
Geschosse unverändert geblieben ist, und daß die Verkleinerung des
Spielraums um ein Paar Hunderttheile eines Zolls eine so be-
trächtliche Steigerung der Pulverwirkung hervorzubringen nicht im
Stande ist.

Die Wirkung des Pulvers — vorausgesetzt, daß dasselbe aus den
gewöhnlichen Bestandtheilen: Salpeter, Schwefel und Kohle gefertigt ist — wird unter sonst gleichen Umständen um so größer ausfallen, wenn bei seiner Zersetzung entweder in demselben Zeitraume
eine größere Quantität Pulvergas erzeugt, oder wenn dieses Pulvergas in einem kürzeren Zeitraume entwickelt wird, also eine größere
Spannung hat; wirken beide Umstände zusammen, so ist selbstredend
die Kraftäußerung des Pulvers um so größer. Eine größere Quantität Pulvergas kann bei der Zersetzung des Pulvers dadurch erzeugt
werden, daß man zur Fertigung desselben nur Salpeter und Schwefel von möglichster Reinheit verwendet, daß man ein der chemischen
Zusammensetzung der Kohle entsprechendes Satzverhältniß annimmt,
daß man endlich die Bestandtheile vor ihrer weiteren Verarbeitung
sorgfältig kleint und dann recht innig vermengt. Ein derartig ge-
fertigtes Pulver wirkt nicht nur kräftiger, sondern auch gleichmäßiger
und zieht weniger Feuchtigkeit an, Vorzüge, die das neuere Fabrikationsverfahren im Vergleiche gegen das ältere charakterisiren, und die
man unter keinen Umständen opfern darf.

Je schneller das Pulver zersetzt wird; desto mehr Gas erzeugt
dasselbe in demselben Zeitraume und desto größer ist zugleich die Gasspannung. Die Schnelligkeit der Zersetzung des Pulvers wird gefördert am stärksten durch die Anwendung wasserstoffhaltigerer, sehr
entzündlicher Kohle, die man gewinnt, wenn man die Verkohlung des
Holzes so frühzeitig einstellt, daß die Farbe der Kohle schwarzbraun

erſcheint. Pulver mit derartiger Kohle gefertigt ergab bei allen Verſuchen die größten Wurfweiten und Kugelgeſchwindigkeiten, griff aber
auch die Geſchützröhre am ſtärkſten an und es dürfte ſich, wenn alle
Data vorhanden wären, nachweiſen laſſen, daß wenigſtens in den al-
lermeiſten Fällen, in denen Geſchützröhre nach wenigem Schießen unbrauchbar wurden, Pulver mit derartiger Kohle verwendet worden iſt.
Demnächſt wird bei gleichem Pulverſatze und ſonſt gleicher Bearbeitung deſſelben die Schnelligkeit der Zerſetzung des Pulvers mehr oder
weniger gefördert durch die Lockerheit der einzelnen Körner, durch die
Geſtalt und Größe derſelben, durch die Gleichmäßigkeit der Körner-
größe endlich durch weniger vollkommene oder gänzlich unterbleibende
Politur.

Unterſucht man nun, inwiefern die vorſtehend aufgeführten Eigenſchaften des Pulvers, durch welche die Wirkung deſſelben ſowohl
auf die Geſchoſſe, als auf die Geſchütze geſteigert wird, eine nothwendige Folge des neueren Fabrikationsverfahrens ſind, ob alſo durch
dieſes Verfahren nur offenſiv wirkendes Pulver hergeſtellt werden
kann, ſo ergiebt ſich:

a) Die Verarbeitung möglichſt reinen Salpeters und Schwefels,
das der chemiſchen Zuſammenſetzung der Kohle entſprechende Satzverhältniß, ſo wie das innigere Kleinen und Mengen der Beſtand-
theile wird man, wie erwähnt, nicht aufgeben dürfen, wenn man nicht
abſichtlich Pulver produziren will, das nicht nur weniger wirkſam,
ſondern überhaupt ſchlechter iſt.

b) Von der Benutzung der braunen Kohle, wenigſtens für die
Bereitung des Kriegspulvers, iſt man überall zurückgekommen, und
dadurch iſt die Haupturſache der geſchützerſtörenden Wirkung des
Pulvers beſeitigt. Die neueren Verkohlungsmethoden gewähren dagegen den Vortheil, daß man Kohle nicht nur von beliebiger Verkoh-
lungsſtufe zu produziren vermag, ſondern überhaupt ein gleichmäßigeres Produkt gewinnt.

c) Das neuere Fabrikationsverfahren gewährt alle Mittel um
Pulver darzuſtellen, deſſen Zerſetzung durch die Dichtigkeit der Körner, Größe und Geſtalt derſelben, ſo wie durch ihre Politur, ſehr
beträchtlich verlangſamt werden kann, ſo daß man ſelbſt den E
der ſub a. aufgeführten Verhältniſſe auf die größere Wirk

Pulvers dadurch vollständig aufzuheben vermag. Mit einem Worte:
Man kann ohne alle Schwierigkeiten auch vermittelst des neueren
Fabrikationsverfahrens Pulver fertigen, welches nicht kräftiger wirkt
als das frühere Pulver, also auch die Geschützröhre so wenig wie dieses angreifen wird. Es liegt aber in der Natur der Sache, daß man
alsdann auch auf die Herabsetzung der Ladungen verzichten muß; eine
solche Maßregel wird jedoch erst dann gerechtfertigt sein, wenn sich
nachweisen läßt, daß Geschützröhre bei Anwendung von Pulver neuerer Fabrikation, welches unzweifelhaft nicht mit Kohle von niedriger
Verkohlungsstufe gefertigt ist, frühzeitig unbrauchbar geworden sind.
Vorläufig ist zu bezweifeln, daß solche Fälle vorkommen werden, wenn
es auch unvermeidlich ist, daß dasselbe Geschützrohr bei Anwendung
von Pulver, welches in keinen Ladungen dieselben Schuß und Wurf=
weiten ergiebt, wie ein anderes Pulver bei stärkeren Ladungen, unter
sonst gleichen Umständen im Ganzen weniger Schüsse aushalten wird,
als bei Anwendung des letztgedachten Pulvers, deshalb ist jenes Pulver aber noch nicht offensiv zu nennen und noch weniger der Schluß
gerechtfertigt, daß das neuere Fabrikationsverfahren nur offensives
Pulver zu liefern vermag.

IX.

Nachricht über eine neue Ingenieur-Zeitschrift.

Schweden besaß bis vor Kurzem nur zwei militairische Zeitschriften:
die Kongl. Krigs Vetenskaps Akademiens Handlingar och
Tidskrift und
die Tidskrift i Sjöväsendet;
zu ihnen hat sich im Jahre 1850 eine neue unter dem Titel:
Tidskrift för svenska Ingeniörer
gesellt. Dieselbe erscheint jährlich in zwei Heften, jedes ungefähr vier
Bogen stark, zu dem Subscriptionspreise von 1 Thaler 16 Schilling
Banco für den Jahrgang, und wird von zwei rühmlichst bekannten
schwedischen Ingenieur-Offizieren, dem Hauptmann Freiherrn von
Klinckowström und dem Lieutenant Leijonancker redigirt. Der
Zweck derselben ist, Bericht über den Fortschritt der Ingenieurwissen-
schaften im eigenen wie im Auslande zu erstatten, Nachrichten über
alle Gegenstände, die den Ingenieur-Offizier interessiren, vorzulegen
und schließlich die schwedischen offiziellen Befehle, Verfügungen bezüglich des Ingenieurwesens mitzutheilen.

Die in den beiden ersten Heften enthaltenen Aufsätze sind die
folgenden:

1) König Karls XI. Erwägungen über die Reichsfestungen während seiner Reise im Jahre 1673, auf des Königs Befehl von dem Fortifikationsdirektor Stael von Holstein
bearbeitet. Aus dem deutschen Manuscript des Fortifikationsarchivs

vom Hauptmann von Klinckowström übersetzt. Der König besuchte die südlichen mehr oder weniger befestigten Orte, wie Wenersborg, Bohus, Marstrand, Neu-Elfsborg, Warberg, Halmstadt, Laholm, Helsingborg, Landskrona, Malmö, Christianstadt, Christianopel, Carlshafen, Kalmar, untersuchte ihre strategische und politische Lage, die Anlage der Werke, ihre gegenseitige und absolute Stärke und kommt zu dem Schlusse, daß sie alle mit Ausnahme von Carlshafen und Wenersborg als Festungen beizubehalten seien. Der Aufsatz ist merkwürdig und zeigt das schon gereifte Urtheil des kaum 17jährigen Königs, des Königs, von dem man fälschlicher Weise behauptet, daß die aristokratische Partei ihn absichtlich im Zustande der Unwissenheit zu erhalten gesucht habe. In einigen von Stael von Holstein dem Memoire beigefügten eigenen Gedanken findet man unter anderen den Ausspruch: „Die Festungen haben in sich selbst kein Vertheidigungsvermögen; verständige Kommandanten und tapfere Soldaten sind die Seele und starke Festungen die Körper; es geht Alles gut, wenn mens sana in corpore sano vorhanden."

2) Hollands neuere Befestigungsanlagen. Aufzeichnungen während einer Reise vom Lieutenant Leijonancker. Dies ist ein genauer Bericht über die merkwürdige und großartige Befestigung, welche Holland in Vereinigung mit einer Ueberschwemmung vom Zuyder-See bis zur Waal, von Muiden über Utrecht nach Gorkum anlegt, um den dahinter liegenden kleinen aber reichen Landestheil abzusondern. Die Abhandlung ist von Zeichnungen eines Thurmes und einiger anderen Befestigungen begleitet.

3) Statistische Angaben über die deutschen Ingenieur- und Genietruppen. Vom Hauptmann v. Klinckowström. Eine ausführliche Darlegung der genannten Verhältnisse in Oesterreich, Preußen und Bayern; am vollständigsten für Preußen.

4) Ueber Mörtelbereitung und die schwedischen Kalksorten. Eine gründliche Abhandlung über diesen Gegenstand.

5) Relation über alle Reichsfestungen und über Schwedens und der anliegenden Provinzen Vertheidigung vom Feldmarschall Grafen Dahlberg vom Jahre 1698. Aus dem Fortifikationsarchiv entnommen. Als Zweck der Relation giebt Dahlberg selbst an, dem jungen Könige Carl XII. die

Arbeiten an den Festungen vorzuführen, die seit dem schlechten Zustande, in dem sie sich bei dem Regierungsantritte seines Vaters befanden, an ihnen ausgeführt worden und noch auszuführen bleiben. Die besprochenen Orte sind die folgenden:

Stockholm, dessen Annäherungen in Vertheidigungszustand gesetzt sind, daneben

Waxholm, das in einem „miserabeln Zustande",

die Dalarö-Schanze gleich stark wie die Näs- und Hörningholms-Schanze,

die Befestigung von Johannisberg am Ausfluß der Motala nebst den erbauten Scherenschanzen,

Kalmar, das bald in vollkommenem Zustande,

Grimskär, am Eingange des Kalmar-Sundes, das noch zu befestigen,

Bockhalms-Schloß ist zu repariren,

Slitshafen ist zu befestigen,

Carlskrona

Kongshelm,   } sind vollendet,

Drottningstäe

Carlshafen ist mit einem Thurme zu versehen,

Ystadt bekommt ein befestigtes Werk,

Christianstadt wird neu gebauet,

Malmö ist vollendet,

Landskrone ist in gutem Zustande,

für Halmstadt und Warberg wird keine Verbesserung vorgeschlagen,

Göthaborg muß vervollkommnet werden, so daß es keiner schwedischen Festung nachsteht und fähig wird „den großen Puissancen" Widerstand zu leisten,

Bohus wird in Stand gesetzt,

Furuholm, zwischen Göthaborg und Bahus, wird befestigt,

das neubefestigte Marstrand ist beendet,

Svinesund ist mit einer Festung zu schließen,

die Edaschanze wird mit einem Thurme versehen,

auf Uddevalla ist besonderes Augenmerk zu richten,

auf Aland ist ein Hafen auszuwählen und mit einem Fort zu versehen,

die Dal- und Jemtschanzen ¶   Wichtigkeit.

Außerdem werden nicht weniger als 45 befestigte Orte von Finnland, Liefland, Kurland und Pommern genau besprochen. Unter ihnen befindet sich auch Neuschanz, welches „wegen seiner vortheilhaften Lage den Appetit der Russen, an der Ostsee festen Fuß zu fassen, reizt und deßhalb besondere Beachtung verdient.“

So übertrieben auch Dahlbergs Befestigungsvorschläge nach dem heutigen Standpunkte der Kriegführung sind, so waren sie doch zeitgemäß und konnten kaum verworfen werden, denn zu seiner Zeit, in den Kinderjahren der Strategie, that jede „formidabele Puissance“ jeder kleinen Festung die Ehre an, sich mit ihrer Eroberung aufzuhalten, es war daher ganz sachgemäß, daß man jeden Ort, vor dem der Feind erscheinen konnte, mit einer bastionirten Umwallung versah. Da Schweden nun statt der 25 Festungen Dahlbergs nur vier: Carlsborg, Marstrand, Wagholm und Carlskrona besitzt, so hat es den veränderten Zeitverhältnissen bedeutend Rechnung getragen.

6) Ansichten über die Baukunst und deren Geschichte. Von Hübsch, aus dem Deutschen übersetzt.

7) Die Befestigungen von Comorn. Nach Aufzeichnungen an Ort und Stelle vom Hauptmann v. Klinckowström. Eine ausführliche und klare Beschreibung dieses ungarischen Waffenplatzes, der aus einer Citadelle, den Palatinatlinien und sieben größeren selbstständigen Werken besteht. Der Beschreibung folgen Angaben über die in Anwendung gebrachte Arbeitsmethode.

8) Einige Aufschlüsse über Schwedens jetzige Vertheidigungswerke. Vom Hauptmann von Klinckowström. Nach einem kursorischen Blicke auf die Ansichten früherer Zeiten über Festungen, kommt der Verfasser zu den veränderten Ideen, die nach dem Frieden von 1815 durch Befken in Schweden zur Geltung gebracht wurden und bespricht das 1819 niedergesetzte Komité. Der Aufsatz bricht hier ab und wird in einem späteren Hefte fortgesetzt werden.

Wir hoffen durch diese Notizen den deutschen Ingenieur-Offizier zur spezielleren Bekanntschaft mit der schwedischen Ingenieur-Zeitschrift angeregt zu haben, und werden vielleicht in Zukunft hin und wieder geeignete Aufsätze derselben in deutscher Bearbeitung an diesem Orte mittheilen.

X.

Elektro-magnetische Apparate zu artilleristischen Versuchen.

Der Kapitain Navez der belgischen Artillerie, der sich seit einer Reihe von Jahren mit der Benutzung des Elektromagnetismus zu chronometrischen Apparaten für ballistische Versuche beschäftigt, hat mehrere Instrumente in dieser Rücksicht erdacht und scheint dazu gelangt zu sein, eines zu konstruiren, das eine genügende Genauigkeit mit vortheilhafter Oekonomie verbindet. Bisher ist eine offizielle Veröffentlichung dieser Bestrebungen nicht erfolgt, der Kapitain Martin des Brettes des 3. französischen Artillerie-Regiments hat sich aber Mittheilungen darüber zu verschaffen gewußt und theilt diese im Moniteur de l'armée vom 26. Januar 1852 mit. Wir glauben bei dem Interesse, das der Gegenstand zu beanspruchen berechtigt ist, keine unwillkommene Arbeit zu unternehmen, wenn wir diese Angaben dem Archive einverleiben.

Erster Apparat.

Kapitain Navez versuchte zuerst den Elektromagnetismus zur Vervollkommung des von dem Eskadronschef Booz der französischen Artillerie angegebenen ballistischen Apparats zu verwenden. Dieser gründet sich auf die Bekanntschaft mit der Zeit, den ein freifallender Körper, während das Projektil einen bestimmten Raum durchfliegt, gebraucht. Er besteht aus einer auf einer gewissen Entfernung von dem Geschütz errichteten Scheibe und aus einer andern aus Holz oder

Leinewand gespannter Scheibe, die zwischen der ersten und dem Geschütz durch einen Strick, der die Mündung des Rohres berührt, schwebend erhalten wird. Beim Schießen zerreißt die die Mündung verlassende Kugel den Strick, die Scheibe wird frei, fällt zur Erde, wird von dem Geschoß getroffen, das dann außerdem die feste Scheibe durchbohrt.

Aus der Höhen der beiden Scheiben kann man die Höhe bestimmen, auf die die bewegliche Scheibe herabgefallen ist, während das Geschoß den Raum vom Geschütz bis zu ihr zurücklegte. Aus dieser Höhe H ergiebt die Formel für den Fall der Körper die Zeit T für den Fall der beweglichen Scheibe, und folglich für den Flug E des Geschosses von der Mündung bis zur Scheibe. Bei der kurzen Distanz läßt sich die Geschwindigkeit als eine gleichförmige betrachten, man erhält demnach die Anfangsgeschwindigkeit $V = \frac{E}{T}$.

Dieser ungemein einfache Apparat hat Inkonvenienzen gezeigt, so daß er in Frankreich entschieden verworfen worden ist. In Belgien ist er bei zahlreichen Versuchen mit Handfeuerwaffen verschiedenen Modells verwendet, Lieutenant Kavéz ist dadurch angeregt worden, den Elektromagnetismus bei ihm zu benutzen.

Er suchte nach einem Mittel, den die bewegliche Scheibe haltenden Strick zu ersetzen oder wenigstens die Wirkung der Trägheit auf den Fall zu neutralisiren. Zu diesem Zwecke versuchte er, die bewegliche Scheibe durch einen Elektromagneten halten zu lassen, der vor dem Schusse magnetisch gemacht, aufhörte es zu sein, sobald die Kugel die Mündung verlassen und daher die Scheibe dem Falle freigab.

Die zur Erreichung dieses Resultats erforderliche Anordnung war sehr einfach; es genügte den oberen Theil der beweglichen Scheibe mit Eisen zu versehen, das von dem Elektromagneten gehalten wurde und den Leitungsdraht an der Mündung vorbeizuführen. Dann mußte das die Mündung verlassende Geschoß den Draht zerreißen, der elektrische Strom wurde unterbrochen, der Magnet verlor seine Kraft, die Scheibe fiel, wurde durchbohrt und die Kugel setzte ihren Flug fort. Man erhielt auf diese Weise den Werth der Anfangsgeschwindigkeit in größerer Genauigkeit als bei dem ursprünglichen Apparate, da der

Werth H durch die Widerstandsfähigkeit des Strickes keine Modifikation erlitt.

Die Hoffnungen realisirten sich bei den Versuchen nicht vollständig, sei es in Folge der Mangelhaftigkeit des Apparats, sei es, weil die Feinheit der elektrischen Materie nicht mit den angewandten materiellen Anordnungen im Einklange war.

Zweiter Apparat.

Kapitain Navez versuchte darauf dasselbe Princip anzuwenden, aber statt einen Körper frei fallen zu lassen, ließ er denselben eine schiefe Ebene hinabgleiten.

Hierdurch wird das Gesetz des Falles der Körper nicht geändert und die Formel für die Bewegung bleibt dieselbe; nur G, welches die Intensität der Schwere darstellt, muß durch das Verhältniß der Höhe zur Länge der schiefen Ebene vermehrt werden.

Der von Navez erdachte Apparat bestand aus zwei parallelen auf einer schiefen Ebene angebrachten Schienen; einem Wagen mit metallenen Rädern, der auf der kleinen Eisenbahn vermöge seiner Schwere in Bewegung gesetzt wird, einer Bremse am Wagen, um die Bewegung aufzuhalten, wenn ein auf dem Wagen befindlicher Elektromagnet seine Wirksamkeit verliert und endlich einem zweiten Elektromagnete am oberen Theile der schiefen Ebene, der den Wagen hält, während der elektrische Strom thätig und ihn in Bewegung kommen läßt, sobald derselbe unterbrochen wird.

Der Strom des von dem Wagen getragenen Elektromagnets ging durch die Räder und Schienen nach den Polen der Säule.

Bei dieser Anordnung wurde der Wagen, wenn die Säulen wirksam, am oberen Ende der schiefen Ebene gehalten, während die Bremse durch den anderen Elektromagneten außer Thätigkeit blieb. Wurde der erste elektrische Strom unterbrochen, so glitt der Wagen in Folge seiner Schwere auf der schiefen Ebene herab, bis der Strom des Elektromagneten unterbrochen wurde, denn dann wirkte die Bremse sogleich auf die Räder und hinderte die weitere Bewegung.

Die Anwendung dieses Verfahrens zur Bestimmung der Geschwindigkeit der Geschosse ergiebt sich leicht.

Nach den erhaltenen Mittheilungen ist der Haupttheil des Apparats ein Pendel, der einen Bogen von ungefähr 150 Graden beschreibt. Die Zeit wird durch einen in Grade getheilten Limbus gemessen, der eine Genauigkeit bis zu ⅛ Grad ergiebt.

Mittelst einer nicht bekannten Einrichtung wird die Zeit zwischen der Unterbrechung zweier Ströme durch den Bogen nach dem Willen des Experimentators gemessen. Die von dem Pendel erlangte Geschwindigkeit ist in dem Momente, in dem der Zeiger ihn anhalten muß, ohne Inkonvenienzen, da dieser Zeiger unabhängig von dem schwingenden Körper ist; der Zeiger läßt sich auf jedem Punkte des Limbus feststellen, da der Apparat kein gezahntes Rad verwendet und überhaupt nur solche Mittel benutzt, die der Feinheit des magnetischen Fluidums nicht hinderlich sind.

Die Kräftigkeit des elektrischen Stromes ist ohne Einfluß auf die Resultate; alle Irrthümer, die sich auf die Zeit zwischen den Unterbrechungen der Ströme, die durch das Geschoß beim Austritt aus dem Rohre und dem Einschlagen in die Scheibe stattfinden, beziehen, sind neutralisirt.

Der Apparat ist in einem Kasten von ungefähr 25 Centimeter Seitenlänge eingeschlossen; der Erfinder gebraucht die Säulen von G r o w e, die er denen von B u n s e n vorzieht.

Kurz, der Apparat ist einfach und leicht bei Schießversuchen zu handhaben, dabei hat er keinen bedeutenden Preis, nämlich 400 Francs.

Anmerkung. Es ist gewiß höchst interessant, lehrreich und nützlich, Mittel aufzusuchen, durch welche man recht scharfe Messungen der Kugelgeschwindigkeiten auszuführen im Stande ist, und unter diesen wird der Elektromagnetismus immer ein sehr brauchbares Hülfsmittel abgeben. In der Preußischen Artillerie hat man schon vor Jahren Versuche der Art ausgeführt, indem man ein Uhrwerk benutzte, welches $\frac{1}{1000}$ einer Sekunde angab, und durch Elektromagnete engagirt und arretirt wurde; man fand hierbei besonders den rückhaltenden Magnetismus im Eisen nach der Unterbrechung des E-Stromes sehr störend, weshalb man von der Stromunterbrechung zur Stromumkehrung in mehrfachen Modifikationen überging, wodurch wesentlich schärfere Resultate gewonnen wurden.   D. R.

XI.

Von der Anwendung des Zinks in der Militairtechnik

vom

Genie-General Piest.

(Aus dem Spectateur militaire Vol. I. 1851.)

Das noch vor kurzer Zeit so wenig, fast nur in Legirungen, wie z. B. im Messing, gekannte Zink hat seit 50 Jahren so vielfache und so sehr nützliche Anwendungen erfahren, daß in dem letzten Decennium allein mehr als 2332000 Centner (120000000 Kilogramme) dieses Metalles in Frankreich eingeführt worden sind, und diese Einfuhr immer noch bedeutender wird. Seine Hauptverwendung erleidet es zu Bedachungen, Gerinnen und Wasserabfallröhren, Schiffsbekleidungen, verschiedenem Küchengeschirr, Ornamenten und überhaupt fast zu allen Gußsachen, die man auch aus Bronze ꝛc. herstellen kann. Endlich muß man des Zinkweißes*) gedenken, welches vortheilhaft das Bleiweiß ersetzt, und wodurch altes Zink immer noch die Hälfte seines ursprünglichen Werthes behält. Erwägen wir, daß bei diesem jetzt in so großer Masse vorkommenden Metall der Schmelzpunkt fast nur 0,3 höher liegt, wie beim Blei,**) daß seine Härte nur 5 Pro-

---

*) Zinkweiß ist Zinkoxyd (während Bleiweiß kohlensaures Bleioxyd ist), und wird bis jetzt freilich selten aus dem metallischen Zink, meist aus der Zinkblende (Schwefelzink) dargestellt, aber trotzdem behält altes Zink, wegen der Leichtigkeit des Umgießens, viel Werth.   Der Uebersetzer.

**) Schmelzpunkt des Zinks 412 Grad C., Schmelzpunkt des Bleis 325 Grad C.   Der Uebersetzer.

zent geringer ist, als die des Gußeisens, seine Zähigkeit und Dehnbarkeit sich durch Temperaturerhöhung vermehrt, wenn letztere nicht bis auf 200 Grad C. steigt,*) so liegt wohl der Gedanke nicht fern, dieses Metall könne zur Anfertigung von Geschossen und selbst Mörsern dienen, vorzugsweise bei der Vertheidigung von Plätzen, wo die Energie und Dauer des Widerstandes oft von der Leichtigkeit abhängt, mit der man den Abgang seines Materials wieder ersetzen kann. Wie oft sind nicht bei der Vertheidigung von Festungen oder selbst in Offensivoperationen die Geschosse ausgegangen, und ist man dadurch entweder an einem hartnäckigen Widerstand, oder der Verfolgung schon gewonnener Vortheile verhindert worden? Eine Gießerei für eiserne Voll- und Hohlkugeln läßt sich nicht hinzaubern, da das Eisen zum Guß eine so hohe Temperatur und in Folge dessen besondere Schmelzöfen erfordert, wohl aber kann man alles Zink, was sich jetzt in allen Städten und auch auf dem Lande in Masse vorfindet, an einem einfachen Küchen- oder Bivouakfeuer mit Hülfe weniger gußeiserner Schöpfformen zur Anfertigung von Geschossen verwerthen. Welchem General, welchem Kommandant eines Platzes wird es nicht Pflicht erscheinen, eine so ausgezeichnete Hülfsquelle zu benutzen, wer wird sich nicht glücklich schätzen, Kugeln und Granaten ebenso schnell gießen lassen zu können, als man sie schießt und wirft?

Versuche, welche wir 1847 angefangen und bis jetzt fortgesetzt haben, geben folgende Resultate:**)

1) Granaten von Zink von 3,097 Zoll ddc. (81 Millimeter) Durchmesser und nur 2,554 Linien ddc. (6 Millimeter) Metallstärke gestatten sehr gut 531 Schritt (400 Meter) Schußweite. Sie wurden aus einem ebenfalls von Zink gefertigten Mörser geworfen, welcher ohne Schildzapfen die Gestalt eines Wasserglases und eine zylin-

---

*) Das Zink ist bei gewöhnlicher Temperatur spröde, zwischen 120 bis 150 Grad dagegen so dehnbar, daß man es zu Blechen walzen und zu Drähten ziehen kann, bei 200 Grad C. dagegen wieder so spröde, daß es sich pulvern läßt. Der Uebersetzer.

**) Die Hohlgeschosse von Zink halten nach diesseitigen Erfahrungen nur geringe Ladungen aus, und sie dürften deshalb nur im Festungskriege anwendbar sein. Für die Ladungen der Feldgeschütze sind sie nicht haltbar genug, sondern zerschellen schon im Rohr. D. R.

vom Hauptmann von Klinckowström übersetzt. Der König besuchte die südlichen mehr oder weniger befestigten Orte, wie Wenersborg, Bohus, Marstrand, Neu-Elfsborg, Warberg, Halmstadt, Laholm, Helsingborg, Landskrona, Malmö, Christiansstadt, Christianopel, Carlshafen, Kalmar, untersuchte ihre strategische und politische Lage, die Anlage der Werke, ihre gegenseitige und absolute Stärke und kommt zu dem Schlusse, daß sie alle mit Ausnahme von Carlshafen und Wenersborg als Festungen beizubehalten seien. Der Aufsatz ist merkwürdig und zeigt das schon gereifte Urtheil des kaum 17jährigen Königs, des Königs, von dem man fälschlicher Weise behauptet, daß die aristokratische Partei ihn absichtlich im Zustande der Unwissenheit zu erhalten gesucht habe. In einigen von Stael von Holstein dem Memoire beigefügten eigenen Gedanken findet man unter anderen den Ausspruch: „Die Festungen haben in sich selbst kein Vertheidigungsvermögen; verständige Kommandanten und tapfere Soldaten sind die Seele und starke Festungen die Körper; es geht Alles gut, wenn mens sana in corpore sano vorhanden."

2) Hollands neuere Befestigungsanlagen. Aufzeichnungen während einer Reise vom Lieutenant Leijonancker. Dies ist ein genauer Bericht über die merkwürdige und großartige Befestigung, welche Holland in Vereinigung mit einer Ueberschwemmung vom Zuyder-See bis zur Waal, von Muiden über Utrecht nach Gorkum anlegt, um den dahinter liegenden kleinen aber reichen Landestheil abzusondern. Die Abhandlung ist von Zeichnungen eines Thurmes und einiger anderen Befestigungen begleitet.

3) Statistische Angaben über die deutschen Ingenieur- und Genietruppen. Vom Hauptmann v. Klinckowström. Eine ausführliche Darlegung der genannten Verhältnisse in Oesterreich, Preußen und Bayern; am vollständigsten für Preußen.

4) Ueber Mörtelbereitung und die schwedischen Kalksorten. Eine gründliche Abhandlung über diesen Gegenstand.

5) Relation über alle Reichsfestungen und über Schwedens und der anliegenden Provinzen Vertheidigung vom Feldmarschall Grafen Dahlberg vom Jahre 1698. Aus dem Fortifikationsarchiv entnommen. Als Zweck der Relation giebt Dahlberg selbst an, dem jungen Könige Carl XII. die

nur die Widerstandsfähigkeit dieses Metalles zu dem erwähnten Zweck darthun. Für die Praxis würden wir immer rathen, folgende Stärken als die Minima anzunehmen:

3,21 Linien ddc. (7 Millimeter) für die kleinsten Granaten,

5,04 Linien ddc. (11 Millim.) für die von 5,66 Zoll (0,15 Meter),

5,51 Linien ddc. (12 Millim.) für die von 6,11 Zoll (0,16 Meter),

6,42 Linien ddc. (14 Millim.) für die Bombe von 8,4 Zoll (0,22 Meter),

7,34 Linien ddc. (16 Millim.) für die von 10,19 Zoll (0,27 Meter),

8,26 Linien ddc. (18 Millimeter) für die von 12,36 Zoll (0,32 Meter) Durchmesser zu nehmen. Eine Bombe von letztgenannter Dimension hat einen hohlen Raum von 670,68 Kubikzoll (12 Liters) und faßt mehr als 21,34 Pfund (10 Kilogramme) Sprengladung.

Endlich die große Bombe von 15,1 Zoll ddc. (0,40 Meter) Durchmesser und einem hohlen Raum für 42,8—47 Pfund (20—22 Kilogramme) Sprengladung müßte 9,17 Linien (20 Millimeter) Metallstärke erhalten. Zinkene Hohlgeschosse von diesen Abmessungen würden bis über 531 Schritt (400 Meter) Schußweite vortheilhaft angewendet werden können, und dann den Vorzug haben, in ihrem Innern außer der Sprengladung mehr kleine Kugeln und Eisenstücke bergen zu können, als eiserne von gleichem Kaliber, wodurch sie oft gegen anrückende Sturmkolonnen, z. B. bei Wegnahme des gedeckten Weges, nützlicher sein könnten. Was die Metallstärke der zinkenen kurzen Mörser ohne Schildzapfen betrifft, so würden wir für ausreichend erachten, wenn wir das Maximum auf 0,3 des Seelendurchmessers und nur für die Wände der Kammer und den Boden derselben auf 0,4 feststellten, wenigstens wenn man die Schußweite nicht über 800 Schritt (600 Meter) treiben will.

In Anbetracht der erwähnten Resultate glauben wir, daß die Regierung, wie die Industriellen, welche sich mit der Zinkgewinnung beschäftigen, ein großes Interesse für ähnliche Versuche mit zinkenen Vollkugeln der verschiedensten Kaliber haben werden. Möchte man sie in eine größere Tabelle zusammenstellen, ihnen die für Hohlkugeln schon erlangten Resultate beifügen, und die Versuche über letztere noch insofern vermehren, daß man untersuchte, wie zinkene Hohlkugeln sich zu eisernen bei ganz gleichen Dimensionen verhalten.

Außerdem werden nicht weniger als 45 befestigte Orte von Finnland, Liefland, Kurland und Pommern genau besprochen. Unter ihnen befindet sich auch Neuschanz, welches „wegen seiner vortheilhaften Lage den Appetit der Russen, an der Ostsee festen Fuß zu fassen, reizt und deshalb besondere Beachtung verdient."

So übertrieben auch Dahlbergs Befestigungsvorschläge nach dem heutigen Standpunkte der Kriegführung sind, so waren sie doch zeitgemäß und konnten kaum verworfen werden, denn zu seiner Zeit, in den Kinderjahren der Strategie, that jede „formidabele Puissance" jeder kleinen Festung die Ehre an, sich mit ihrer Eroberung aufzuhalten, es war daher ganz sachgemäß, daß man jeden Ort, vor dem der Feind erscheinen konnte, mit einer bastionirten Umwallung versah. Da Schweden nun statt der 25 Festungen Dahlbergs nur vier: Carlsborg, Marstrand, Waxholm und Carlskrona besitzt, so hat es den veränderten Zeitverhältnissen bedeutend Rechnung getragen.

6) Ansichten über die Baukunst und deren Geschichte. Von Hübsch, aus dem Deutschen übersetzt.

7) Die Befestigungen von Comorn. Nach Aufzeichnungen an Ort und Stelle vom Hauptmann v. Klinckowström. Eine ausführliche und klare Beschreibung dieses ungarischen Waffenplatzes, der aus einer Citadelle, den Palatinatlinien und sieben größeren selbstständigen Werken besteht. Der Beschreibung folgen Angaben über die in Anwendung gebrachte Arbeitsmethode.

8) Einige Aufschlüsse über Schwedens jetzige Vertheidigungswerke. Vom Hauptmann von Klinckowström. Nach einem kursorischen Blicke auf die Ansichten früherer Zeiten über Festungen, kommt der Verfasser zu den veränderten Ideen, die nach dem Frieden von 1815 durch Peixen in Schweden zur Geltung gebracht wurden und bespricht das 1819 niedergesetzte Komité. Der Aufsatz bricht hier ab und wird in einem späteren Hefte fortgesetzt werden.

Wir hoffen durch diese Notizen den deutschen Ingenieur-Offizier zur spezielleren Bekanntschaft mit der schwedischen Ingenieur-Zeitschrift angeregt zu haben, und werden vielleicht in Zukunft hin und wieder geeignete Aufsätze derselben in deutscher Bearbeitung an diesem Orte mittheilen.

(30 Centimen)*) koſtet, ſo erinnern wir uns, daß 1836 das Gußzink ⅓ weniger gekoſtet hat, und wir müſſen erwarten, daß bei Anfertigung ſolcher Geſchoſſe im Großen der Preis ſich eher niedriger ſtellen wird. Aber ſelbſt bei einer Preiserhöhung bis zu gewiſſen Gränzen würden die zinkenen Kugeln bei ihrer Unveränderlichkeit und dem Werth, den ſie immer als altes Zink behalten, noch Vortheile in Betracht des Koſtenpunktes gegen Projektile von Gußeiſen behalten, das verhältnißmäßig doch viel ſchneller verdirbt, und als altes Eiſen ſo geringen Werth hat.

Nach meiner Anſicht müßte man die Proben mit zinkenen Vollkugeln für den Rikochettſchuß mit ⅓ kugelſchwerer Ladung, den man ſo häufig in der Marine und bei der Vertheidigung von Plätzen anwendet, anfangen, und ſo ſteigernd bis zur ½ kugelſchweren Ladung fortgehen. Wenn zinkene Kugeln von 13,88 Linien (30 Millimeter) Durchmeſſer mit Kartuſchen von geſchmolzen Zeug in Holz eindrängen, ohne zu zerſpringen, ſo würde die lange Dauer des Feuers dieſer Kartuſchen von 3—4 Centimeter Durchmeſſer vielleicht für den Feind ſchrecklichere Feuersbränſte erzeugen, als die jetzigen großen Brandkugeln und geringere Gefahr für unſere eigenen Schiffe haben, als jetzt mit deren Aufbewahrung verbunden iſt.

Die Güte des gewalzten Zinks und ſein geringer Preis, der ſich immer nur noch verringern kann, geſtatten aber noch verſchiedene andere Anwendungen, die wohl vom Militair beachtet zu werden verdienen. Wir führen folgende an:

1) Pulverkaſten für Minenöfen und Röhren für Minen-Leitfeuer. In äußern Studien über die aktive Vertheidigung der Plätze haben wir die Vortheile beſchrieben, welche aus ihrer Anwendung für belagerte Plätze entſpringen, um ſchnell ohne Gallerien, Rameaux und Verdämmungen Minenſyſteme zu ſchaffen, vermöge welcher man mit Sicherheit die Tranchee-Kavaliere, Breſchbatterien, Descenten, Grabenübergänge, die Rampen der Breſchen und die Logements ꝛc. nie-

*) In der Preußiſchen Rheinprovinz koſten 1000 Pfund Gußeiſen (incl. Modellkoſten) 37—40 Thaler, 1000 Pfund Gußzink 48 bis 50 Thaler, ſo daß man bei der geringen Differenz ihrer ſpeziſchen Gewichte das Verhältniß des Preiſes wie 4 : 5 annehmen kann. Der Ueberſetzer.

Leinewand gefertigten Scheibe, die zwischen der erstern und dem Ge=
schütz durch einen Strick, der die Mündung des Rohres berührt,
schwebend erhalten wird. Beim Abfeuern zerreißt die die Mündung
verlassende Kugel den Strick, die Scheibe wird frei, fällt zur Erde,
wird von dem Geschoß getroffen, das dann außerdem die feste Scheibe
durchbohrt.

Aus den Löchern der beiden Scheiben kann man die Höhe bestim=
men, auf die die bewegliche Scheibe herabgefallen ist, während das
Geschoß den Raum vom Geschütz bis zu ihr zurücklegte. Aus dieser
Höhe H ergiebt die Formel für den Fall der Körper die Zeit T für
den Fall der beweglichen Scheibe, und folglich für den Flug E des
Geschosses von der Mündung bis zur Scheibe. Bei der kurzen Di=
stance läßt sich die Geschwindigkeit als eine gleichförmige betrachten,
man erhält demnach die Anfangsgeschwindigkeit $V = \frac{E}{T}$.

Dieser ungemein einfache Apparat hat Inkonvenienzen gezeigt, so
daß er in Frankreich entschieden verworfen worden ist. In Belgien
ist er bei zahlreichen Versuchen mit Handfeuerwaffen verschiedenen
Modells verwendet, Kapitain Navez ist dadurch angeregt worden,
den Elektromagnetismus bei ihm zu benutzen.

Er suchte nach einem Mittel, den die bewegliche Scheibe halten=
den Strick zu ersetzen oder wenigstens die Wirkung der Trägheit auf
den Fall zu neutralisiren. Zu diesem Zwecke versuchte er, die beweg=
liche Scheibe durch einen Elektromagneten halten zu lassen, der vor
dem Schusse magnetisch gemacht, aufhörte es zu sein, sobald die
Kugel die Mündung verlassen und daher die Scheibe dem Falle
freigab.

Die zur Erreichung dieses Resultats erforderliche Anordnung war
sehr einfach; es genügte den oberen Theil der beweglichen Scheibe mit
Eisen zu versehen, das von dem Elektromagneten gehalten wurde und
den Leitungsdraht an der Mündung vorbeizuführen. Dann mußte
das die Mündung verlassende Geschoß den Draht zerreißen, der elek=
trische Strom wurde unterbrochen, der Magnet verlor seine Kraft,
die Scheibe fiel, wurde durchbohrt und die Kugel setzte ihren Flug fort.
Man erhielt auf diese Weise den Werth der Anfangsgeschwindigkeit in
größerer Genauigkeit als bei dem ursprünglichen Apparate, da der

Werth H durch die Widerstandsfähigkeit des Strickes keine Modifikation erlitt.

Die Hoffnungen realisirten sich bei den Versuchen nicht vollständig, sei es in Folge der Mangelhaftigkeit des Dynamots, sei es, weil die Feinheit der elektrischen Materie nicht mit den angewandten materiellen Anordnungen im Einklange war.

Zweiter Apparat.

Kapitain Navez versuchte darauf dasselbe Princip anzuwenden, aber statt einen Körper frei fallen zu lassen, ließ er denselben eine schiefe Ebene hinabgleiten.

Hierdurch wird das Gesetz des Falles der Körper nicht geändert und die Formel für die Bewegung bleibt dieselbe; nur G, welches die Intensität der Schwere darstellt, muß durch das Verhältniß der Höhe zur Länge der schiefen Ebene vermehrt werden.

Der von Navez erdachte Apparat bestand aus zwei parallelen auf einer schiefen Ebene angebrachten Schienen; einem Wagen mit metallenen Rädern, der auf der kleinen Eisenbahn vermöge seiner Schwere in Bewegung gesetzt wird, einer Bremse am Wagen, um die Bewegung aufzuhalten, wenn ein auf dem Wagen befindlicher Elektromagnet seine Wirksamkeit verliert und endlich einem zweiten Elektromagnete am oberen Theile der schiefen Ebene, der den Wagen hält, während der elektrische Strom thätig und ihn in Bewegung kommen läßt, sobald derselbe unterbrochen wird.

Der Strom des von dem Wagen getragenen Elektromagnets ging durch die Räder und Schienen nach den Polen der Säule.

Bei dieser Anordnung wurde der Wagen, wenn die Säulen wirksam, am oberen Ende der schiefen Ebene gehalten, während die Bremse durch den anderen Elektromagneten außer Thätigkeit blieb. Wurde der erste elektrische Strom unterbrochen, so glitt der Wagen in Folge seiner Schwere auf der schiefen Ebene herab, bis der Strom des Elektromagneten unterbrochen wurde, denn dann wirkte die Bremse sogleich auf die Räder und hinderte die weitere Bewegung.

Die Anwendung dieses Verfahrens zur Bestimmung der Geschwindigkeit der Geschosse ergiebt sich leicht.

Der Leitungsdraht des festen Elektromagneten ging bei der Mündungsfläche vorbei und der des beweglichen stand mit der Scheibe in Verbindung, die so disponirt war, daß das Einschlagen des Geschosses den Voltaischen Strom unterbrach. Wir kennen die speziellen Anordnungen zur Sicherung dieser Unterbrechung nicht; anwendbar wäre ein metallisches Netz gewesen, dessen Dimensionen durch die mittleren Abweichungen des Geschosses auf der bezüglichen Entfernung bestimmt und dessen Maschen so angeordnet, daß das Projektil jedenfalls den Draht zerreißen mußte.

Aus dem Raume E, den der Wagen durchlaufen, berechnete man nach der bekannten Formel die Zeit T, die das Geschoß von der Mündung bis zur Scheibe gebraucht und hieraus bei der Annahme einer gleichförmigen Bewegung auf der kurzen Strecke die Geschwindigkeit $V = \dfrac{E}{T}$.

Dieser Apparat hat ebenso wenig wie der modifizirte von Boox genügende Resultate ergeben; der Wagen wurde nicht augenblicklich gebremset, durch die Anwendung der schiefen Ebene statt des freien Falles war außerdem der zu durchlaufende Raum verringert und dadurch die Messung sehr kleiner Zeittheilchen erschwert.

Diese wenig günstigen Ergebnisse veranlaßten den Kapitain Navez mehrere Pendel zu versuchen, die mit verschiedenen Vorrichtungen zum Hemmen der Schwingungen, wie Ankerhemmungen, Sperrrädern, excentrischen Scheiben versehen waren. Keines dieser Mittel entsprach den Wünschen des Experimentators.

Endlich gelang es dem Kapitain Navez einen elektromagnetischen Apparat zu ersinnen, der zwar nicht vollkommen ist, aber regelmäßig wirkt und den gewöhnlichen Forderungen der Ballistik in genügendem Grade entspricht.

Dritter Apparat.

Derselbe hat im Jahre 1848 auf dem Polygon zu Braeschaet bei Antwerpen seine Brauchbarkeit bewährt, als man die Geschwindigkeit der 6pfündigen Kugeln bei der Anwendung verschiedenartiger Spiegel und mehrerer Methoden ihrer Verbindung mit der Pulverladung ermittelte.

Nach den erhaltenen Mittheilungen ist der Haupttheil des Apparats ein Pendel, der einen Bogen von ungefähr 150 Graden beschreibt. Die Zeit wird durch einen in Grade getheilten Limbus gemessen, der eine Genauigkeit bis zu ¼ Grad ergiebt.

Mittelst einer nicht bekannten Einrichtung wird die Zeit zwischen der Unterbrechung zweier Ströme durch den Bogen nach dem Willen des Experimentators gemessen. Die von dem Pendel erlangte Geschwindigkeit ist in dem Momente, in dem der Zeiger ihn anhalten muß, ohne Inkonvenienzen, da dieser Zeiger unabhängig von dem schwingenden Körper ist; der Zeiger läßt sich auf jedem Punkte des Limbus feststellen, da der Apparat kein gezahntes Rad verwendet und überhaupt nur solche Mittel benutzt, die der Feinheit des magnetischen Fluidums nicht hinderlich sind.

Die Kräftigkeit des elektrischen Stromes ist ohne Einfluß auf die Resultate; alle Irrthümer, die sich auf die Zeit zwischen den Unterbrechungen der Ströme, die durch das Geschoß beim Austritt aus dem Rohre und dem Einschlagen in die Scheibe stattfinden, beziehen, sind neutralisirt.

Der Apparat ist in einem Kasten von ungefähr 25 Centimeter Seitenlänge eingeschlossen; der Erfinder gebraucht die Säulen von Grove, die er denen von Bunsen vorzieht.

Kurz, der Apparat ist einfach und leicht bei Schießversuchen zu handhaben, dabei hat er keinen bedeutenden Preis, nämlich 400 Francs.

Anmerkung. Es ist gewiß höchst interessant, lehrreich und nützlich, Mittel aufzusuchen, durch welche man recht scharfe Messungen der Kugelgeschwindigkeiten auszuführen im Stande ist, und unter diesen wird der Elektromagnetismus immer ein sehr brauchbares Hülfsmittel abgeben. In der Preußischen Artillerie hat man schon vor Jahren Versuche der Art ausgeführt, indem man ein Uhrwerk benutzte, welches $\frac{1}{1000}$ einer Sekunde angab, und durch Elektromagnete engagirt und arretirt wurde; man fand hierbei besonders den rückhaltenden Magnetismus im Eisen nach der Unterbrechung des E-Stromes sehr störend, weshalb man von der Stromunterbrechung zur Stromumkehrung in mehrfachen Modifikationen überging, wodurch wesentlich schärfere Resultate gewonnen wurden. D. R.

XL.

Von der Anwendung des Zinks in der Militairtechnik

vom

Genie-General Picot.

(Aus dem Spectateur militaire Vol. I. 1851.)

Das noch vor kurzer Zeit so wenig, fast nur in Legirungen, wie z. B. im Messing, gekannte Zink hat seit 50 Jahren so vielfache und so sehr nützliche Anwendungen erfahren, daß in dem letzten Decennium allein mehr als 2332000 Centner (120000000 Kilogramme) dieses Metalles in Frankreich eingeführt worden sind, und diese Einfuhr immer noch bedeutender wird. Seine Hauptverwendung erleidet es zu Bedachungen, Gerinnen und Wasserabfallröhren, Schiffsbekleidungen, verschiedenem Küchengeschirr, Ornamenten und überhaupt fast zu allen Gußsachen, die man auch aus Bronze 2c. herstellen kann. Endlich muß man des Zinkweißes*) gedenken, welches vortheilhaft das Bleiweiß ersetzt, und wodurch altes Zink immer noch die Hälfte seines ursprünglichen Werthes behält. Erwägen wir, daß bei diesem jetzt in so großer Masse vorkommenden Metall der Schmelzpunkt fast nur 0,3 höher liegt, wie beim Blei,**) daß seine Härte nur 5 Pro-

---

*) Zinkweiß ist Zinkoxyd (während Bleiweiß kohlensaures Bleioxyd ist), und wird bis jetzt freilich selten aus dem metallischen Zink, meist aus der Zinkblende (Schwefelzink) dargestellt, aber trotzdem behält altes Zink, wegen der Leichtigkeit des Umgießens, viel Werth.   **Der Uebersetzer.**

) Schmelzpunkt des Zinks 412 Grad C., Schmelzpunkt des Bleis 325 Grad C.   **Der Uebersetzer.

jetzt geringer ist, als die des Gußeisens, seine Zähigkeit und Dehnbarkeit sich durch Temperaturerhöhung vermehrt, wenn letztere nicht
bis auf 200 Grad C. steigt,*) so liegt wohl der Gedanke nicht fern,
dieses Metall könne zur Anfertigung von Geschossen und selbst Mörsern dienen, vorzugsweise bei der Vertheidigung von Plätzen, wo die
Energie und Dauer des Widerstandes oft von der Leichtigkeit abhängt,
mit der man den Abgang seines Materials wieder ersetzen kann. Wie
oft sind nicht bei der Vertheidigung von Festungen oder selbst in Offensivoperationen die Geschosse ausgegangen, und ist man dadurch
entweder an einem hartnäckigen Widerstand, oder der Verfolgung schon
gewonnener Vortheile verhindert worden? Eine Gießerei für eiserne
Voll- und Hohlkugeln läßt sich nicht hinzaubern, da das Eisen zum
Guß eine so hohe Temperatur und in Folge dessen besondere Schmelzöfen erfordert, wohl aber kann man alles Zink, was sich jetzt in allen
Städten und auch auf dem Lande in Masse vorfindet, an einem einfachen Küchen- oder Bivouakfeuer mit Hülfe weniger gußeiserner
Schöpfformen zur Anfertigung von Geschossen verwerthen. Welchem
General, welchem Kommandant eines Platzes wird es nicht Pflicht
erscheinen, eine so ausgezeichnete Hülfsquelle zu benutzen, wer wird
sich nicht glücklich schätzen, Kugeln und Granaten ebenso schnell gießen lassen zu können, als man sie schießt und wirft?

Versuche, welche wir 1847 angefangen und bis jetzt fortgesetzt
haben, geben folgende Resultate:**)

1) Granaten von Zink von 3,097 Zoll dde. (81 Millimeter)
Durchmesser und nur 2,554 Linien dde. (6 Millimeter) Metallstärke
gestatten sehr gut 531 Schritt (400 Meter) Schußweite. Sie wurden aus einem ebenfalls von Zink gefertigten Mörser geworfen, welcher ohne Schildzapfen die Gestalt eines Wasserglases und eine zylin-

---

*) Das Zink ist bei gewöhnlicher Temperatur spröde, zwischen 120
bis 150 Grad dagegen so dehnbar, daß man es zu Blechen walzen und zu Drähten ziehen kann, bei 200 Grad C. dagegen wieder so spröde, daß es sich pulvern läßt.   Der Uebersetzer.

**) Die Hohlgeschosse von Zink halten nach diesseitigen Erfah-
rungen nur geringe Ladungen aus, und sie dürften deshalb
nur im Festungskriege anwendbar sein. Für die Ladungen der
Feldgeschütze sind sie nicht haltbar genug, sondern zerschellen schon
im Rohr.   D. R.

röhre in einer Oese endigt und auf ⅓ der Länge des inneren Röhrchens ein stark ausgezacktes Stück Messingblech darstellt. Zwischen
diesem eigentlichen Reiber und dem Holzpfropf befindet sich auf ⅓ der
Höhe des inneren Kupfercylinders der Friktionssatz, der aus 1 Theil
chlorsaurem Kali, 2 Theilen Schwefelantimon und einer Anfeuchtung von Alkohol und arabischem Gummi gebildet wird. Der übrige
Theil der Schlagröhre ist mit feinem Jagdpulver gestopft. Zum
Schutz gegen Feuchtigkeit wird sowohl der obere als der untere Theil
der Schlagröhre mit einem Ueberzuge einer Mischung von 9 Theilen
Wachs und 1 Theil schwarzem Pech versehen. Eine fertige Schlagröhre wiegt ungefähr 5 Grammen.

Sämmtliche Friktionsschlagröhren für die französische Artillerie
werden in der Zündhütchenfabrik zu Paris gefertigt und von hier an
die verschiedenen Depots versendet. Ihre Verpackung geschieht in
Packeten zu zehn Stück; von diesen werden aber wiederum fünf zu
einem Packete vereinigt, zwei solcher Packete zu 50 Stück werden
schließlich zu einem großen Packete zusammengebunden.

Bei der Abnahme einer Lieferung Schlagröhren wird $\frac{1}{10}$ derselben speziell revidirt; hierbei muß der Reiber durch eine Kraft von 4
bis 5 Kilogramme herausgerissen werden können; beim Abziehen des
hundertsten Theils der Lieferung darf nur bei 1 Prozent das Röhrchen platzen und dürfen nur 2 Prozent Versager stattfinden.

2. Die Friktionszünder der Handgranaten.

Das Zünderholz ist das bisherige geblieben, nur hat der Kopf ein
größeres Gewölbe erhalten; außerdem sind in der Höhe desselben zwei
Löcher senkrecht zur Längenachse und unter sich, durch das Holz gebohrt. In dem Gewölbe des wie gewöhnlich mit Zündersatz geschlagenen Zünders wird ein keiner durchbohrter und außerhalb mit einem Reifen versehener Cylinder von Buchsbaum- oder Weißbüchenholz angebracht, der den Friktionssatz enthält. Letzterer besteht aus
gleichen Theilen chlorsaurem Kali und Schwefelantimon und wird
auf einer Marmorplatte mit einem Marmor- oder Glaspistill unter
Zusatz von $\frac{1}{10}$ des Gewichts Gummiwasser angesetzt. In den Friktionssatz greift ein Reiber, von Messingdraht gefertigt, in der Mitte
mit einer Oese und an beiden Enden mit scharfen Einschnitten ver-

zent geringer ist, als die des Gußeisens, seine Zähigkeit und Dehnbarkeit sich durch Temperaturerhöhung vermehrt, wenn letztere nicht bis auf 200 Grad C. steigt,[*]) so liegt wohl der Gedanke nicht fern, dieses Metall könne zur Anfertigung von Geschossen und selbst Mörsern dienen, vorzugsweise bei der Vertheidigung von Plätzen, wo die Energie und Dauer des Widerstandes oft von der Leichtigkeit abhängt, mit der man den Abgang seines Materials wieder ersetzen kann. Wie oft sind nicht bei der Vertheidigung von Festungen oder selbst in Offensivoperationen die Geschosse ausgegangen, und ist man dadurch entweder an einem hartnäckigen Widerstand, oder der Verfolgung schon gewonnener Vortheile verhindert worden? Eine Gießerei für eiserne Voll- und Hohlkugeln läßt sich nicht hinzaubern, da das Eisen zum Guß eine so hohe Temperatur und in Folge dessen besondere Schmelzöfen erfordert, wohl aber kann man alles Zink, was sich jetzt in allen Städten und auch auf dem Lande in Masse vorfindet, an einem einfachen Küchen- oder Bivouakfeuer mit Hülfe weniger gußeiserner Schöpfformen zur Anfertigung von Geschossen verwerthen. Welchem General, welchem Kommandant eines Platzes wird es nicht Pflicht erscheinen, eine so ausgezeichnete Hülfsquelle zu benutzen, wer wird sich nicht glücklich schätzen, Kugeln und Granaten ebenso schnell gießen lassen zu können, als man sie schießt und wirft?

Versuche, welche wir 1847 angefangen und bis jetzt fortgesetzt haben, geben folgende Resultate:[**])

1) Granaten von Zink von 3,097 Zoll dde. (81 Millimeter) Durchmesser und nur 2,554 Linien dde. (6 Millimeter) Metallstärke gestatten sehr gut 531 Schritt (400 Meter) Schußweite. Sie wurden aus einem ebenfalls von Zink gefertigten Mörser geworfen, welcher ohne Schildzapfen die Gestalt eines Wasserglases und eine zylin-

---

[*]) Das Zink ist bei gewöhnlicher Temperatur spröde, zwischen 120 bis 150 Grad dagegen so dehnbar, daß man es zu Blechen walzen und zu Drähten ziehen kann, bei 200 Grad C. dagegen wieder so spröde, daß es sich pulvern läßt. Der Uebersetzer.

[**]) Die Hohlgeschosse von Zink halten nach diesseitigen Erfahrungen nur geringe Ladungen aus, und sie dürften deshalb nur im Festungskriege anwendbar sein. Für die Ladungen der Feldgeschütze sind sie nicht haltbar genug, sondern zerschellen schon im Rohr. D. R.

drifche Kammer hatte. Er war 1¼ Kaliber lang, und feine Metallftärke betrug 0,3 des Durchmeffers der Seele. Er ift fchon 1849 und
1850 angewandt worden.

2) Granaten von Zink, 5,735 Zoll dde. (0,15 Meter) im Durchmeffer und von 3,831—4,257 Linien dde. (9—10 Millimeter) Metallftärke, wurden aus dem bronzenen Artilleriemörfer, der zwei Kaliber lang ift, geworfen und geftatteten fehr gut eine Schußweite von
531 Schritt (400 Meter). Diefelben Granaten wurden drei Monate
fpäter aus einem zinkenen Mörfer geworfen, welcher eine konifche
Kammer und nur 1¼ Kaliber Seelenlänge hatte. Seine Metallftärke
betrug im Ganzen unter 0,3, nur an den Wänden der Kammer und
im Bodenftück unter 0,4 des Seelendurchmeffers. Aus demfelben
Mörfer wurden auch eiferne Granaten geworfen, wobei die Schußweite bei gleichen Ladungen und innerhalb 400 Schritt (300 Meter)
ungefähr um ¹⁄₁₅ hinter den zinkenen, welche nur ⅘ vom Gewicht der
eifernen hatten, zurückblieben.

3) Zwei große Bomben von Zink, von 1,274 Fuß dde. (0,4 Meter) Durchmeffer und nur 7,8 Linien (17 Millimeter) Metallftärke,
leer gewogen 117,6 Pfund (55 Kilogramme), geftatteten aus dem
Steinmörfer bei nur 1 Pfund 2 Loth (500 Grammen) Ladung vollkommen eine Schußweite über 400 Schritt (300 Meter). Statt der
Sprengladung war das Innere der Bombe, welches 1453 Kubikzoll
(26 Liters) faßte, mit einem nicht zündenden Gemenge vom fpezifi-
fchen Gewicht des Pulvers angefüllt.

Aus diefen Verfuchen mit Granaten von 4,13—4,59 Zoll dde.
(9—10 Millimeter) und Bomben von 7,8 Linien dde. (17 Millimeter)
Metallftärke kann man wohl fchließen, daß Granaten von 6,11 Zoll
dde. (0,16 Meter) und Bomben von 8,4—12,36 Zoll dde. (0,22 bis
0,32 Meter) Durchmeffer und refp. 5,04; 5,96—7,8 Linien (11, 13
bis 17 Millimeter) Metallftärke, aus Zink gefertigt, ebenfalls fehr gute
Schußweiten von 400 bis 530 Schritt (300—400 Meter) geftatten
werden, womit man ja faft die Gränzen für Bogenwürfe, wie fie bei
der Vertheidigung der Plätze angewandt werden, erreicht hat.

Vorgenannte Erfahrungen über die Metallftärke von zinkenen
Hohlgefchoffen, welche wir mittelft der ausgezeichneten Beihülfe des
Direktors der Gefellfchaft Vieille-Montagne gemacht haben, follten

nur die Widerstandsfähigkeit dieses Metalles zu dem erwähnten Zweck darthun. Für die Praxis würden wir immer rathen, folgende Stärken als die Minima anzunehmen:

3,21 Linien ddc. (7 Millimeter) für die kleinsten Granaten,

5,04 Linien ddc. (11 Millim.) für die von 5,66 Zoll (0,15 Meter),

5,51 Linien ddc. (12 Millim.) für die von 6,11 Zoll (0,16 Meter),

6,42 Linien ddc. (14 Millim.) für die Bombe von 8,4 Zoll

(0,22 Meter),

7,34 Linien ddc. (16 Millim.) für die von 10,19 Zoll (0,27 Meter),

8,26 Linien ddc. (18 Millimeter) für die von 12,36 Zoll (0,32 Meter) Durchmesser zu nehmen. Eine Bombe von letztgenannter Dimension hat einen hohlen Raum von 670,68 Kubikzoll (12 Liters) und faßt mehr als 21,34 Pfund (10 Kilogramme) Sprengladung.

Endlich die große Bombe von 15,1 Zoll ddc. (0,40 Meter) Durchmesser und einem hohlen Raum für 42,8—47 Pfund (20—22 Kilogramme) Sprengladung müßte 9,17 Linien (20 Millimeter) Metallstärke erhalten. Zinkene Hohlgeschosse von diesen Abmessungen würden bis über 531 Schritt (400 Meter) Schußweite vortheilhaft angewendet werden können, und dann den Vorzug haben, in ihrem Innern außer der Sprengladung mehr kleine Kugeln und Eisenstücke bergen zu können, als eiserne von gleichem Kaliber, wodurch sie oft gegen anrückende Sturmkolonnen, z. B. bei Wegnahme des gedeckten Weges, nützlicher sein könnten. Was die Metallstärke der zinkenen kurzen Mörser ohne Schildzapfen betrifft, so würden wir für ausreichend erachten, wenn wir das Maximum auf 0,3 des Seelendurchmessers und nur für die Wände der Kammer und den Boden derselben auf 0,4 feststellten, wenigstens wenn man die Schußweite nicht über 800 Schritt (600 Meter) treiben will.

In Anbetracht der erwähnten Resultate glauben wir, daß die Regierung, wie die Industriellen, welche sich mit der Zinkgewinnung beschäftigen, ein großes Interesse für ähnliche Versuche mit zinkenen Vollkugeln der verschiedensten Kaliber haben werden. Möchte man sie in eine größere Tabelle zusammenstellen, ihnen die für Hohlkugeln schon erlangten Resultate beifügen, und die Versuche über letztere noch insofern vermehren, daß man untersuchte, wie zinkene Kugeln sich zu eisernen bei ganz gleichen Dimensionen ver-

Bei der Leichtigkeit, mit welcher sich Zink gießen läßt, würde man leicht eine zylindrische Röhre von Kupfer, Eisen oder Stahl mit eingießen können, welche dann eine Brand= oder Leuchtkartusche aufnähme. Die Befestigung einer solchen Röhre würde sehr solid sein, weil man sie gleich beim Gießen einsetzen könnte. Das Laden der Kartusche müßte dann natürlich später erfolgen. Auf diese Weise könnte man sehr leicht Brand= oder Leuchtgeschosse von großer Intensität erhalten.

Es wird auch sehr leicht und wenig kostspielig sein, statt der kugelrunden Geschosse anders geformte, z. B. zylindrische, zu versuchen, welche z. B. excentrisch, wie die bei den Jägern von Vincennes wären, und mittelst angehängter Brand= oder Leuchtkartuschen gleichsam Kometenkugeln vorstellten. Da man ferner das Zink auf beliebige Weise verzinnen kann, würde man leicht ein Mittel haben, um die Dimension, wenn es beim Guß vielleicht wegen mangelhafter Formen nicht gelungen sein sollte, auf die richtige zu bringen.

Wegen der Ausdehnbarkeit des Zinks, die etwas größer als die des Bleis ($\frac{1}{340}$ zwischen 0 und 100 Grad C., für Zink $\frac{1}{172}$ zwischen 0 und 100 Grad C.) ist, würde man auch den Spielraum bei diesen Geschossen annulliren, oder sie aus kanelirten (gezogenen) Röhren schießen können, so daß man viel bedeutendere Schußweiten erlangte, als mit rollenden Kugeln und im Verhältniß zu gewöhnlichen Kugeln und Gewehren an Pulver ersparte, gerade, wie dies bei den Karabinern der Jäger von Vincennes ist. Ohne Zweifel wird man sagen, daß bei einer, wenn auch nur partiellen, Einführung von zinkenen Geschossen der Preis des Zinks, welcher sich jetzt gegen die des Gußeisens wie 5:3 verhält, steigen werde. Wir antworten darauf:

1) Im Fall der Noth muß man jeden nur möglichen Vortheil benutzen, und man wird künftig große Quantitäten Zink, theils noch roh, wie ihn die Hütte liefert, theils schon in bestimmten Formen als Material für seine Geschosse finden. Wir verlangen durchaus nicht, daß darum die gußeisernen Kugeln, deren größere Härte und geringerer Preis nicht weggeleugnet werden kann, ganz verschwinden sollen.

2) Wenn auch das Gußzink heute $1\frac{1}{4}$ Sgr. pro Pfund (50 Centimen por Kilogramme) und das Gußeisen für Geschosse kaum $1\frac{1}{11}$ Sgr.

(30 Centimen)*) koftet, so erinnern wir uns, daß 1836 das Gußzink ¼ weniger gekoftet hat, und wir müssen erwarten, daß bei Anfertigung solcher Geschoffe im Großen der Preis sich eher niedriger stellen wird. Aber selbst bei einer Preiserhöhung bis zu gewissen Gränzen würden die zinkenen Kugeln bei ihrer Unveränderlichkeit und dem Werth, den sie immer als altes Zink behalten, noch Vortheile in Betracht des Koftenpunktes gegen Projektile von Gußeisen behalten, das verhältnißmäßig doch viel schneller verdirbt, und als altes Eisen so geringen Werth hat.

Nach meiner Ansicht müßte man die Proben mit zinkenen Vollkugeln für den Rikochettschuß mit ⅓ kugelschwerer Ladung, den man so häufig in der Marine und bei der Vertheidigung von Plätzen anwendet, anfangen, und so steigernd bis zur ¼ kugelschweren Ladung fortgehen. Wenn zinkene Kugeln von 13,88 Linien (30 Millimeter) Durchmesser mit Kartuschen von geschmolzen Zeug in Holz eindrängen, ohne zu zerspringen, so würde die lange Dauer des Feuers dieser Kartuschen von 3—4 Centimeter Durchmesser vielleicht für den Feind schrecklichere Feuersbränfte erzeugen, als die jetzigen großen Brandkugeln und geringere Gefahr für unsere eigenen Schiffe haben, als jetzt mit deren Aufbewahrung verbunden ist.

Die Güte des gewalzten Zinks und sein geringer Preis, der sich immer nur noch verringern kann, gestatten aber noch verschiedene andere Anwendungen, die wohl vom Militair beachtet zu werden verdienen. Wir führen folgende an:

1) Pulverkaften für Minenöfen und Röhren für Minen-Leitfeuer. In unfern Studien über die aktive Vertheidigung der Plätze haben wir die Vortheile beschrieben, welche aus ihrer Anwendung für belagerte Plätze entspringen, um schnell ohne Gallerien, Rameaux und Verdämmungen Minensysteme zu schaffen, vermöge welcher man mit Sicherheit die Tranchee-Kavaliere, Breschbatterien, Descenten, Grabenübergänge, die Rampen der Breschen und die Logements 2c. nie-

---

*) In der Preußischen Rheinprovinz koften 1000 Pfund Gußeisen (incl. Modellkoften) 37—40 Thaler, 1000 Pfund Gußzink 48 bis 50 Thaler, so daß man bei der geringen Differenz ihrer spezifischen Gewichte das Verhältniß des Preises wie 4:5 annehmen kann.   *Der Ueberfetzer.*

Leinewand gefertigten Scheibe, die zwischen der erstern und dem Geschütz durch einen Strick, der die Mündung des Rohres berührt,
schwebend erhalten wird. Beim Abfeuern zerreißt die die Mündung
verlassende Kugel den Strick, die Scheibe wird frei, fällt zur Erde,
wird von dem Geschoß getroffen, das dann außerdem die feste Scheibe
durchbohrt.

Aus den Löchern der beiden Scheiben kann man die Höhe bestimmen, auf die die bewegliche Scheibe herabgefallen ist, während das
Geschoß den Raum vom Geschütz bis zu ihr zurücklegte. Aus dieser
Höhe H ergiebt die Formel für den Fall der Körper die Zeit T für
den Fall der beweglichen Scheibe, und folglich für den Flug E des
Geschosses von der Mündung bis zur Scheibe. Bei der kurzen Distance läßt sich die Geschwindigkeit als eine gleichförmige betrachten,
man erhält demnach die Anfangsgeschwindigkeit $V = \dfrac{E}{T}$.

Dieser ungemein einfache Apparat hat Inkonvenienzen gezeigt, so
daß er in Frankreich entschieden verworfen worden ist. In Belgien
ist er bei zahlreichen Versuchen mit Handfeuerwaffen verschiedenen
Modells verwendet, Kapitain Navez ist dadurch angeregt worden,
den Elektromagnetismus bei ihm zu benutzen.

Er suchte nach einem Mittel, den die bewegliche Scheibe haltenden Strick zu ersetzen oder wenigstens die Wirkung der Trägheit auf
den Fall zu neutralisiren. Zu diesem Zwecke versuchte er, die bewegliche Scheibe durch einen Elektromagneten halten zu lassen, der vor
dem Schusse magnetisch gemacht, aufhörte es zu sein, sobald die
Kugel die Mündung verlassen und daher die Scheibe dem Falle
freigab.

Die zur Erreichung dieses Resultats erforderliche Anordnung war
sehr einfach; es genügte den oberen Theil der beweglichen Scheibe mit
Eisen zu versehen, das von dem Elektromagneten gehalten wurde und
den Leitungsdraht an der Mündung vorbeizuführen. Dann mußte
das die Mündung verlassende Geschoß den Draht zerreißen, der elektrische Strom wurde unterbrochen, der Magnet verlor seine Kraft,
die Scheibe fiel, wurde durchbohrt und die Kugel setzte ihren Flug fort.
Man erhielt auf diese Weise den Werth der Anfangsgeschwindigkeit in
größerer Genauigkeit als bei dem ursprünglichen Apparate, da der

tern und für alle Etablissements einführen, wo man Nahrungsmittel
für eine gewisse größere Zahl Menschen nöthig hat, wäre es auch nur,
um in fruchtbaren Jahren einen Vorrath für schlechtere Zeiten sicher
aufzuspeichern. Man muß bei der Anlage nur die Berührung mit
Bodenarten vermeiden die geneigt sind, Salze auszuwittern und dann
wenigstens 3 Fuß dde. (1 Meter) Boden mit der nöthigen Böschung
für den Wasserabfluß aufschütten.

3) Akustische Röhren, die von Observatorien auf Thürmen oder
anderen hohen Gegenständen ausgehen, von denen aus man das Vorterrain und die Stadt selbst übersehen kann. Solche Röhren, die zugleich als Wasserabflußröhren dienen könnten, müßten nach dem Fuß
der Gebäude in Wachtlokale oder Büreaux leiten, in denen man dann
unmittelbar von Allem unterrichtet würde, was auf Sicherheits- oder
Vertheidigungsmaßregeln, z. B. bei einer Feuersbrunst, Truppenbewegungen 2c. Einfluß haben kann.

4) Hülsen für Leucht- und Brandraketen*) gegen die Trancheen
des Feindes, und selbst kongrevesche Raketen (im Nothfall auch aus
Kupfer, Eisen oder Stahl) aus Zink verfertigt, bestehen aus gezogenen Röhren mit einer Metallverstärkung an einem Ende, in welcher
sich ein genau centralgebohrtes Loch von halbem Kaliber Durchmesser
befindet, um beim Schlagen der Raketen den Dorn durchzuschieben
und so die Seele zu bilden. Das andere Ende der Rakete wird dann
nach dem Schlagen mit einem zylindrisch-konischen Deckel, ebenfalls
von Zink, geschlossen.**) Endlich hoffen wir, daß man den Balancirstab, welcher sich an metallene Hülsen ebenso gut anbringen läßt, wie
an papierne, gegen eine von beiden Seiten offene und die Hülse genau umschließende Röhre vertauscht wird, die man in ihrer Längsrichtung mit Schlitzen versehen kann, um das Entweichen des bei der

---

*) Da das Zink bei 500 Grad C. mit grünlicher Farbe selbst brennt,
so würde es nie vermieden werden können, daß solche Signale
immer diese Farbe zeigen. Ueberhaupt hat der Verfasser dieses
sehr wichtigen Punktes des Verbrennens des Zinks nirgend gedacht. *Der Uebersetzer.*

**) Zu Raketenhülsen wird das Zinkblech schon deshalb nicht anzu-
wenden sein, weil es zu leicht verbrennt, man müßte es denn von
übermäßiger Stärke nehmen, was andere Nachtheile herbeiführt.
D. R.

Der Leitungsdraht des festen Elektromagneten ging bei der Mündungsfläche vorbei und der des beweglichen stand mit der Scheibe in
Verbindung, die so disponirt war, daß das Einschlagen des Geschosses den Voltaischen Strom unterbrach. Wir kennen die speziellen
Anordnungen zur Sicherung dieser Unterbrechung nicht; anwendbar
wäre ein metallisches Netz gewesen, dessen Dimensionen durch die
mittleren Abweichungen des Geschosses auf der bezüglichen Entfernung bestimmt und dessen Maschen so angeordnet, daß das Projektil
jedenfalls den Draht zerreißen mußte.

Aus dem Raume E, den der Wagen durchlaufen, berechnete man
nach der bekannten Formel die Zeit T, die das Geschoß von der
Mündung bis zur Scheibe gebraucht und hieraus bei der Annahme
einer gleichförmigen Bewegung auf der kurzen Strecke die Geschwindigkeit $V = \dfrac{E}{T}$.

Dieser Apparat hat ebenso wenig wie der modifizirte von Booz
genügende Resultate ergeben; der Wagen wurde nicht augenblicklich
gebremset, durch die Anwendung der schiefen Ebene statt des freien
Falles war außerdem der zu durchlaufende Raum verringert und dadurch die Messung sehr kleiner Zeittheilchen erschwert.

Diese wenig günstigen Ergebnisse veranlaßten den Kapitain Navez mehrere Pendel zu versuchen, die mit verschiedenen Vorrichtungen zum Hemmen der Schwingungen, wie Ankerhemmungen, Sperr-
räder, excentrischen Scheiben versehen waren. Keines dieser Mittel
entsprach den Wünschen des Experimentators.

Endlich gelang es dem Kapitain Navez einen elektromagnetischen Apparat zu ersinnen, der zwar nicht vollkommen ist, aber regelmäßig wirkt und den gewöhnlichen Forderungen der Ballistik in genügendem Grade entspricht.

Dritter Apparat.

Derselbe hat im Jahre 1848 auf dem Polygon zu Braeschaet bei
Antwerpen seine Brauchbarkeit bewährt, als man die Geschwindigkeit
der 6pfündigen Kugeln bei der Anwendung verschiedenartiger Spiegel und mehrerer Methoden ihrer Verbindung mit der Pulverladung
ermittelte.

Nach den erhaltenen Mittheilungen ist der Haupttheil des Apparats ein Pendel, der einen Bogen von ungefähr 150 Graden beschreibt. Die Zeit wird durch einen in Grade getheilten Limbus gemessen, der eine Genauigkeit bis zu $\frac{1}{4}$ Grad ergiebt.

Mittelst einer nicht bekannten Einrichtung wird die Zeit zwischen der Unterbrechung zweier Ströme durch den Bogen nach dem Willen des Experimentators gemessen. Die von dem Pendel erlangte Geschwindigkeit ist in dem Momente, in dem der Zeiger ihn anhalten muß, ohne Inkonvenienzen, da dieser Zeiger unabhängig von dem schwingenden Körper ist; der Zeiger läßt sich auf jedem Punkte des Limbus feststellen, da der Apparat kein gezähntes Rad verwendet und überhaupt nur solche Mittel benutzt, die der Feinheit des magnetischen Fluidums nicht hinderlich sind.

Die Kräftigkeit des elektrischen Stromes ist ohne Einfluß auf die Resultate; alle Irrthümer, die sich auf die Zeit zwischen den Unterbrechungen der Ströme, die durch das Geschoß beim Austritt aus dem Rohre und dem Einschlagen in die Scheibe stattfinden, beziehen, sind neutralisirt.

Der Apparat ist in einem Kasten von ungefähr 25 Centimeter Seitenlänge eingeschlossen; der Erfinder gebraucht die Säulen von Grove, die er denen von Bunsen vorzieht.

Kurz, der Apparat ist einfach und leicht bei Schießversuchen zu handhaben, dabei hat er keinen bedeutenden Preis, nämlich 400 Francs.

Anmerkung. Es ist gewiß höchst interessant, lehrreich und nützlich, Mittel aufzusuchen, durch welche man recht scharfe Messungen der Kugelgeschwindigkeiten auszuführen im Stande ist, und unter diesen wird der Elektromagnetismus immer ein sehr brauchbares Hülfsmittel abgeben. In der Preußischen Artillerie hat man schon vor Jahren Versuche der Art ausgeführt, indem man ein Uhrwerk benutzte, welches $\frac{1}{1000}$ einer Sekunde angab, und durch Elektromagnete engagirt und arretirt wurde; man fand hierbei besonders den rückhaltenden Magnetismus im Eisen nach der Unterbrechung des E=Stromes sehr störend, weshalb man von der Stromunterbrechung zur Stromumkehrung in mehrfachen Modifikationen überging, wodurch wesentlich schärfere Resultate gewonnen wurden.　　　D. R.

röhre in einer Oese endigt und auf ⅓ der Länge des inneren Röhrchens ein stark ausgezacktes Stück Messingblech darstellt. Zwischen diesem eigentlichen Reiber und dem Holzpfropf befindet sich auf ⅓ der Höhe des inneren Kupfercylinders der Friktionssatz, der aus 1 Theil chlorsaurem Kali, 2 Theilen Schwefelantimon und einer Anfeuchtung von Alkohol und arabischem Gummi gebildet wird. Der übrige Theil der Schlagröhre ist mit feinem Jagdpulver gestopft. Zum Schutz gegen Feuchtigkeit wird sowohl der obere als der untere Theil der Schlagröhre mit einem Ueberzuge einer Mischung von 9 Theilen Wachs und 1 Theil schwarzem Pech versehen. Eine fertige Schlagröhre wiegt ungefähr 5 Grammen.

Sämmtliche Friktionsschlagröhren für die französische Artillerie werden in der Zündhütchenfabrik zu Paris gefertigt und von hier an die verschiedenen Depots versendet. Ihre Verpackung geschieht in Packeten zu zehn Stück; von diesen werden aber wiederum fünf zu einem Packete vereinigt, zwei solcher Packete zu 50 Stück werden schließlich zu einem großen Packete zusammengebunden.

Bei der Abnahme einer Lieferung Schlagröhren wird $\frac{1}{100}$ derselben speziell revidirt; hierbei muß der Reiber durch eine Kraft von 4 bis 5 Kilogramme herausgerissen werden können; beim Abziehen des hundertsten Theils der Lieferung darf nur bei 1 Prozent das Röhrchen platzen und dürfen nur 2 Prozent Versager stattfinden.

2. Die Friktionszünder der Handgranaten.

Das Zünderholz ist das bisherige geblieben, nur hat der Kopf ein größeres Gewölbe erhalten; außerdem sind in der Höhe desselben zwei Löcher senkrecht zur Längenachse und unter sich, durch das Holz gebohrt. In dem Gewölbe des wie gewöhnlich mit Zündersatz geschlagenen Zünders wird ein kleiner durchbohrter und außerhalb mit einem Reifen versehener Cylinder von Buchsbaum- oder Weißbüchenholz angebracht, der den Friktionssatz enthält. Letzterer besteht aus gleichen Theilen chlorsaurem Kali und Schwefelantimon und wird auf einer Marmorplatte mit einem Marmor- oder Glaspistill unter Zusatz von $\frac{1}{7}$ des Gewichts Gummiwasser angesetzt. In den Friktionssatz greift ein Reiber, von Messingdraht gefertigt, in der Mitte mit einer Oese und an beiden Enden mit scharfen Einschnitten ver-

Das lange Rohr hat im Mittel eine um 29,36 Meter (93,55 Fuß) größere Anfangsgeschwindigkeit ergeben als das kurze. Die Wirkung des Vorschlages scheint bei dem langen Rohre entschiedener als bei dem kurzen.

Um die Ideen über die Wichtigkeit des Einflusses der verschiedenen Ladeweisen auf die mittleren Anfangsgeschwindigkeiten festzustellen, sollen die Visirschußweiten aus den größten und kleinsten Anfangsgeschwindigkeiten ermittelt werden.

Bei dem kurzen Rohre ist die kleinste Anfangsgeschwindigkeit 484 Meter (1539,12 Fuß) bei dem Schuß mit loser Kugel erhalten, und die größte 496 Meter (1577 Fuß) bei Anwendung eines Pappspiegels.

Bei dem langen Rohre ist die kleinste Anfangsgeschwindigkeit 509 Meter (1623 Fuß) und die größte 537 Meter (1707 Fuß), bei den genannten Ladeweisen.

Die Gleichung für die Flugbahn des direkten Schusses ist:

$$y = x\left(\tang\varphi + \frac{1}{4mh\cos^2\varphi}\right) - \frac{(e^{2mx}-1)}{8m^2h\cos^2\varphi} \quad \text{(IV)}.$$

Für den vorliegenden Fall hat man:

$$\varphi = 1, \quad m = 0,001 \text{ und}$$

$$V = \begin{cases} 484 \text{ die kleinste Geschwindigkeit} \\ 490 \text{ die mittlere} \quad\text{=} \\ 496 \text{ die größte} \quad\text{=} \\ 509 \text{ die kleinste} \\ 520 \text{ die mittlere} \quad\text{=} \\ 537 \text{ die größte} \quad\text{=} \end{cases} \begin{array}{l} \text{für das kurze Rohr,} \\ \\ \text{für das lange Rohr.} \end{array}$$

$$g = 9,81 \text{ und } h = \frac{V^2}{2g}.$$

Die Entwickelung der Funktion e^{2mx} ist:

$$e^{2mx} = 1 + 2mx + \frac{4m^2x^2}{1.2} + \frac{8m^3x^3}{1.2.3} + \ldots\ldots$$

Es genügt, wenn man die vier ersten Addenden der Reihe nimmt, da $m^3 = 0,000000001$.

Setzt man in der Gleichung IV die Entwickelung von e^{2mx} und löst die Gleichung bei $y = 0$ auf, so hat man:

XIII.

Bericht über die im Jahre 1850 bei Lüttich angestellten Versuche, mittelst eines elektromagnetischen Apparates den Einfluß verschiedener Lademethoden auf die Anfangsgeschwindigkeiten der Geschosse zu ermitteln.*)

1. Veranlassung und Zweck.

In Folge eines Befehls des General-Inspekteurs der belgischen Artillerie, General-Lieutenant de Liem, vom 2. Juli 1850 wurde zu Lüttich eine Kommission, bestehend aus dem Oberst-Lieutenant Delobel und den Kapitains Splingard und Navez, mit dem Auftrage gebildet, mittelst des vom Kapitain Navez konstruirten elektromagnetischen Apparates den Einfluß verschiedener Lademethoden auf die Anfangsgeschwindigkeit der Kanonenkugeln zu ermitteln.

Die genannte Kommission erstattete über die angestellten Versuche unterm 5. Januar 1851 dem General-Lieutenant de Liem Bericht. Derselbe ist in dem Journal de l'armée belge (Dezemberheft von 1851) mitgetheilt; wir geben nachfolgend eine Uebersetzung davon, da der Gegenstand in mehr als einer Beziehung Interesse darbietet.

Bei den Versuchen wurden die vier verschiedenen Lademethoden angewendet:

1) Laden mit loser Kugel,

2) Laden mit der in einem hölzernen Spiegel befestigten Kugel,

---

*) Wir haben in diesem Heft Seite 145 No. X. Notizen über die Apparate, welche bei diesen Versuchen benutzt worden, gegeben.
D. R.

3) Laden mit der in einem pappenen Spiegel befestigten Kugel,

4) Laden mit der in einem pappenen Spiegel befestigten Kugel und einem Vorschlage.

Das Schießen fand aus zwei 6pfündern statt, von denen der eine ein Feld-, der andere ein Festungsgeschütz, beide aber in Bronze gegossen; die Ladung war die gewöhnliche von einem Kilogramme Pulver; die mittleren Ergebnisse wurden aus 10 Schuß ermittelt; um den Widerstand der Luft bei der Berechnung der Anfangsgeschwindigkeiten zu beachten, wurde die Zeit bestimmt, welche die Geschosse zum Durchfliegen zweier verschiedenen Entfernungen gebrauchten.

2. Versuchsmittel.

A. Geschütze. Zwei dem 2. Artillerie-Regiment gehörige Feld6pfünder und zwei zur Armirung von Lüttich gehörige Festungs6pfünder wurden nach den Aufnahmetabellen ausgewählt und nach der Gießerei geschafft. Hier wurden sie einer genauen Prüfung unterworfen und in Folge davon der beste 6pfünder jeder Art zu dem Schießverfuch bestimmt.

B. Munition. Man gebrauchte Artillerie-Pulver, das 1848 zu Wetteren fabrizirt worden. Dasselbe hatte eine sehr dunkele Farbe, ein eckiges Korn, von dem 230 Körner auf ein Gramme gingen. Die mittlere Wurfweite aus dem Probirmörser ergab sich sowohl vor dem Beginne als auch beim Schlusse der Versuche zu 250 Meter.

Die Ladungen waren in Beutel von Serge eingeschlossen.

Die Kugeln wurden dergestalt ausgewählt, daß ihre Durchmesser dem der großen Leere möglichst gleich kamen.

Das mittlere Gewicht, aus der Wägung von 20 Kugeln bestimmt, ergab sich zu 2,8579 Kilogramme (6 Pfund 3,53 Loth).

Das Gewicht der Holzspiegel mit den Blechstreifen war 0,155 Kilogramme (10,61 Loth).

Das Gewicht des Pappspiegels mit den Baumwollenstreifen war 0,090 Kilogramme (6,12 Loth).

Das Gewicht des Vorschlages betrug 0,025 Kilogramme (1,74 Loth).

Der äußere Durchmesser der Spiegel war der Durchmesser der Kugeln.

verlegen kann. Nach unserer Ansicht scheint es überhaupt angemessen, sich zylindrischer Pulverfässer von gewalztem Zink, 0,9 Linie dde. (2 Millimeter) dick, 106 — 213 Pfund Preußisch (50, resp. 100 Kilogramme) enthaltend, zu bedienen, theils um überhaupt den permanenten*) Pulvervorrath in den Festungen darin zu halten, theils um immer fertig geladene Pulverkasten, wie man sie am häufigsten gebrauchen wird, zu haben. Modelle solcher Fässer mit einem Deckel von verbundenen Stäben, deren Fugen durch Papier oder Leinwand bis zur Zeit des Gebrauchs verklebt sind, wurden von der Artillerie-Prüfungs-Kommission untersucht und gut befunden. Ihr Gewicht beträgt kaum 30 — 42,8 Pfund (14 — 20 Kilogramme), während die hölzernen Fässer von gleichem kubischen Inhalte mit ihrem Umschlags-faß 53,45 — 81 Pfund (25 — 38 Kilogramme) wiegen, und der Preis der erstern geringer ist, wenn man den Werth des alten Zinks in Anschlag bringt.

2) Bekleidungswände für Silos. Sie bestehen aus zwei Kegeln von derselben Basis, nur geht der obere in einen zylindrischen Schacht von 1,59 Fuß (0,5 Meter) Durchmesser aus, der jedoch nur so hoch ist, daß man einen Deckel, ähnlich wie bei den zinkenen Pulverfässern, anbringen kann. Modelle solcher Silos für ungefähr 145½ Berliner Scheffel (80 Hektoliter) Getreide sind in viertel natürlicher Größe nach unserer Zeichnung ausgeführt und im Lokal der Verwaltung von Vieille-Montagne, rue Richer, ausgestellt. Die Bekleidungswand für ein solches Silo von oben erwähntem Inhalt braucht nur Zink-platten von Nr. 14 zu haben, weil der Druck des Getreides dem des außen liegenden Bodens das Gleichgewicht hält. Sie wiegt mit ihren Verstärkungsringen nur 385 — 427 Pfund (180 — 200 Kilogramme) und kostet nicht über 43 Thaler (160 Francs), ein Preis, der einer zweijährigen Miethe für ein Getreide-Magazin von gleichem Lager-raum entspricht. Sobald die Erfahrung wird den Nutzen solcher Si-los bestätigt haben, wird man sie in Festungen, auf großen Landgü-

---

*) Solche Pulvervorräthe könnte man in Kasematten, Souterrains, Minengallerien rc. aufbewahren, ohne den Einfluß der Feuchtig-keit fürchten zu müssen, so lange man nur die unmittelbare Be-rührung mit auswitternden Erden vermeidet.

Der Verfasser.

tern und für alle Etablissements einführen, wo man Nahrungsmittel für eine gewisse größere Zahl Menschen nöthig hat, wäre es auch nur, um in fruchtbaren Jahren einen Vorrath für schlechtere Zeiten sicher aufzuspeichern. Man muß bei der Anlage nur die Berührung mit Bodenarten vermeiden die geneigt sind, Salze auszuwittern und dann wenigstens 3 Fuß ddc. (1 Meter) Boden mit der nöthigen Böschung für den Wasserabfluß aufschütten.

3) Akustische Röhren, die von Observatorien auf Thürmen oder anderen hohen Gegenständen ausgehen, von denen aus man das Vorterrain und die Stadt selbst übersehen kann. Solche Röhren, die zugleich als Wasserabflußröhren dienen könnten, müßten nach dem Fuß der Gebäude in Wachtlokale oder Büreaux leiten, in denen man dann unmittelbar von Allem unterrichtet würde, was auf Sicherheits= oder Vertheidigungsmaßregeln, z. B. bei einer Feuersbrunst, Truppenbewegungen ꝛc. Einfluß haben kann.

4) Hülsen für Leucht= und Brandraketen*) gegen die Trancheen des Feindes, und selbst kongrevesche Raketen (im Nothfall auch aus Kupfer, Eisen oder Stahl) aus Zink verfertigt, bestehen aus gezogenen Röhren mit einer Metallverstärkung an einem Ende, in welcher sich ein genau centralgebohrtes Loch von halbem Kaliber Durchmesser befindet, um beim Schlagen der Raketen den Dorn durchzuschieben und so die Seele zu bilden. Das andere Ende der Rakete wird dann nach dem Schlagen mit einem zylindrisch=konischen Deckel, ebenfalls von Zink, geschlossen.**) Endlich hoffen wir, daß man den Balancirstab, welcher sich an metallene Hülsen ebenso gut anbringen läßt, wie an papierne, gegen eine von beiden Seiten offene und die Hülse genau umschließende Röhre vertauschen wird, die man in ihrer Längsrichtung mit Schlitzen versehen kann, um das Entweichen des bei der

---

*) Da das Zink bei 500 Grad C. mit grünlicher Farbe selbst brennt, so würde es nie vermieden werden können, daß solche Signale immer diese Farbe zeigen. Ueberhaupt hat der Verfasser dieses sehr wichtigen Punktes des Verbrennens des Zinks nirgend gedacht.   *   **Der Uebersetzer.**

) Zu Raketenhülsen wird das Zinkblech schon deshalb nicht anzuwenden sein, weil es zu leicht verbrennt, man müßte es denn von übermäßiger Stärke nehmen, was andere Nachtheile herbeiführt.   **D. R.

Verbrennung entwickelten Pulvergases zu befördern. Man muß nur diese Erzeugnisse einer scharfsinnigen Industrie sehen (bei M. Palmer, rue Montmorency in Paris), um sich zu überzeugen, welche Vortheile die Feuerwerkerei wird für Raketen, mag man sie weit oder mit großer Geschwindigkeit werfen wollen, aus der Vervollkommnung solcher zinkenen Röhren ziehen können.

5) Kartuschbüchsen, Bekleidungen von Munitionskasten, kleine Jäger-Pulverhörner ließen sich billiger und für die Aufbewahrung sicherer aus Zinkblech statt aus Eisenblech anfertigen.

Nachdem wir nun durch einige Beispiele (und es sollen später deren noch mehrere folgen) die Vortheile dargethan haben, welche das Zink für die Militairtechnik gewährt, sei es uns vergönnt, gegen das Verbot zu sprechen, Gebäude in den Rayons der Festungen mit Zink zu decken. Es ist wahr, dieses Verbot stammt her von der Anwendung des Proskriptionsgesetzes vom I. August 1821, aber der Kriegsminister hat die Macht es aufzuheben, gerade so, wie dies schon mit dem in ähnlicher Weise für Ziegeldächer gegebene geschehen ist. Ein horizontales Zinkdach raubt dem Blick von der Festung ins Vorterrain weniger Aussicht, als ein steiles Ziegeldach und ist auch nicht schwieriger zu zerstören, wenn die Vertheidigung des Platzes dies erheischt. Außerdem wäre in solcher Zeit das durch den Abbruch gewonnene Zink ein gutes Material, um Bomben, Mörser und die andern vorher erwähnten Gegenstände zu fertigen, mit denen man seine Vorräthe vermehren und darum hartnäckigeren Widerstand leisten kann.

Im März 1850.

A. Picot,
Brigade-General a. D.

verzeichnet; diese Abweichungen korrespondiren mit den Differenzen in der Visirschußweite von wenigstens 10 und ungefähr 30 Schritt.

Die angestellten Vergleichungen zwischen dem Einflusse der mittleren Abweichungen der Anfangsgeschwindigkeiten und der mittleren Längenabweichungen beweisen zur Evidenz, daß die Abweichungen der Geschwindigkeiten den Längenabweichungen gegenüber nur von untergeordneter Bedeutung sind.

5. Schlußfolgerungen.

Aus der Gesammtheit der vorgetragenen Thatsachen und Betrachtungen ist man berechtigt zu folgern:

Mit Rücksicht auf die Wahrscheinlichkeit des Treffens sind die zur Anwendung gekommenen Lademethoden nach der Vorzüglichkeit zu rangiren:

1) Die Ladung mit einem Pappspiegel. Diese Ladeweise schränkt von den dreien, bei denen Spiegel benutzt werden, am meisten die Aenderungen der Anfangsgeschwindigkeiten ein. Sie ergiebt eine größere Anfangsgeschwindigkeit als die drei anderen Ladeweisen und ist in Bezug auf die Gleichförmigkeit der Abgangswinkel beinahe ebenso günstig, als die Lademethode mit Vorschlag.

2) Die Ladung mit einem Pappspiegel und einem Vorschlage. Sie scheint ein Wenig vortheilhafter als die erstere in Bezug auf die Gleichförmigkeit der Abgangswinkel, dennoch ist dieser Vortheil zu wenig ausgesprochen, um den Verlust an Geschwindigkeit und die Aenderungen in den Anfangsgeschwindigkeiten, die aus dem Gebrauche des Vorschlages erwachsen, auszugleichen.

3) Die Ladung mit loser Kugel. Sie hat vor den andern drei Ladeweisen den Vortheil der Gleichförmigkeit der Anfangsgeschwindigkeiten voraus; dieser Vortheil wird aber durch die geringere Gleichförmigkeit der Abgangswinkel und die geringere Größe der Anfangsgeschwindigkeit aufgehoben.

4) Die Ladung mit einem Holzspiegel. Sie verschafft eine geringere Geschwindigkeit als die Ladung mit Pappspiegeln; sie ist nachtheiliger in Bezug auf die Regelmäßigkeit der Abgangswinkel als die drei anderen Lademethoden; mit Rücksicht auf die Gleichförmigkeit der Anfangsgeschwindigkeiten steht die Ladeweise mit einem Vorschlage derselben allein nach.

röhre in einer Oese endigt und auf ⅓ der Länge des inneren Röhrchens ein stark ausgezacktes Stück Messingblech darstellt. Zwischen diesem eigentlichen Reiber und dem Holzpfropf befindet sich auf ⅓ der Höhe des inneren Kupfercylinders der Friktionssatz, der aus 1 Theil chlorsaurem Kali, 2 Theilen Schwefelantimon und einer Anfeuchtung von Alkohol und arabischem Gummi gebildet wird. Der übrige Theil der Schlagröhre ist mit feinem Jagdpulver gestopft. Zum Schutz gegen Feuchtigkeit wird sowohl der obere als der untere Theil der Schlagröhre mit einem Ueberzuge einer Mischung von 9 Theilen Wachs und 1 Theil schwarzem Pech versehen. Eine fertige Schlagröhre wiegt ungefähr 5 Grammen.

Sämmtliche Friktionsschlagröhren für die französische Artillerie werden in der Zündhütchenfabrik zu Paris gefertigt und von hier an die verschiedenen Depots versendet. Ihre Verpackung geschieht in Packeten zu zehn Stück; von diesen werden aber wiederum fünf zu einem Packete vereinigt, zwei solcher Packete zu 50 Stück werden schließlich zu einem großen Packete zusammengebunden.

Bei der Abnahme einer Lieferung Schlagröhren wird $\frac{1}{100}$ derselben speziell revidirt; hierbei muß der Reiber durch eine Kraft von 4 bis 5 Kilogramme herausgerissen werden können; beim Abziehen des hundertsten Theils der Lieferung darf nur bei 1 Prozent das Röhrchen platzen und dürfen nur 2 Prozent Versager stattfinden.

2. Die Friktionszünder der Handgranaten.

Das Zünderholz ist das bisherige geblieben, nur hat der Kopf ein größeres Gewölbe erhalten; außerdem sind in der Höhe desselben zwei Löcher senkrecht zur Längenachse und unter sich, durch das Holz gebohrt. In dem Gewölbe des wie gewöhnlich mit Zündersatz geschlagenen Zünders wird ein kleiner durchbohrter und außerhalb mit einem Reifen versehener Cylinder von Buchsbaum- oder Weißbüchenholz angebracht, der den Friktionssatz enthält. Letzterer besteht aus gleichen Theilen chlorsaurem Kali und Schwefelantimon und wird auf einer Marmorplatte mit einem Marmor- oder Glaspistill unter Zusatz von $\frac{1}{15}$ des Gewichts Gummiwasser angesetzt. In den Friktionssatz greift ein Reiber, von Messingdraht gefertigt, in der Mitte mit einer Oese und an beiden Enden mit scharfen Einschnitten ver-

sehen. Die Oese des Reibers reicht über die obere Fläche des genannten Cylinders, und wenn dieser in dem Gewölbe des Zünders befestigt ist, auch über die Oberfläche des Kopfes desselben hinaus. Diese
Befestigung innerhalb des Gewölbes geschieht durch zwei Stücke Messingdraht, die mit ihrer Mitte in den Reifen des Cylinders greifen,
nach mehrmaligem Zusammendrehen mit ihren Enden durch die vier
Löcher des Zünderholzes geführt und ausserhalb je zwei und zwei ver-
schärzt werden.

Der Zünderkopf wird nach der Befestigung des Cylinders mit
einer Papier- und Lederplatte bedeckt und mit Pech bestrichen, so daß
die Reiberöse durch beide Platten hindurchreicht.

Zum Werfen der Granaten gebraucht man ein ledernes Arm-
band, das um die rechte Hand geschnallt wird und mit einem Stricke
versehen ist, dessen Haken mit der Oese des Reibers in Verbindung
gebracht, beim Schleudern die Friktionszündung in Wirksamkeit treten läßt.

XIV.

Schießversuche aus einem Mörser von 11,5 duim, im März 1848 zu Soerabaija auf Java angestellt.

(Aus dem Militaire Spectator 1851. 3. deel Seite 256.)

Die Batterien der Gebirgsartillerie in den ostindischen Besitzungen der Niederlande sind aus

      3 - 3pfündigen Kanonen,
      1 - 12pfündigen Haubitze und
      2 Handmörsern

formirt. Da man mit den bisherigen Handmörsern nicht günstige Resultate erlangt hatte, so ordnete die Artillerie-Direktion von Batavia an, daß mit dergleichen Mörsern von genau 11,5 duim (gleich 11,5 Centimeter) *) Durchmesser Versuche angestellt werden sollten und ernannte hierzu eine Kommission aus dem Kapitain Chatelenz und dem Lieutenant Kramer bestehend. Dieselbe sollte aus einem Mörser

  10 Wurf mit einer Ladung von 0,04 Ned. Pfund Gewehrpulver
  10 · · · · · · 0,05 · · ·
  10 · · · · · · 0,06 · ·
  10 · · · · · · 0,07 · ·
  10 · · · · · · 0,08 · · ·

thun. Der zu benutzende Mörser hatte genau die vorgeschriebenen Abmessungen und war mit einer Perkussionsvorrichtung versehen

---

*) etwa 4,40 Preußische Zoll.   D. R.

Die Granaten entsprachen allen Anforderungen, wurden mit einer Ausstoßladung von 0,01 Nied. Pfund (ein Pfund gleich ein Kilogramm) versehen und durch Sandfüllung auf das bestimmte Gewicht von 3,55 Pfund Niederl. gebracht. Die Geschützladungen wurden genau abgewogen.

Der Versuch fand auf der Ebene südlich von Toepang statt und war hierzu eine Wurflinie von 800 Schritt mit Pfählen abgesteckt. Der Mörser wurde auf eine Bettung gestellt, die aus vier mit ihrer Längenrichtung in die Direktion der Wurflinie gelegten Rippen gebildet wurde.

Am 27. März 1848 begann der Versuch mit den 20 Wurf bei 0,04 Pfund Ladung. Der Mörser wurde hierbei stets mit Richtlath und Quadrant gerichtet. Zur Messung der Flugzeit der Geschosse und der Brennzeit der Zünder benutzte man einen Chronometer, der mit der von de Brujie in seinem Zakboekie beschriebenen Pendeleinrichtung versehen war und halbe Sekunden anzeigte. Die Seitenabweichungen waren bei diesen 20 Wurf sehr gering und betrugen im Mittel sowohl 7 Schritt rechts als links, die Längenausdehnung war dagegen bedeutend und betrug bei einer mittleren Wurfweite von 200 Schritt ebenfalls 200 Schritt.

Bei dem Laden mit 0,04 und 0,05 Pfund wurden die Zünder nicht eingepudert, welchem Umstande man das Blindgehen vieler Zünder zuschrieb. Der verhältnißmäßig große Rücklauf des Mörsers (0,50 Elle) erklärte sich aus der durch den starken Thau verursachten feuchten Oberfläche der Bettung.

Am 28. März geschahen die 20 Wurf mit 0,05 Pfund Ladung; als größte Seitenabweichung rechts ergaben sich 30 Schritt, links 15 Schritt, die mittlere Wurfweite betrug 418 Schritt, die Längenausbreitung 404 Schritt.

Am 30. März that man die 30 Wurf mit den Ladungen von 0,06 — 0,07 und 0,08 Pfund und erhielt bei

Ladung.	Mittlere Wurfweite.	Mittlere Seitenabweichung.		Längenausbreitung.
		rechts	links	
0,06 Pfund	503 Schritt	40 Schritt	25 Schritt	417 Schritt
0,07 =	700 =	44 =	75 =	345 =
0,08 =	665 =	33 =	60 =	258 =

Die Geschosse wurden vor dem Einsetzen in die Spiegel gepolt, man setzte darauf dieselben so in die Spiegel, daß die Schwerachse in die Verlängerung der Achse des Spiegels und der Schwerpunkt nach demselben gerichtet war. Es versteht sich von selbst, daß die lose zu verwendenden Kugeln nicht gepolt wurden.

3. Die Schießversuche und die erlangten Resultate.

Um die Verhältnisse möglichst gleich zu gestalten, geschah das Schießen in Serien von 4 Schuß jeder Ladungsmethode, außerdem wurde mit der Reihenfolge der Methoden stets gewechselt.

Die beiden Geschütze wurden auf Bettungen gestellt, ihre Seelenachsen wurden mittelst einer Libelle horizontal geschraubt. Das lose Geschoß wurde durch einen leichten Heuvorschlag an die Ladung gedrückt; man benutzte einen ausgehöhlten Ansetzer, um das Projektil bei der Ladung mit einem Vorschlage in die Mittellinie der Seele zu bringen.

Bei allen Ladungsmethoden wurde das Geschoß durch einen leichten Stoß des Ansetzers zu Boden gebracht. Als Zündung benutzte man Friktionsschlagröhren.

Die Hälfte der Schüsse geschah auf der Entfernung von 27,16 Meter, die andere auf der von 35,36 Meter. *)

---

*) Die hier angenommenen Entfernungen erscheinen für den beabsichtigten Zweck viel zu gering, da man, wenn man den Luftwiderstand des bessern Ueberblickes wegen nicht berücksichtigt, bei einer Geschwindigkeit des Geschosses von 500 Meter für die Entfernung von 27,16 Meter die Flugzeit von 0,0543 Sekunde, für die von 35,36 Meter die Flugzeit von 0,0707 Sekunde und für die Entfernung von $35,36 - 27,16 = 8,2$ Meter eine solche von 0,0164 Sekunde erhält, und demgemäß bei einem Messungsfehler von nur $\frac{1}{1000}$ Sekunde jene 500 Meter bei der Entfernung von

$$27,16 \text{ Meter zu } \frac{27,16}{0,0543 \pm 0,001} = 491,1 \text{ oder } 509,6 \text{ Meter}$$

$$35,36 \quad \text{•} \quad \text{•} \quad \frac{35,16}{0,0707 \pm 0,001} = 493,0 \quad \text{•} \quad 507,4 \quad \text{•}$$

$$8,2 \quad \text{•} \quad \text{•} \quad \frac{8,2}{0,0164 \pm 0,001} = 471,3 \quad \text{•} \quad 532,5 \quad \text{•}$$

werden, und diese Unterschiede bereits diejenigen übersteigen, welche den gezogenen Schlußfolgerungen zum Grunde gelegt sind. **D. R.**

Der elektromagnetische Apparat war unter einem Schuppen, ungefähr 75 Meter (238,96 Fuß) von dem feuernden Geschütz aufgestellt.

Das Schießen begann am 14. September und wurde am 20. desselben Monats beendet.

Mit Rücksicht auf den in dem Scheibenrahmen durch die Kugel gesprengten Draht konnte man die mittleren Längenabweichungen gegen die Höhe der mittleren Flugbahn für jede Ladungsmethode bestimmen. Die Höhe der mittleren Flugbahn wurde durch Theilung der Summe der Ordinaten durch die Zahl der Schüsse (10) erlangt. Die mittlere Längenabweichung erhielt man, indem man die Summe der Unterschiede jeder Ordinate von der Ordinate der mittleren Flugbahn durch die Zahl der geschehenen Schüsse dividirte.

Die Anfangsgeschwindigkeiten wurden nach folgenden Erwägungen ermittelt.

Der elektromagnetische Apparat giebt direkt die Zeit an, die die Kugel gebraucht, um den Raum zwischen dem Drahte vor der Mündung und dem in dem Scheibenrahmen zu durchfliegen.

Wenn man die Anfangsgeschwindigkeit der Kugel mit V und mit x die Entfernung der Mündung von dem Scheibenrahmen bezeichnet, so hat man die bekannte Formel

$$t = \frac{1}{mV \cos \varphi}\left(e^{mx} - 1\right);$$

da der Schuß horizontal geschehen, φ demnach $= 0$ und $\cos \varphi = 1$, so hat man

$$V = \frac{1}{mt}\left(e^{mx} - 1\right) \qquad\qquad \text{(I).}$$

Für eine andere Entfernung x' würde man bei sonst gleichen Verhältnissen haben

$$V = \frac{1}{mt'}\left(e^{mx'} - 1\right) \qquad\qquad \text{(II).}$$

Da die Zeit t und t' bekannt, so enthalten die beiden Gleichungen nur zwei unbekannte Größen V und m, die demnach bestimmt werden können.

Die Werthe t und t' dergestalt zu erhalten, um mit Genauigkeit den Coefficient m des Luftwiderstandes bestimmen zu können, hätte man auf den beiden Distancen x = 27,18 Meter und x' = 35,36 Meter unter möglichst gleichen Verhältnissen schießen müssen.

derlegen kann. Nach unserer Ansicht scheint es überhaupt angemessen, sich zylindrischer Pulverfässer von gewalztem Zink, 0,9 Linie dde. (2 Millimeter) dick, 106 — 213 Pfund Preußisch (50, resp. 100 Kilogramme) enthaltend, zu bedienen, theils um überhaupt den permanenten*) Pulvervorrath in den Festungen darin zu halten, theils um immer fertig geladene Pulverkasten, wie man sie am häufigsten gebrauchen wird, zu haben. Modelle solcher Fässer mit einem Deckel von verbundenen Stäben, deren Fugen durch Papier oder Leinwand bis zur Zeit des Gebrauchs verklebt sind, wurden von der Artillerie-Prüfungs-Kommission untersucht und gut befunden. Ihr Gewicht beträgt kaum 30—42,8 Pfund (14—20 Kilogramme), während die hölzernen Fässer von gleichem kubischen Inhalte mit ihrem Umschlags-faß 53,45 — 81 Pfund (25—38 Kilogramme) wiegen, und der Preis der erstern geringer ist, wenn man den Werth des alten Zinks in Anschlag bringt.

2) Bekleidungswände für Silos. Sie bestehen aus zwei Kegeln von derselben Basis, nur geht der obere in einen zylindrischen Schacht von 1,59 Fuß (0,5 Meter) Durchmesser aus, der jedoch nur so hoch ist, daß man einen Deckel, ähnlich wie bei den zinkenen Pulverfässern, anbringen kann. Modelle solcher Silos für ungefähr 145½ Berliner Scheffel (80 Hektoliter) Getreide sind in viertel natürlicher Größe nach unserer Zeichnung ausgeführt und im Lokal der Verwaltung von Vieille-Montagne, rue Richer, ausgestellt. Die Bekleidungswand für ein solches Silo von oben erwähntem Inhalt braucht nur Zink-platten von Nr. 14 zu haben, weil der Druck des Getreides dem des außen liegenden Bodens das Gleichgewicht hält. Sie wiegt mit ihren Verstärkungsringen nur 385—427 Pfund (180—200 Kilogramme) und kostet nicht über 43 Thaler (160 Francs), ein Preis, der einer zweijährigen Miethe für ein Getreide-Magazin von gleichem Lager-raum entspricht. Sobald die Erfahrung wird den Nutzen solcher Silos bestätigt haben, wird man sie in Festungen, auf großen Landgü-

---

*) Solche Pulvervorräthe könnte man in Kasematten, Souterrains, Minengallerien 2c. aufbewahren, ohne den Einfluß der Feuchtigkeit fürchten zu müssen, so lange man nur die unmittelbare Berührung mit auswitternden Erden vermeidet.

Der Verfasser.

tern und für alle Etablissements einführen, wo man Nahrungsmittel für eine gewisse größere Zahl Menschen nöthig hat, wäre es auch nur, um in fruchtbaren Jahren einen Vorrath für schlechtere Zeiten sicher aufzuspeichern. Man muß bei der Anlage nur die Berührung mit Bodenarten vermeiden die geneigt sind, Salze auszuwittern und dann wenigstens 3 Fuß dde. (1 Meter) Boden mit der nöthigen Böschung für den Wasserabfluß aufschütten.

3) Akustische Röhren, die von Observatorien auf Thürmen oder anderen hohen Gegenständen ausgehen, von denen aus man das Vorterrain und die Stadt selbst übersehen kann. Solche Röhren, die zugleich als Wasserabflußröhren dienen könnten, müßten nach dem Fuß der Gebäude in Wachtlokale oder Büreaux leiten, in denen man dann unmittelbar von Allem unterrichtet würde, was auf Sicherheits= oder Vertheidigungsmaßregeln, z. B. bei einer Feuersbrunst, Truppenbewegungen ꝛc. Einfluß haben kann.

4) Hülsen für Leucht= und Brandraketen*) gegen die Trancheen des Feindes, und selbst kongrevesche Raketen (im Nothfall auch aus Kupfer, Eisen oder Stahl) aus Zink verfertigt, bestehen aus gezogenen Röhren mit einer Metallverstärkung an einem Ende, in welcher sich ein genau centralgebohrtes Loch von halbem Kaliber Durchmesser befindet, um beim Schlagen der Raketen den Dorn durchzuschieben und so die Seele zu bilden. Das andere Ende der Rakete wird dann nach dem Schlagen mit einem zylindrisch=konischen Deckel, ebenfalls von Zink, geschlossen.**) Endlich hoffen wir, daß man den Balancirstab, welcher sich an metallene Hülsen ebenso gut anbringen läßt, wie an papierne, gegen eine von beiden Seiten offene und die Hülse genau umschließende Röhre vertauschen wird, die man in ihrer Längsrichtung mit Schlitzen versehen kann, um das Entweichen des bei der

---

*) Da das Zink bei 500 Grad C. mit grünlicher Farbe selbst brennt, so würde es nie vermieden werden können, daß solche Signale immer diese Farbe zeigen. Ueberhaupt hat der Verfasser dieses sehr wichtigen Punktes des Verbrennens des Zinks nirgend gedacht. *Der Uebersetzer.*

**) Zu Raketenhülsen wird das Zinkblech schon deshalb nicht anzuwenden sein, weil es zu leicht verbrennt, man müßte es denn von übermäßiger Stärke nehmen, was andere Nachtheile herbeiführt. D. R.

Verbrennung entwickelten Pulvergases zu befördern. Man muß nur diese Erzeugnisse einer scharfsinnigen Industrie sehen (bei M. Palmer, rue Montmorency in Paris), um sich zu überzeugen, welche Vortheile die Feuerwerkerei wird für Raketen, mag man sie weit oder mit großer Geschwindigkeit werfen wollen, aus der Vervollkommnung solcher zinkenen Röhren ziehen können.

5) Kartuschbüchsen, Bekleidungen von Munitionskasten, kleine Jäger-Pulverhörner ließen sich billiger und für die Aufbewahrung sicherer aus Zinkblech statt aus Eisenblech anfertigen.

Nachdem wir nun durch einige Beispiele (und es sollen später deren noch mehrere folgen) die Vortheile dargethan haben, welche das Zink für die Militairtechnik gewährt, sei es uns vergönnt, gegen das Verbot zu sprechen, Gebäude in den Rayons der Festungen mit Zink zu decken. Es ist wahr, dieses Verbot stammt her von der Anwendung des Proskriptionsgesetzes vom 1. August 1821, aber der Kriegsminister hat die Macht es aufzuheben, gerade so, wie dies schon mit dem in ähnlicher Weise für Ziegeldächer gegebene geschehen ist. Ein horizontales Zinkdach raubt dem Blick von der Festung ins Vorterrain weniger Aussicht, als ein steiles Ziegeldach und ist auch nicht schwieriger zu zerstören, wenn die Vertheidigung des Platzes dies erheischt. Außerdem wäre in solcher Zeit das durch den Abbruch gewonnene Zink ein gutes Material, um Bomben, Mörser und die andern vorher erwähnten Gegenstände zu fertigen, mit denen man seine Vorräthe vermehren und darum hartnäckigeren Widerstand leisten kann.

Im März 1850.

A. Picot,
Brigade-General a. D.

XII.

Die Friktionszündungen der französischen Artillerie.

In der neuesten Zeit hat die französische Artillerie in zwei Fällen die Vortheile der Friktionszündung zu gewinnen gesucht, nämlich bei den Schlagröhren und den Zündern der Handgranaten. Der 1850 mit Genehmigung des Kriegsministers erschienene Cours abrégé d'artillerie enthält hierüber speziellere Angaben, die wir nachfolgend vorlegen.

1. Die Friktions-Schlagröhren.

Bisher hatte die französische Artillerie für die Feldartillerie nur eine Schilfschlagröhre (étoupille en roseaux) im Gebrauch; durch das Dekret vom 7. September 1848 ist dieselbe durch eine Friktionsschlagröhre nach dem Systeme Dambry ersetzt worden. Dieselbe besteht aus einem kupfernen Röhrchen von 45 Millimeter Länge, das an dem oberen Ende vier umgebogene Lappen hat, die den Kopf bilden und das Durchfallen durch das Zündloch des Geschützrohrs verhindern sollen. In dem oberen Theile des Röhrchens ist ein Holzcylinder angebracht, dieser enthält einen Reifen und wird mittelst eines in dem Röhrchen befindlichen Reifens, der in den seinigen eingreift, mit demselben fest verbunden. Unterhalb des mit einer Bohrung versehenen Holzcylinders befindet sich in dem kupfernen Röhrchen ein zweiter kupferner Cylinder von geringerem Durchmesser und 18 Millimeter Länge. Durch diesen Cylinder und die Bohrung des Holzpfropfs geht ein Reiber von Messingdraht, der außerhalb der Schlag-

röhre in einer Oese endigt und auf ⅓ der Länge des inneren Röhrchens ein stark ausgezacktes Stück Messingblech darstellt. Zwischen diesem eigentlichen Reiber und dem Holzpfropf befindet sich auf ⅓ der Höhe des inneren Kupfercylinders der Friktionssatz, der aus 1 Theil chlorsaurem Kali, 2 Theilen Schwefelantimon und einer Anfeuchtung von Alkohol und arabischem Gummi gebildet wird. Der übrige Theil der Schlagröhre ist mit feinem Jagdpulver gestopft. Zum Schutz gegen Feuchtigkeit wird sowohl der obere als der untere Theil der Schlagröhre mit einem Ueberzuge einer Mischung von 9 Theilen Wachs und 1 Theil schwarzem Pech versehen. Eine fertige Schlagröhre wiegt ungefähr 5 Grammen.

Sämmtliche Friktionsschlagröhren für die französische Artillerie werden in der Zündhütchenfabrik zu Paris gefertigt und von hier an die verschiedenen Depots versendet. Ihre Verpackung geschieht in Packeten zu zehn Stück; von diesen werden aber wiederum fünf zu einem Packete vereinigt, zwei solcher Packete zu 50 Stück werden schließlich zu einem großen Packete zusammengebunden.

Bei der Abnahme einer Lieferung Schlagröhren wird $\frac{1}{100}$ derselben speziell revidirt; hierbei muß der Reiber durch eine Kraft von 4 bis 5 Kilogramme herausgerissen werden können; beim Abziehen des hundertsten Theils der Lieferung darf nur bei 1 Prozent das Röhrchen platzen und dürfen nur 2 Prozent Versager stattfinden.

2. Die Friktionszünder der Handgranaten.

Das Zünderholz ist das bisherige geblieben, nur hat der Kopf ein größeres Gewölbe erhalten; außerdem sind in der Höhe desselben zwei Löcher senkrecht zur Längenachse und unter sich, durch das Holz gebohrt. In dem Gewölbe des wie gewöhnlich mit Zündersatz geschlagenen Zünders wird ein kleiner durchbohrter und außerhalb mit einem Reifen versehener Cylinder von Buchsbaum- oder Weißbüchenholz angebracht, der den Friktionssatz enthält. Letzterer besteht aus gleichen Theilen chlorsaurem Kali und Schwefelantimon und wird auf einer Marmorplatte mit einem Marmor- oder Glaspistill unter Zusatz von $\frac{1}{7}$ des Gewichts Gummiwasser angesetzt. In den Friktionssatz greift ein Reiber, von Messingdraht gefertigt, in der Mitte mit einer Oese und an beiden Enden mit scharfen Einschnitten ver-

sehen. Die Oese des Reibers reicht über die obere Fläche des genannten Cylinders, und wenn dieser in dem Gewölbe des Zünders befestigt ist, auch über die Oberfläche des Kopfes desselben hinaus. Diese
Befestigung innerhalb des Gewölbes geschieht durch zwei Stücke Messingdraht, die mit ihrer Mitte in den Reifen des Cylinders greifen,
nach mehrmaligem Zusammendrehen mit ihren Enden durch die vier
Löcher des Zünderholzes geführt und außerhalb je zwei und zwei ver-
schürzt werden.

Der Zünderkopf wird nach der Befestigung des Cylinders mit
einer Papier- und Lederplatte bedeckt und mit Pech bestrichen, so daß
die Reiberöse durch beide Platten hindurchreicht.

Zum Werfen der Granaten gebraucht man ein ledernes Arm-
band, das um die rechte Hand geschnallt wird und mit einem Stricke
versehen ist, dessen Haken mit der Oese des Reibers in Verbindung
gebracht, beim Schleudern die Friktionszündung in Wirksamkeit treten läßt.

Archiv

für

die Offiziere

der

Königlich Preußischen Artillerie-

und

Ingenieur-Corps.

Redaktion:

From,   **Hein,**   **C. Hoffmann,**
General im Ingen.-Corps.   Major d. Artillerie.   Major d. Artillerie.

Funfzehnter Jahrgang.   Dreißigster Band.
Mit einer Zeichnung.

Berlin und Posen 1851.
Druck und Verlag von E. S. Mittler und Sohn.
Zimmerstr. 84. 85.

3) Laden mit der in einem pappenen Spiegel befestigten Kugel,

4) Laden mit der in einem pappenen Spiegel befestigten Kugel
und einem Vorschlage.

Das Schießen fand aus zwei 6pfündern statt, von denen der eine ein
Feld=, der andere ein Festungsgeschütz, beide aber in Bronze gegossen;
die Ladung war die gewöhnliche von einem Kilogramme Pulver; die
mittleren Ergebnisse wurden aus 10 Schuß ermittelt; um den Wider=
stand der Luft bei der Berechnung der Anfangsgeschwindigkeiten zu
beachten, wurde die Zeit bestimmt, welche die Geschosse zum Durch=
fliegen zweier verschiedenen Entfernungen gebrauchten.

2. Versuchsmittel.

A. Geschütz. Zwei dem 2. Artillerie=Regiment gehörige Feld=
6pfünder und zwei zur Armirung von Lüttich gehörige Festungs=
6pfünder wurden nach den Aufnahmetabellen ausgewählt und nach
der Gießerei geschafft. Hier wurden sie einer genauen Prüfung un=
terworfen und in Folge davon der beste 6pfünder jeder Art zu dem
Schießversuch bestimmt.

B. Munition. Man gebrauchte Artillerie=Pulver, das 1848
zu Wetteren fabrizirt worden. Dasselbe hatte eine sehr dunkele Farbe,
ein eckiges Korn, von dem 230 Körner auf ein Gramme gingen. Die
mittlere Wurfweite aus dem Probirmörser ergab sich sowohl vor dem
Beginne als auch beim Schlusse der Versuche zu 250 Meter.

Die Ladungen waren in Beutel von Serge eingeschlossen.

Die Kugeln wurden dergestalt ausgewählt, daß ihre Durchmesser
dem der großen Leere möglichst gleich kamen.

Das mittlere Gewicht, aus der Wägung von 20 Kugeln bestimmt,
ergab sich zu 2,8579 Kilogramme (6 Pfund 3,57 Loth).

Das Gewicht der Holzspiegel mit den Blechstreifen war 0,155
Kilogramme (10,61 Loth).

Das Gewicht des Pappspiegels mit den Baumwollenstreifen war
0,090 Kilogramme (6,12 Loth).

Das Gewicht des Vorschlages betrug 0,025 Kilogramme (1,74
Loth).

Der äußere Durchmesser der Spiegel war gleich dem mittleren
Durchmesser der Kugeln.

Die Geschoffe wurden vor dem Einsetzen in die Spiegel gepolt, man setzte darauf dieselben so in die Spiegel, daß die Schwerachse in die Verlängerung der Achse des Spiegels und der Schwerpunkt nach demselben gerichtet war. Es versteht sich von selbst, daß die lose zu verwendenden Kugeln nicht gepolt wurden.

3. Die Schießversuche und die erlangten Resultate.

Um die Verhältnisse möglichst gleich zu gestalten, geschah das Schießen in Serien von 4 Schuß jeder Ladungsmethode, außerdem wurde mit der Reihenfolge der Methoden stets gewechselt.

Die beiden Geschütze wurden auf Bettungen gestellt, ihre Seelenachsen wurden mittelst einer Libelle horizontal geschraubt. Das lose Geschoß wurde durch einen leichten Heuvorschlag an die Ladung gedrückt; man benutzte einen ausgehöhlten Ansetzer, um das Projektil bei der Ladung mit einem Vorschlage in die Mittellinie der Seele zu bringen.

Bei allen Ladungsmethoden wurde das Geschoß durch einen leichten Stoß des Ansetzers zu Boden gebracht. Als Zündung benutzte man Friktionsschlagröhren.

Die Hälfte der Schüffe geschah auf der Entfernung von 27,16 Meter, die andere auf der von 35,36 Meter. *)

---

*) Die hier angenommenen Entfernungen erscheinen für den beabsichtigten Zweck viel zu gering, da man, wenn man den Luftwiderstand des beffern Ueberblickes wegen nicht berücksichtigt, bei einer Geschwindigkeit des Geschoffes von 500 Meter für die Entfernung von 27,16 Meter die Flugzeit von 0,0543 Sekunde, für die von 35,36 Meter die Flugzeit von 0,0707 Sekunde und für die Entfernung von 35,36 — 27,16 = 8,2 Meter eine solche von 0,0164 Sekunde erhält, und demgemäß bei einem Meffungsfehler von nur $\frac{1}{1000}$ Sekunde jene 500 Meter bei der Entfernung von

$$27{,}16 \text{ Meter zu } \frac{27{,}16}{0{,}0543 + 0{,}001} = 491{,}1 \text{ oder } 509{,}6 \text{ Meter}$$

$$35{,}36 \quad \text{ } \quad \text{ } \quad \frac{35{,}16}{0{,}0707 + 0{,}001} = 493{,}0 \quad \text{ } \quad 507{,}4 \quad \text{ }$$

$$8{,}2 \quad \text{ } \quad \text{ } \quad \frac{8{,}2}{0{,}0164 + 0{,}001} = 471{,}3 \quad \text{ } \quad 532{,}5 \quad \text{ }$$

werden, und diese Unterschiede bereits diejenigen übersteigen, welche den gezogenen Schlußfolgerungen zum Grunde gelegt sind.

D. R.

Der elektromagnetische Apparat war unter einem Schuppen, ungefähr 75 Meter (238,96 Fuß) von dem feuernden Geschütz aufgestellt.

Das Schießen begann am 14. September und wurde am 20.
desselben Monats beendet.

Mit Rücksicht auf den in dem Scheibenrahmen durch die Kugel
gesprengten Draht konnte man die mittleren Längenabweichungen gegen die Höhe der mittleren Flugbahn für jede Ladungsmethode bestimmen. Die Höhe der mittleren Flugbahn wurde durch Theilung
der Summe der Ordinaten durch die Zahl der Schüsse (10) erlangt.
Die mittlere Längenabweichung erhielt man, indem man die Summe
der Unterschiede jeder Ordinate von der Ordinate der mittleren Flugbahn durch die Zahl der geschehenen Schüsse dividirte.

Die Anfangsgeschwindigkeiten wurden nach folgenden Erwägungen ermittelt.

Der elektromagnetische Apparat giebt direkt die Zeit an, die die
Kugel gebraucht, um den Raum zwischen dem Drahte vor der Mündung und dem in dem Scheibenrahmen zu durchfliegen.

Wenn man die Anfangsgeschwindigkeit der Kugel mit V und mit
x die Entfernung der Mündung von dem Scheibenrahmen bezeichnet,
so hat man die bekannte Formel

$$t = \frac{1}{mV \cos \varphi}(e^{mx} - 1);$$

da der Schuß horizontal geschehen, φ demnach $= 0$ und $\cos \varphi = 1$,
so hat man

$$V = \frac{1}{mt}(e^{mx} - 1) \qquad \text{(I)}.$$

Für eine andere Entfernung x' würde man bei sonst gleichen Verhältnissen haben

$$V = \frac{1}{mt'}(e^{mx'} - 1) \qquad \text{(II)}.$$

Da die Zeit t und t' bekannt, so enthalten die beiden Gleichungen
nur zwei unbekannte Größen V und m, die demnach bestimmt werden können.

Die Werthe t und t' dergestalt zu erhalten, um mit Genauigkeit den Coefficient m des Luftwiderstandes bestimmen zu können,
hätte man auf den beiden Distancen $x = 27,16$ Meter und $x' =$
35,36 Meter unter möglichst gleichen Verhältnissen schießen müssen.

Die Geschosse wurden vor dem Einsetzen in die Spiegel gepolt, man setzte darauf dieselben so in die Spiegel, daß die Schwerachse in die Verlängerung der Achse des Spiegels und der Schwerpunkt nach demselben gerichtet war. Es versteht sich von selbst, daß die lose zu verwendenden Kugeln nicht gepolt wurden.

3. Die Schießversuche und die erlangten Resultate.

Um die Verhältnisse möglichst gleich zu gestalten, geschah das Schießen in Serien von 4 Schuß jeder Ladungsmethode, außerdem wurde mit der Reihenfolge der Methoden stets gewechselt.

Die beiden Geschütze wurden auf Bettungen gestellt, ihre Seelenachsen wurden mittelst einer Libelle horizontal geschraubt. Das lose Geschoß wurde durch einen leichten Heuvorschlag an die Ladung gedrückt; man benutzte einen ausgehöhlten Ansetzer, um das Projektil bei der Ladung mit einem Vorschlage in die Mittellinie der Seele zu bringen.

Bei allen Ladungsmethoden wurde das Geschoß durch einen leichten Stoß des Ansetzers zu Boden gebracht. Als Zündung benutzte man Friktionsschlagröhren.

Die Hälfte der Schüsse geschah auf der Entfernung von 27,16 Meter, die andere auf der von 35,36 Meter.*)

*) Die hier angenommenen Entfernungen erscheinen für den beabsichtigten Zweck viel zu gering, da man, wenn man den Luftwiderstand des bessern Ueberblickes wegen nicht berücksichtigt, bei einer Geschwindigkeit des Geschosses von 500 Meter für die Entfernung von 27,16 Meter die Flugzeit von 0,0543 Sekunde, für die von 35,36 Meter die Flugzeit von 0,0707 Sekunde und für die Entfernung von 35,36 — 27,16 = 8,2 Meter eine solche von 0,0164 Sekunde erhält, und demgemäß bei einem Meßungsfehler von nur $\frac{1}{1000}$ Sekunde jene 500 Meter bei der Entfernung von

$$27,16 \text{ Meter zu } \frac{27,16}{0,0543 + 0,001} = 491,1 \text{ oder } 509,6 \text{ Meter}$$

$$35,36 \quad \text{ } \quad \text{ } \frac{35,16}{0,0707 + 0,001} = 493,0 \quad \text{ } \quad 507,4 \quad \text{ }$$

$$8,2 \quad \text{ } \quad \text{ } \frac{8,2}{0,0164 + 0,001} = 471,3 \quad \text{ } \quad 532,5 \quad \text{ }$$

werden, und diese Unterschiede bereits diejenigen übersteigen, welche den gezogenen Schlußfolgerungen zum Grunde gelegt sind.

D. R.

Der elektromagnetische Apparat war unter einem Schuppen, ungefähr 75 Meter (238,96 Fuß) von dem feuernden Geschütz aufgestellt.

Das Schießen begann am 14. September und wurde am 20. desselben Monats beendet.

Mit Rücksicht auf den in dem Scheibenrahmen durch die Kugel gesprengten Draht konnte man die mittleren Längenabweichungen gegen die Höhe der mittleren Flugbahn für jede Ladungsmethode bestimmen. Die Höhe der mittleren Flugbahn wurde durch Theilung der Summe der Ordinaten durch die Zahl der Schüsse (10) erlangt. Die mittlere Längenabweichung erhielt man, indem man die Summe der Unterschiede jeder Ordinate von der Ordinate der mittleren Flugbahn durch die Zahl der geschehenen Schüsse dividirte.

Die Anfangsgeschwindigkeiten wurden nach folgenden Erwägungen ermittelt.

Der elektromagnetische Apparat giebt direkt die Zeit an, die die Kugel gebraucht, um den Raum zwischen dem Drahte vor der Mündung und dem in dem Scheibenrahmen zu durchfliegen.

Wenn man die Anfangsgeschwindigkeit der Kugel mit V und mit x die Entfernung der Mündung von dem Scheibenrahmen bezeichnet, so hat man die bekannte Formel

$$t = \frac{1}{mV \cos \varphi}(e^{mx} - 1);$$

da der Schuß horizontal geschehen, φ demnach $= 0$ und $\cos \varphi = 1$, so hat man

$$V = \frac{1}{mt}(e^{mx} - 1) \qquad \text{(I)}.$$

Für eine andere Entfernung x' würde man bei sonst gleichen Verhältnissen haben

$$V = \frac{1}{mt'}(e^{mx'} - 1) \qquad \text{(II)}.$$

Da die Zeit t und t' bekannt, so enthalten die beiden Gleichungen nur zwei unbekannte Größen V und m, die demnach bestimmt werden können.

Die Werthe t und t' dergestalt zu erhalten, um mit Genauigkeit den Coefficient m des Luftwiderstandes bestimmen zu können, hätte man auf den beiden Distancen $x = 27,16$ Meter und $x' = 35,36$ Meter unter möglichst gleichen Verhältnissen schießen müssen.

Man hat diese Bedingung nicht erfüllt, da dieselbe das Schießen zu
sehr komplizirt hätte, sondern an verschiedenen Tagen mit derselben
Ladungsmethode auf den Entfernungen von 27,16 und 35,36 Meter
geschossen und dergestalt einen Theil der Genauigkeit geopfert, mit
welcher der Luftwiderstand bei dem strengen Festhalten des Charakters
eines Vergleichversuchs hätte bestimmt werden müssen.

Die in der folgenden Tabelle verzeichnete, durch den elektromagnetischen Apparat angegebene Zeit läßt erkennen, daß die verschiedenen zur Anwendung gekommenen Ladungsmethoden keinen großen
Einfluß auf die Anfangsgeschwindigkeiten äußern, und daß die bei dem
kurzen Rohre erhaltenen Resultate eine größere Regelmäßigkeit als
die des langen Rohres darbieten. In Folge dieser beiden Beobachtungen hat man geglaubt, den Coefficienten m aus den Resultaten,
die der kurze 6pfünder geliefert, herleiten und den gefundenen Werth
bei der Berechnung der übrigen Anfangsgeschwindigkeiten gebrauchen
zu können.

Zur Abkürzung der Arbeit hat man die Mittel aus den Zeiten
genommen, statt sie aus den Anfangsgeschwindigkeiten der einzelnen
Schüsse zu nehmen. Die mittlere Anfangsgeschwindigkeit differirt sehr
wenig von derjenigen die man erhält, wenn man zur Basis der Rechnung das Mittel der Zeiten nimmt.

Der Ausdruck der Geschwindigkeit, bei der Annahme eines kon-
stanten m liefert die Formel $V = \frac{fx}{t}$, daraus folgt, daß die mittlere Geschwindigkeit der Geschwindigkeiten $V, V_1, V_2, V_3 \ldots$
V_{n-1} wäre

$$\frac{V + V_1 + V_2 + \ldots + V_{n-1}}{n} = \left(\frac{fx}{t} + \frac{fx}{t_1} + \frac{fx}{t_2} + \ldots + \frac{fx}{t_{n-1}} \right) \frac{1}{n}$$

$$= \frac{fx}{n} \left(\frac{1}{t} + \frac{1}{t_1} + \frac{1}{t_2} + \ldots + \frac{1}{t_{n-1}} \right),$$

ein Ausdruck, dessen Werth wenig von dem auf obige Weise gefundenen

$$\frac{nfx}{t + t_1 + t_2 + \ldots + t_{n-1}} \text{ abweicht.}$$

Zur Entwickelung des Werthes von m setzt man die Werthe von V
der Gleichungen I und II gleich und erhält:

$$\frac{e^{mx'}-1}{e^{mx}-1} = \frac{t'}{t}.$$

Subſtituirt man für $e^{mx'}$ und e^{mx} nach der bekannten Entwickelung dieſer Funktion die betreffenden Werthe, ſo hat man:

$$\frac{e^{mx'}-1}{e^{mx}-1} = \frac{t'}{t} = \frac{x' + \frac{mx'^2}{1.2} + \frac{m^2 x'^3}{1.2.3} + \dots}{x + \frac{mx^2}{1.2} + \frac{m^2 x^3}{1.2.3} + \dots} \quad \text{(III).}$$

Für den kurzen 6pfünder hat man $t' = 0,0748$ Sekunden,

$$t = 0,05617$$
$$x = 27,16 \text{ Meter,}$$
$$x' = 35,36 \quad \text{und}$$
$$\frac{t}{t'} = 1,3315.$$

Es handelt ſich nun zu erforſchen, wie weit die Entwickelung der Werthe von $e^{mx'}$ und e^{mx} in die Berechnung hineinzuziehen iſt.

Man hat für den Werth von m den Ausdruck:

$$m = n \cdot \frac{3}{8} \cdot \frac{\delta'}{\delta D};$$

in welchem n annähernd gleich 2,

δ' die Dichtigkeit der Luft $= 0,0013$;

δ die Dichtigkeit des Geſchoſſes $= 6,95$;

D der Durchmeſſer des Geſchoſſes $= 0,0923$ Meter iſt (3,48 Zoll). Hieraus ergiebt ſich $m = 0,0015$.

Bei der Subſtitution dieſes Werthes in die Entwickelung von e^{mx} ergiebt ſich, daß die Reihe eine ſehr geſchloſſene iſt m^3 gleich $0,00000000337$; man kann ſich daher auf die vorhergehende Entwickelung beſchränken. Die Gleichung III wird alſo:

$$\frac{t'}{t} = 1,3315 = \frac{6x' + 3mx'^2 + m^2 x'^3}{6x + 3mx^2 + m^2 x^3}.$$

Der Werth von m für dieſe Gleichung iſt $m = 0,001$.

Derſelbe in die Gleichung I geſetzt giebt: $V = 490,11$

in die Gleichung II geſetzt giebt: $V = 490,15$

Dieſe Geſchwindigkeiten ſind demnach bis auf 0,04 (Zoll) gleich.

Die Substituirung von m in die Gleichungen I und II hat die folgenden Relationen geliefert, die zur Berechnung der anderen Geschwindigkeiten benutzt wurden:

Für den Schuß auf 27,16 Meter Entfernung:

$$\log V = 1{,}4396378 - \log t.$$

Für den Schuß auf 35,36 Meter Entfernung:

$$\log V = 1{,}5642635 - \log t.$$

Die folgende Tabelle liefert eine Zusammenstellung der erhaltenen Resultate:

Geschütz.	Entfernung zwischen beiden Dräthen.	Mittlere Anfangsgeschwindigkeiten von 10 Schuß.				Mittlere Unterschiede der Anfangsgeschwindigkeiten.				Ordinate der mittleren Flugbahn in dem Scheibenrahmen in Millimeter.				Mittlere Längenabweichung mit Rücksicht auf die mittlere Flugbahn im Scheibenrahmen in Millimeter.				Bemerkungen.
	Meter.	A.	B.	C.	D.	A.	B.	C.	D.	A.	B.	C.	D.	A.	B.	C.	D.	
Kurzer Gyssünder {	27,16	494,29	493,41	485,57	487,29	7,2	6,7	7,2	5,3	277	277	274	269	20	15	34	39	A. Ladung mit Pappspiegel,
	35,36	496,15	490,85	490,19	483,72	5,4	7,7	5,4	4,9	246	255	241	235	29	25	39	34	B. Ladung mit Spiegel und Vorschlag
Langer Gyssünder {	27,16	522,43	515,50	510,79	508,91	5,1	6,8	8,6	5,9	210	230	207	235	28	40	62	50	C. Ladung mit Hohlspiegel,
	35,36	537,23	525,78	518,61	517,12	9,1	13,1	12,3	8,2	126	143	157	154	28	15	15	31	D. Ladung mit loser Kugel.
Mittel aus { kurzer Gyssünder 20 Schuß		495,22	492,13	487,88	485,50													
{ langer Gyssünder 20 Schuß		529,83	520,64	514,70	513,01													

Mittlere Anfangsgeschwindigkeit für das lange Rohr = 519,54 Meter,
" " " " " kurze = 490,18 "

Differenz 29,36 Meter.

4. Betrachtung über die Resultate.

Jede Horizontalspalte der Tabelle liefert das Resultat von 40 Schuß, die unter gleichen Verhältnissen bei den verschiedenen Ladungsmethoden geschehen sind.

Beim Vergleich der Anfangsgeschwindigkeiten findet man zunächst, daß die losen Kugeln geringere Geschwindigkeiten als die mit Spiegeln gehabt. Man muß dieses Resultat dem Umstande zuschreiben, daß das Pulvergas bei dieser Ladeweise leichter entweichen kann, als bei Anwendung von Spiegeln. Der Verlust an Geschwindigkeit ist aber nicht bedeutend. *)

Der Pappspiegel äußert auf die Geschwindigkeit des Projektils einen bedeutend größeren Einfluß als der Holzspiegel. Es ist möglich und wahrscheinlich, daß Pappstücke zwischen Geschoß und Seelenwand getrieben werden und den Spielraum verringern; welchen Einfluß diese Verringerung auf die Wirksamkeit der Ladung äußert, ist bekannt; nach Piobert entsteht durch den Spielraum und das Zündloch ein Verlust von ¼ der Anfangsgeschwindigkeit.

Die Kugeln mit Pappspiegel und Vorschlag haben eine geringere Anfangsgeschwindigkeit gehabt, als die mit Pappspiegel ohne Vorschlag; der Vorschlag bewirkt demnach eine Verminderung der Geschwindigkeit, wenn er gleichzeitig mit einem Pappspiegel verwendet wird. Der Vorschlag kann die Geschwindigkeit des Geschosses nur vermindern, indem er seine Bewegung in der Seele des Rohrs mit einer Kraft verlangsamt, die die Vermehrung der Arbeit des Motors neutralisirt, welche aus der Vergrößerung des Widerstandes entspringt.

Diese Resultate stimmen mit den 1849 auf dem Polygon von Brasschaet erhaltenen überein, die man bei Anwendung eines anderen nun bedeutend verbesserten elektromagnetischen Apparates gewonnen. Bei den desfalsigen Versuchen wandte man nur die Ladung mit einem Holzspiegel und die mit einem Pappspiegel in Gemeinschaft mit einem Vorschlage an; man glaubte die Vergrößerung der Anfangsgeschwindigkeit dem Vorschlage zuschreiben zu müssen, die, wie sich nun gezeigt, dem Pappspiegel zukommt.

---

*) Bei disseitigen Versuchen ergaben regelmäßig die Kugeln ohne Holzspiegel größere Geschwindigkeiten als die mit Holzspiegeln.

D. R.

Das lange Rohr hat im Mittel eine um 29,36 Meter (93,55 Fuß) größere Anfangsgeschwindigkeit ergeben als das kurze. Die Wirkung des Vorschlages scheint bei dem langen Rohre entschiedener als bei dem kurzen.

Um die Ideen über die Wichtigkeit des Einflusses der verschiedenen Ladeweisen auf die mittleren Anfangsgeschwindigkeiten festzustellen, sollen die Visirschußweiten aus den größten und kleinsten Anfangsgeschwindigkeiten ermittelt werden.

Bei dem kurzen Rohre ist die kleinste Anfangsgeschwindigkeit 484 Meter (1539,12 Fuß) bei dem Schuß mit loser Kugel erhalten, und die größte 496 Meter (1577 Fuß) bei Anwendung eines Pappspiegels.

Bei dem langen Rohre ist die kleinste Anfangsgeschwindigkeit 509 Meter (1623 Fuß) und die größte 537 Meter (1707 Fuß), bei den genannten Ladeweisen.

Die Gleichung für die Flugbahn des direkten Schusses ist:

$$y = x\left(\tang\,\varphi + \frac{1}{4\mathrm{mh}\cos^2\varphi}\right) - \frac{(e^{2\mathrm{mx}} - 1)}{8\mathrm{m}^2\,\mathrm{h}\cos^2\varphi} \quad \text{(IV)}.$$

Für den vorliegenden Fall hat man:

$$\varphi = 1, \quad \mathrm{m} = 0,001 \text{ und}$$

$$\mathbf{V} = \begin{cases} 484 \text{ die kleinste Geschwindigkeit} \\ 490 \text{ die mittlere} \qquad = \\ 496 \text{ die größte} \qquad = \\ 509 \text{ die kleinste} \\ 520 \text{ die mittlere} \qquad = \\ 537 \text{ die größte} \qquad = \end{cases}$$

für das kurze Rohr,

für das lange Rohr.

$$\mathbf{g} = 9,81 \text{ und } \mathbf{h} = \frac{\mathbf{V}^2}{2\mathbf{g}}.$$

Die Entwickelung der Funktion $e^{2\mathrm{mx}}$ ist:

$$e^{2\mathrm{mx}} = 1 + 2\mathrm{mx} + \frac{4\mathrm{m}^2\mathrm{x}^2}{1.2} + \frac{8\mathrm{m}^3\mathrm{x}^3}{1.2.3} + \ldots \ldots$$

Es genügt, wenn man die vier ersten Addenden der Reihe nimmt, da $\mathrm{m}^2 = 0,000000001$.

Setzt man in der Gleichung IV die Entwickelung von $e^{2\mathrm{mx}}$ und löst die Gleichung bei $y = 0$ auf, so hat man:

$$x = \frac{-3 \pm \sqrt{9 + 48 m h \sin 2\varphi}}{4m} = \frac{-3 + \sqrt{9 + 48 \times 0{,}001 \sin 2^\circ h}}{0{,}004.}$$

Substituirt man nach einander für h die Werthe von V, so erhält man für x oder die Visirschußweite die folgenden Werthe:

für die Geschwindigkeit von

484 Meter die Visirschußweite = 596 Meter = 795 Schritt,
490 ⸗ ⸗ ⸗ ⸗ = 611 ⸗ = 815 ⸗
496 ⸗ ⸗ ⸗ ⸗ = 619 ⸗ = 825 ⸗
509 ⸗ ⸗ ⸗ ⸗ = 645 ⸗ = 860 ⸗
520 ⸗ ⸗ ⸗ ⸗ = 666 ⸗ = 888 ⸗
537 ⸗ ⸗ ⸗ ⸗ = 700 ⸗ = 933 ⸗

Diese Schußweiten sind ziemlich die in der Praxis vorkommenden nur etwas größer, ein Umstand, der sich aus der Anwendung neuer Röhre, von Kugeln mit dem größten zulässigen Durchmesser und neuem Pulver, das mit dem Probirmörser 250 Meter Wurfweite ergeben, erklärt.

Der Pappspiegel vergrößert nach dem Obigen die Visirschußweite des Feld-6pfünders um 30 Schritt und die des Festungs-6pfünders um 73 Schritt.

Dieser Vortheil der Kugel mit Pappspiegel über die lose Kugel macht sich auch bei der Vergleichung der ersteren mit der Kugel mit Holzspiegel geltend, da dieser Spiegel die Anfangsgeschwindigkeit nur unbedeutend vergrößert.

Obwohl kein bestimmtes Gesetz über die Vergrößerung der Anfangsgeschwindigkeit in Folge der Vergrößerung der Seelenlänge besteht, so nimmt man doch im Allgemeinen an, daß die Geschwindigkeiten im Verhältniß der 4. Wurzeln dieser Längen wachsen.

Man hat gefunden, daß die Anfangsgeschwindigkeit der Kugel des kurzen 6pfünders 490 Meter und die der Kugel des langen 6pfdigen Rohres 520 Meter beträgt; die Seelenlängen beider Röhre sind respektive 1,528 Meter (4 Fuß 10,22 Zoll) und 2,483 Meter (7 Fuß 10,92 Zoll). Um das Gesetz der Zunahme der Anfangsgeschwindigkeit zu ermitteln, setzt man:

$$490 : 520 = \sqrt[x]{1{,}528} : \sqrt[x]{2{,}482};$$

woraus sich ergiebt:

$$x = \frac{\log \frac{2{,}483}{1{,}528}}{\log \frac{520}{490}} = 8{,}1.$$

Man kann sich leicht überzeugen, daß das eben gefundene Gesetz den Resultaten der Praxis beim Schießen mit den 6pfündigen Feld- und Festungsgeschützen besser entspricht, als das der 4. Wurzeln. Nimmt man die Geschwindigkeit der Kugel des kurzen Rohres und sucht nach dem Gesetze der 4. Wurzel die Geschwindigkeit der Kugel des langen Rohres, so findet man aus $490 : x = \sqrt[4]{1{,}528} : \sqrt[4]{2{,}483}$ $x = 553$ Meter, also um 33 Meter zu groß.

Die Visirschußweite des kurzen 6pfünders wurde zu 815 Schritt gefunden. Bei Anstellung des Kalküls für die Geschwindigkeit von 553 Meter, wie er für 490 Meter ausgeführt, findet man, daß das Gesetz der 4. Wurzeln eine Schußweite von 975 Schritt ergibt, man hätte daher eine Differenz von 160 Schritt zwischen den Visirschuß-weiten der langen und kurzen 6pfdigen-Röhre. Die ermittelten Re-sultate entsprechen ungleich besser den bei den Schießübungen erlang-ten Schußweiten, sie nähern sich außerdem den Ergebnissen der Ver-suche von Hutton im Jahre 1791 (Nouvelles expériences d'ar-tillerie page 69).

Bisher wurden die Versuchsresultate nur mit Rücksicht auf die mittleren Geschwindigkeiten betrachtet, da aber die Größe der An-fangsgeschwindigkeit ein wichtiges Element unter denen bildet, die für die Gesammtwirkung des Schießens entscheidend sind, so ist es un-zweifelhaft, daß die Regelmäßigkeit der Anfangsgeschwindigkeiten von Wichtigkeit ist; aus diesem Gesichtspunkt mögen nun die Ergebnisse betrachtet werden.

Die Tabelle giebt die mittleren Differenzen der Anfangsgeschwin-digkeiten an; dieselben wurden erhalten, indem man die Differenzen zwischen der mittleren Geschwindigkeit und der jeden Schusses durch die Zahl der geschehenen Schüsse dividirte.

Die mittlere Differenz der Anfangsgeschwindigkeiten liefert das Maaß für die größere oder geringere Gleichförmigkeit dieser Geschwin-digkeiten; sie würde gleich Null sein, wenn die Anfangsgeschwindig-keiten alle gleich gewesen wären.

Aus den Ergebniſſen der 7ten, 8ten, 9ten und 10ten Spalte der Tabelle läßt ſich folgern:

In Hinſicht der Gleichförmigkeit der Anfangsgeſchwindigkeiten hat der Schuß mit loſer Kugel günſtigerere Ergebniſſe geliefert als der Schuß bei Anwendung von Spiegeln.

Bei Benutzung von Spiegeln hat die Kugel mit Pappſpiegel ohne Vorſchlag regelmäßigere Geſchwindigkeiten ergeben, als die anderen zum Verſuch gezogenen Ladeweiſen.

Die Ungleichförmigkeit der Anfangsgeſchwindigkeit ſcheint demnach mit Komplikation des Lademodus zu wachſen; dies iſt rationell, da die Komplikation die Möglichkeit vermindert, für alle Schüſſe die Elemente der Ladung möglichſt gleich zu geſtalten. Die Ladeweiſe mit Holzſpiegeln, in denen die Kugel mittelſt angenagelter Blechſtreifen befeſtigt wird, erſcheint komplizirter als die mit einem Pappſpiegel, in dem die Kugel mittelſt Baumwollenbändern feſtgeleimt iſt.

Es bleibt nun noch die Betrachtung der Höhen der mittleren Flugbahn und der mittleren Längenabweichungen übrig.

Die Höhen der mittleren Flugbahnen bieten nicht genug Gleichförmigkeit dar, um daraus nützliche Folgerungen zu ziehen. Bemerkt muß aber werden, daß dieſe Höhen für das längere Geſchütz geringer als bei dem kürzeren ſind, es iſt daher möglich, daß das erſtere unter einem geringen Senkungswinkel gefeuert hat, vorausgeſetzt, daß das zweite horizontal gerichtet worden.

Durch den Wechſel der Ladeweiſe bei jedem Schuſſe hat man die Genauigkeit der Beſtimmung der mittleren Längenabweichung von den Höhen der mittleren Flugbahn unabhängig gemacht. Die bezeichnete Unregelmäßigkeit der Höhen der mittleren Flugbahnen verhindert demnach nicht, Folgerungen aus den letzten vier Spalten der Tabelle zu ziehen.

Dieſe Folgerungen ſind:

Die Ladung mit dem Pappſpiegel und Vorſchlag giebt die geringſte Längenabweichung, die mit dem Holzſpiegel die größte, die Ladeweiſe mit Pappſpiegel ohne Vorſchlag hat den Vortheil vor der mit loſer Kugel.

Zur Entſcheidung der Wichtigkeit der mittleren Längenabweichungen muß ihr Einfluß auf die Schußweiten ermittelt werden. Man

gelangt zu diesem Resultate, wenn man die Schußweiten des 6pfün=
digen, kurzen Rohres bei der Anfangsgeschwindigkeit von 490 Meter
berechnet und den Richtungswinkel φ nach einander gleich Null, 1 Minute
54 Sekunden und 7 Minuten 50 Sekunden annimmt. Die beiden letzten
Werthe entsprechen, den mittleren Abweichungen von 15 Millimeter
(0,57 Zoll) und 60 Millimeter (2,36 Zoll). Man nimmt außerdem
an, daß das Projektil an dem Scheibenrahmen angelangt (27,16 Me=
ter) sich in den Verhältnissen befindet, als wäre es aus dem Rohre
unter einem Winkel abgegangen, dessen Tangente die mittlere Abwei=
chung bei einem Radius, der gleich der Entfernung des Scheibenrah=
men von der Mündung. Diese Hypothese gestattet die Annahme, daß
die mittlere Abweichung vollständig von dem Winkel des letzten An=
schlages abhängt.

Die Gleichung für die Flugbahn ist:

$$y = x\left(\text{tang } φ + \frac{1}{4mh \cos^2 φ} - \frac{\left(2mx + \frac{4m^2x^2}{1.2} + \frac{8m^3x^3}{1.2.3} + \cdots\right)}{8m^2h \cos^2 φ}\right.$$

Da es für den vorliegenden Fall nicht nöthig ist, die Schußwei=
ten mit großer Genauigkeit zu erhalten, so kann man sich beschrän=
ken, die beiden Ausdrücke $2mx + \frac{4m^2x^2}{2}$ der Entwickelung von
$e^{2mx} - 1$ zu nehmen. Hiernach ergiebt sich:

$$x = h \sin 2φ \pm \sqrt{(h \sin 2φ)^2 - 4h \cos^2 φ y} \qquad \text{(V)}.$$

Der Coefficient m des Luftwiderstandes ist fortgefallen und der
Werth von x ist derjenige, den man für die Flugbahn im luftleeren
Raume erhält.

Wir nehmen die Mündung des Geschützes zu 1,10 Meter über
dem Boden an und suchen die Entfernungen, auf welchen die Kugel
die Horizontallinie trifft.

Wenn φ = 0, sin 2φ = 0 und cos² φ = 1, so wird

$$x = \sqrt{-4hy}$$

ein Werth, der rationell, wenn y negativ ist.

Man hat $\quad$ V = 490,

$$h = \frac{V^2}{2g} = 12238,$$

$$y = -1,10,$$

$$φ = 0; \; 1' 54'' \text{ und } 7' 50''.$$

Hieraus ergiebt sich, daß die 10pfdige Haubitze vor der 7pfdigen den Vortheil einer gegen 100 Schritt größern Rollwurfweite bei den Erhöhungen von 1, 4 und 12 Grad, und eine 200 Schritt weitere Rollwurfweite bei 8 Grad hat.

Zieht man nun aus dem Produkte der in $\frac{1}{1000}$ der Rollwurfweite angegebenen Seiten- und Längenausbreitungen wieder die Quadratwurzel, so ergiebt sich das Verhältniß der Wahrscheinlichkeit des Treffens der 10pfündigen Haubitze bei den Rollwürfen zu der der 7pfündigen:

bei 1 Grad = 1 : 1,09

» 4 » = 1 : 1,12

» 8 » = 1 : 1,22

» 12 » = 1 : 0,74.

Hieraus erhellt, daß die 7pfündige Haubitze beim Rollen bei 1, 4, 8 Grad eine größere Wahrscheinlichkeit des Treffens als die 10pfündige gegeben hat, dagegen von dieser bei 12 Grad in dieser Hinsicht übertroffen worden ist.

Hinsichts der Anzahl der Aufschläge ist der Vortheil bei 4, 8 und 10 Grad auf der Seite der 10pfündigen Haubitze. Bei 1 Grad war die Anzahl der Aufschläge bei beiden Haubitzen gleich.

Kartätschwürfe.

Die Kartätschwürfe geschahen bei allen 4 Haubitzen auf der Entfernung von 500 Schritten auf ebenem, festen Boden gegen eine Bretterwand von 200 Fuß Länge und 6 Fuß Höhe. Aus einem Mittel von 20 Würfen ergab sich folgende Wirkung für:

	10pfündige	7pfündige
		Haubitze.
durchgeschlagene Kugeln	19,3	14,6
steckengebliebene Kugeln	2,3	1,35
angeschlagene Kugeln	8,2	7,2

woraus hervorgeht, daß auf 500 Schritt die Wirkung der 10pfündigen Haubitze die der 7pfündigen um etwas überlegen war.

verzeichnet; diese Abweichungen korrespondiren mit den Differenzen in der Visirschußweite von wenigstens 10 und ungefähr 30 Schritt.

Die angestellten Vergleichungen zwischen dem Einfluße der mittleren Abweichungen der Anfangsgeschwindigkeiten und der mittleren Längenabweichungen beweisen zur Evidenz, daß die Abweichungen der Geschwindigkeiten den Längenabweichungen gegenüber nur von untergeordneter Bedeutung sind.

5. Schlußfolgerungen.

Aus der Gesammtheit der vorgetragenen Thatsachen und Betrachtungen ist man berechtigt zu folgern:

Mit Rücksicht auf die Wahrscheinlichkeit des Treffens sind die zur Anwendung gekommenen Lademethoden nach der Vorzüglichkeit zu rangiren:

1) Die Ladung mit einem Pappspiegel. Diese Ladeweise schränkt von den dreien, bei denen Spiegel benutzt werden, am meisten die Aenderungen der Anfangsgeschwindigkeiten ein. Sie ergiebt eine größere Anfangsgeschwindigkeit als die drei anderen Ladeweisen und ist in Bezug auf die Gleichförmigkeit der Abgangswinkel beinahe ebenso günstig, als die Lademethode mit Vorschlag.

2) Die Ladung mit einem Pappspiegel und einem Vorschlage. Sie scheint ein Wenig vortheilhafter als die erstere in Bezug auf die Gleichförmigkeit der Abgangswinkel, dennoch ist dieser Vortheil zu wenig ausgesprochen, um den Verlust an Geschwindigkeit und die Aenderungen in den Anfangsgeschwindigkeiten, die aus dem Gebrauche des Vorschlages erwachsen, auszugleichen.

3) Die Ladung mit loser Kugel. Sie hat vor den andern drei Ladeweisen den Vortheil der Gleichförmigkeit der Anfangsgeschwindigkeiten voraus; dieser Vortheil wird aber durch die geringere Gleichförmigkeit der Abgangswinkel und die geringere Größe der Anfangsgeschwindigkeit aufgehoben.

4) Die Ladung mit einem Holzspiegel. Sie verschafft eine geringere Geschwindigkeit als die Ladung mit Pappspiegeln; sie ist nachtheiliger in Bezug auf die Regelmäßigkeit der Abgangswinkel als die drei anderen Lademethoden; mit Rücksicht auf die Gleichförmigkeit der Anfangsgeschwindigkeiten steht die Ladeweise mit einem Vorschlage derselben allein nach.

Wichtig ist die Beachtung, daß nur neue Geschütze zum Schießen benutzt wurden. Hätte man schon durch den Gebrauch angegrif-
fene Röhre verwendet, so würde wahrscheinlich die Lademethode mit
einem Vorschlage den Vortheil der Gleichförmigkeit der Abgangswinkel entschiedener herausgestellt haben. Dann würde vielleicht die Ladeweise mit Vorschlag den ersten und die mit loser Kugel den letzten
Rang erhalten haben.

Die Wirkung des Pappspiegels ist sehr bemerkenswerth; er vermehrt unscheinbar die Geschwindigkeit, indem er dabei die Abgangswinkel gleichförmig gestaltet. Man kann daraus schließen, daß er durch
die Wirkung des Gases zerstört wird, ehe die Kugel in Bewegung
kommt, woraus eine Verminderung des Verlustes an Gas und Vergrößerung der Geschwindigkeit folgt.

Man hat in Frankreich die Bemerkung gemacht, daß der Gebrauch eines Holzspiegels das Metall an der Stelle der Ladung zerstört, da der Spiegel den Verlust des Gases durch den Spielraum
beschränkt (Piobert, Cours d'artillerie Seite 90) und hat diesem
Uebelstande durch Verlängerung der Ladung abgeholfen. Nach dem
über den Pappspiegel Angeführten wird man abwarten müssen, ob
seine Anwendung einen gleichen Nachtheil herbeiführt und dann nöthigenfalls zur Verlängerung der Kartuschen oder Verminderung der
Pulvermenge schreiten müssen. Es dürfte aber zu hoffen sein, daß
diese Auskunftsmittel nicht nothwendig werden, da der Pappspiegel
vermöge seiner Porosität den Raum vergrößert, in dem sich das Gas
in den ersten Momenten der Verbrennung des Pulvers ausdehnen
kann und dadurch schon eine Verlängerung der Kartuschen ersetzt.

Geringe Unterschiede im Spielraum führen verhältnißmäßig große
Unterschiede der Geschwindigkeiten herbei, dies zeigt die Tabelle auf
Seite 430 des Aide-Mémoire der französischen Artillerie. Die Vergrößerung der Geschwindigkeit, die der Pappspiegel im Gefolge hat,
darf daher nicht eine vollständige Verstopfung des sichelförmigen Spielraums entsprechen, denn in diesem Falle würde diese Vergrößerung
bedeutend beträchtlicher sein.

Wenn der Pappspiegel die Anschläge vermindert, so entsteht daraus eine Vermehrung der Anfangsgeschwindigkeit, da die Stöße gegen die Seelenwände eine desto größere Kraft absorbiren, je offener

der Winkel ist, unter dem sie stattfinden und die Größe dieses Winkels von der Größe der Kraft abhängt, die die Bildung eines Kugellagers bestimmt.

Der Widerstand des Vorschlages vermindert die Geschwindigkeit des Geschosses, diese Wirkung kann nur im Verein mit einer bedeutenden Vergrößerung der Gasspannung eintreten. Eine gewisse Vergrößerung des Widerstandes wird die Anfangsgeschwindigkeit vergrößern, wenn dieser Widerstand steigt, so tritt eine Grenze ein, bei der die Vermehrung der bewegenden Kraft und die verzögernde Kraft des Widerstandes im Gleichgewicht sind, über dieser Grenze hinaus wirkt der Widerstand verzögernd auf die Anfangsgeschwindigkeit. Der Widerstand des Vorschlages scheint die bezeichnete Grenze zu überschreiten.

6. Nachträglicher Versuch.

Nach Beendigung des Versuchs blieben drei Ladungen mit Holzspiegeln übrig, die die Kommission benutzte, um aus dem kurzen 6pfündigen Rohre drei Schuß mit der Ladung von ¼ Kugelschwere (0,75 Kilogramme oder 1 Pfund 19,20 Loth) zu thun.

Die mittlere Anfangsgeschwindigkeit dieser drei Schuß zeigte sich zu 420 Meter, während die bei derselben Ladeweise mit ⅓ kugelschwerer Ladung erhaltene 488 Meter, also bedeutend mehr betrug.

Man ersieht daraus, daß die Aenderung der mittleren Geschwindigkeiten, die die Anwendung verschiedener Lademethoden herbeiführt, bedeutend geringer ist als diejenige, die eine Aenderung der Ladung erzeigt.

Diese Resultate sind ziemlich übereinstimmend mit dem Gesetz des Verhältnisses der Geschwindigkeiten wie die Quadratwurzeln der Ladungen (Aide-Mémoire Seite 650).

Rollwürfe aus Haubitzen gegen eine Bretterwand von 40 Schritt Länge und 6 Fuß Höhe in einem Quadrate von 50 Schritt Seitenlänge.

7pfündige Haubitzen.

Entfernung. Schritt.	Ladung. Pfund.	Erhöhung. Grad.	Anzahl Würfe.	Davon trafen: die Wand.	Davon trafen: das Quadrat allein.	Davon trafen: in Summa.	Mittlere: Weite des 1sten Aufschl. Schritt.	Mittlere: Rollweite. Schritt.	Mittlere: Unterschied der Rollweiten. Schritt.	Mittlere: Anzahl Aufschläge.	Größte Seitenabweichung: im Mittel. Schritt.	Größte Seitenabweichung: überhaupt. Schritt.
600	$\frac{5}{8}$	V.-K.	712	$391\frac{55}{100}$	$85\frac{12}{100}$	$476\frac{67}{100}$	163	815	518	$6\frac{1}{2}$	34	63
800	$\frac{3}{4}$	V.-K.	585	$214\frac{37}{100}$	$77\frac{13}{100}$	$291\frac{50}{100}$	202	964	506	5	99	289
1000	$\frac{7}{8}$	V.-K.	555	$152\frac{27}{100}$	$86\frac{16}{100}$	$238\frac{43}{100}$	257	1230	597	6	89	184
1200	1	V.-K.	369	$80\frac{22}{100}$	$63\frac{17}{100}$	$143\frac{39}{100}$	276	1363	597	6	88	150
1500	$1\frac{1}{4}$—$1\frac{1}{2}$	V.-K. bis 1°	2886	$400\frac{14}{100}$	$288\frac{10}{100}$	$688\frac{24}{100}$	406	1572	686	$6\frac{3}{4}$	153	268

10pfündige Haubitze.

Entfernung. Schritt.	Ladung. Pfund.	Erhöhung. Grad.	Anzahl Würfe.	Davon trafen: die Wand.	Davon trafen: das Quadrat allein.	Davon trafen: in Summa.	Mittlere: Weite des 1sten Aufschl. Schritt.	Mittlere: Rollweite. Schritt.	Mittlere: Unterschied der Rollweiten. Schritt.	Mittlere: Anzahl Aufschläge.	Größte Seitenabweichung: im Mittel. Schritt.	Größte Seitenabweichung: überhaupt. Schritt.
800	1	V.-K.	238	$132\frac{56}{100}$	$34\frac{14}{100}$	$166\frac{70}{100}$	220	968	338	7	35	80
1000	$1\frac{1}{4}$	V.-K.	489	$168\frac{34}{100}$	$89\frac{19}{100}$	$257\frac{53}{100}$	245	1144	612	7	70	132
1200	$1\frac{1}{4}$—$1\frac{1}{2}$	V.-K.	153	$52\frac{34}{100}$	$29\frac{19}{100}$	$81\frac{53}{100}$	253	1395	423	7	63	128
1400	$1\frac{1}{2}$—$1\frac{3}{4}$	V.-K.	124	$27\frac{22}{100}$	$20\frac{16}{100}$	$47\frac{38}{100}$	339	1545	457	8	56	90
1500	2	V.-K. bis 1°	1266	$229\frac{18}{100}$	$158\frac{12}{100}$	$387\frac{30}{100}$	414	1627	725	$6\frac{1}{2}$	117 links	172 rechts
1600	2	V.-K. bis $1\frac{1}{2}$°	232	$45\frac{19}{100}$	$32\frac{14}{100}$	$77\frac{33}{100}$	411	1677	449	8	63	61

Mithin ist die Wahrscheinlichkeit des Treffens der 7pfündigen Haubitze auf den Entfernungen von 800 bis 1500 Schritt bei dem erwähnten Ziele um 10 bis 20 Prozent geringer, als die der 10pfündigen Haubitze. Bei den 10pfdigen Granaten ist die Anzahl der Aufschläge auf einer Entfernung in der Regel um 1 bis 2 größer als bei der 7pfdigen.

Die Granaten entsprachen allen Anforderungen, wurden mit einer Ausstoßladung von 0,01 Nied. Pfund (ein Pfund gleich ein Kilogramm) versehen und durch Sandfüllung auf das bestimmte Gewicht von 3,55 Pfund Niederl. gebracht. Die Geschützladungen wurden genau abgewogen.

Der Versuch fand auf der Ebene südlich von Taepang statt und war hierzu eine Wurflinie von 800 Schritt mit Pfählen abgesteckt. Der Mörser wurde auf eine Bettung gestellt, die aus vier mit ihrer Längenrichtung in die Direktion der Wurflinie gelegten Rippen gebildet wurde.

Am 27. März 1849 begann der Versuch mit den 20 Wurf bei 0,04 Pfund Ladung. Der Mörser wurde hierbei stets mit Richtlath und Quadrant gerichtet. Zur Messung der Flugzeit der Geschosse und der Brennzeit der Zünder benutzte man einen Chronometer, der mit der von de Brujie in seinem Zakboekie beschriebenen Pendeleinrichtung versehen war und halbe Sekunden anzeigte. Die Seitenabweichungen waren bei diesen 20 Wurf sehr gering und betrugen im Mittel sowohl 7 Schritt rechts als links, die Längenausdehnung war dagegen bedeutend und betrug bei einer mittleren Wurfweite von 200 Schritt ebenfalls 200 Schritt.

Bei dem Laden mit 0,04 und 0,05 Pfund wurden die Zünder nicht eingepudert, welchem Umstande man das Blindgehen vieler Zünder zuschrieb. Der verhältnißmäßig große Rücklauf des Mörsers (0,50 Elle) erklärte sich aus der durch den starken Thau verursachten feuchten Oberfläche der Bettung.

Am 28. März geschahen die 20 Wurf mit 0,05 Pfund Ladung; als größte Seitenabweichung rechts ergaben sich 30 Schritt, links 15 Schritt, die mittlere Wurfweite betrug 418 Schritt, die Längenausbreitung 404 Schritt.

Am 30. März that man die 30 Wurf mit den Ladungen von 0,06 — 0,07 und 0,08 Pfund und erhielt bei

Ladung.	Mittlere Wurfweite.	Mittlere Seitenabweichung.		Längenausbreitung.
		rechts	links	
0,06 Pfund	503 Schritt	40 Schritt	25 Schritt	417 Schritt
0,07 "	700 "	44 "	75 "	345 "
0,08 "	665 "	33 "	60 "	258 "

Nach Beendigung des Versuches zeigte der Mörser nicht die geringste Veränderung; die Kommission schloß aber ihren Bericht mit folgenden Angaben und Vorschlägen:

1) Die Treffwahrscheinlichkeit ist auf 200 Schritt bei 0,04 Pfund Ladung am größten.

2) Zwischen den Ladungen von 0,04 und 0,05 Pfund muß eine mittlere angenommen werden, um eine mittlere Wurfweite von 300 Schritt zu erhalten.

3) Ueber 500 Schritt ist die Wahrscheinlichkeit des Treffens eine sehr geringe, so daß nur unter besonders günstigen Verhältnissen Würfe bis zu 700 Schritt mit einiger Aussicht auf Erfolg ausgeführt werden können.

4) Die Ladung von 0,08 Pfund ergiebt keine größere Wurfweite als die von 0,07 Pfund und kann daher ganz in Fortfall kommen.

5) Die Einführung eines Quadranten wird die Richtung sehr begünstigen.

6) Das Einpudern der Zünder ist zur Verhinderung des Blindgehens durchaus erforderlich.

XV.

Eine Zünder-Einpreß-Maschine im Laboratorium von Samarang auf Java.

———————

In dem niederländischen **Militaire Spectator** vom Mai 1851 theilt der pensionirte Major **Henckel** der niederländisch-ostindischen Artillerie einen Aufsatz über das Einsetzen der Zünder in Hohlgeschosse mit, den wir hier gekürzt wiedergeben, um daran ein Paar Worte zu knüpfen.

Als ich im Jahre 1848 Unterdirektor der Artillerie der zweiten Militair-Division auf Java war und in dem Laboratorium zu Samarang eine große Anzahl Hohlgeschosse behufs der zweiten Expedition nach Bali geladen werden mußte, kam zu meiner Kenntniß, daß vor einigen Jahren eine Granate bei dem Eintreiben des Zünders mittelst Eintreiber und Schlägel in Brand gerathen war. Bei dem Kaliber der zu ladenden Granaten konnte ein solcher Unglücksfall sich leicht wieder ereignen, denn das Innere der 12- und 6pfdigen und 11¼ duim Granaten wird von der Sprengladung und dem Geschmolzenzeug vollständig eingenommen, so daß nur zu oft Stücke des Geschmolzenzeugs unter dem Zünder gelangen und durch die Schläge beim Eintreiben in Brand gerathen. Um dieser Gefahr zu entgehen, beschloß ich die Zünder einzupressen und beauftragte den Lieutenant **Douglas** hierzu eine Schraubenmaschine zu konstruiren. Dieselbe bestand aus einem hölzernen Fußstücke, auf welchem vier eiserne Ständer senkrecht angebracht waren, diese wurden an den oberen Enden durch einen eisernen Kreis, in dessen Mitte sich die mit vier Kurbelarmen versehene Schraubenspindel auf- und niederbewegen ließ, verbunden und in ihrer Stellung erhalten. In der Mitte des Fußstückes war eine kupferne Platte eingelassen, welche eine zu dem Zünderkopfe passende Höhlung hatte.

Behufs des Einpressens wurde der Zünder mit etwas Werg umwickelt in das Mundloch gesteckt und mit der Hand so weit als möglich in die Granate eingetrieben. Darauf wurde das Hohlgeschoß umgekehrt, mit dem Zünder nach unten auf das Fußstück der Maschine gelegt, auf die entgegengesetzte Fläche desselben eine kupferne Calotte geschoben und dann das abgerundete untere Ende der Schraubenspindel in eine Höhlung dieser Calotte zur Wirksamkeit gebracht.

Aus den Ergebnissen der 7ten, 8ten, 9ten und 10ten Spalte der Tabelle läßt sich folgern:

In Hinsicht der Gleichförmigkeit der Anfangsgeschwindigkeiten hat der Schuß mit loser Kugel günstigere Ergebnisse geliefert als der Schuß bei Anwendung von Spiegeln.

Bei Benutzung von Spiegeln hat die Kugel mit Pappspiegel ohne Vorschlag regelmäßigere Geschwindigkeiten ergeben, als die anderen zum Versuch gezogenen Ladeweisen.

Die Ungleichförmigkeit der Anfangsgeschwindigkeit scheint demnach mit Komplikation des Lademodus zu wachsen; dies ist rationell, da die Komplikation die Möglichkeit vermindert, für alle Schüsse die Elemente der Ladung möglichst gleich zu gestalten. Die Ladeweise mit Holzspiegeln, in denen die Kugel mittelst angenagelter Blechstreifen befestigt wird, erscheint komplizirter als die mit einem Pappspiegel, in dem die Kugel mittelst Baumwollenbändern festgeleimt ist.

Es bleibt nun noch die Betrachtung der Höhen der mittleren Flugbahn und der mittleren Längenabweichungen übrig.

Die Höhen der mittleren Flugbahnen bieten nicht genug Gleichförmigkeit dar, um daraus nützliche Folgerungen zu ziehen. Bemerkt muß aber werden, daß diese Höhen für das längere Geschütz geringer als bei dem kürzeren sind, es ist daher möglich, daß das erstere unter einem geringen Senkungswinkel gefeuert hat, vorausgesetzt, daß das zweite horizontal gerichtet worden.

Durch den Wechsel der Ladeweise bei jedem Schusse hat man die Genauigkeit der Bestimmung der mittleren Längenabweichung von den Höhen der mittleren Flugbahn unabhängig gemacht. Die bezeichnete Unregelmäßigkeit der Höhen der mittleren Flugbahnen verhindert demnach nicht, Folgerungen aus den letzten vier Spalten der Tabelle zu ziehen.

Diese Folgerungen sind:

Die Ladung mit dem Pappspiegel und Vorschlag giebt die geringste Längenabweichung, die mit dem Holzspiegel die größte, die Ladeweise mit Pappspiegel ohne Vorschlag hat den Vortheil vor der mit loser Kugel.

Zur Entscheidung der Wichtigkeit der mittleren Längenabweichungen muß ihr Einfluß auf die Schußweiten ermittelt werden. Man

gelangt zu diesem Resultate, wenn man die Schußweiten des 6pfün-
digen, kurzen Rohres bei der Anfangsgeschwindigkeit von 490 Meter
berechnet und den Richtungswinkel φ nach einander gleich Null, 1 Minute
54 Sekunden und 7 Minuten 50 Sekunden annimmt. Die beiden letzten
Werthe entsprechen den mittleren Abweichungen von 15 Millimeter
(0,57 Zoll) und 62 Millimeter (2,36 Zoll). Man nimmt außerdem
an, daß das Projektil an dem Scheibenrahmen angelangt (27,16 Meter) sich in den Verhältnissen befindet, als wäre es aus dem Rohre
unter einem Winkel abgegangen, dessen Tangente die mittlere Abweichung bei einem Radius, der gleich der Entfernung des Scheibenrah-
mens von der Mündung. Diese Hypothese gestattet die Annahme, daß
die mittlere Abweichung vollständig von dem Winkel des letzten An-
schlages abhängt.

Die Gleichung für die Flugbahn ist:

$$y = x\left(\tan \varphi + \frac{1}{4mh \cos^2 \varphi} - \frac{\left(2mx + \frac{4m^2x^2}{1\cdot 2} + \frac{8m^2x^3}{1\cdot 2\cdot 3} + \cdots\right)}{8m^2h \cos^2 \varphi}\right)$$

Da es für den vorliegenden Fall nicht nöthig ist, die Schußweiten mit großer Genauigkeit zu erhalten, so kann man sich beschränken, die beiden Ausdrücke $2mx + \frac{4m^2x^2}{2}$ der Entwickelung von
$e^{2mx} - 1$ zu nehmen. Hiernach ergiebt sich:

$$x = h \sin 2\varphi \pm \sqrt{(h \sin 2\varphi)^2 - 4h \cos^2 \varphi y} \qquad \text{(V)}.$$

Der Coefficient m des Luftwiderstandes ist fortgefallen und der
Werth von x ist derjenige, den man für die Flugbahn im luftleeren
Raume erhält.

Wir nehmen die Mündung des Geschützes zu 1,10 Meter über
dem Boden an und suchen die Entfernungen, auf welchen die Kugel
die Horizontallinie trifft.

Wenn $\varphi = 0$, $\sin 2\varphi = 0$ und $\cos^2 \varphi = 1$, so wird

$$x = \sqrt{-4hy}$$

ein Werth, der rationell, wenn y negativ ist.

Man hat $\qquad V = 490,$

$$h = \frac{V^2}{2g} = 12238,$$

$$y = -1,10,$$

$$\varphi = 0; \ 1' 54'' \ \text{und} \ 7' 50''.$$

Als Resultate der Berechnung erhält man

bei φ = 0° die Schußweite zu 232 Meter oder 309 Schritt,

bei φ = 1′54″ = 245 = 326

bei φ = 7′50″ = 296 = 393

Man sieht, daß die mittlere Längenabweichung einen großen Einfluß auf die Schußweite hat, und daß eine Ladeweise, die die Längenabweichungen einschränkt, selbst wenn sie größere Abweichungen in den Geschwindigkeiten liefert, einen vortheilhafteren Gebrauch als eine andere, die regelmäßigere Geschwindigkeiten und größere Längenabweichungen ergiebt.

Um die Resultate der Versuche in dieser Beziehung gründlich zu beleuchten, kann man mit Berücksichtigung des Luftwiderstandes die Visirschußweite des kurzen Spiders bei der mittleren Anfangsgeschwindigkeit von 490 Meter bei der Annahme der mittleren Abweichungen von 15 Millimeter (0,57 Zoll) und 62 Millimeter (2,36 Zoll) berechnen. Diese Abweichungen haben sich bei der Anwendung der Kugel mit einem Pappspiegel und einem Vorschlage und der Benutzung eines Holzspiegels ergeben; dieselben sind die beiden Lademethoden, die vorzüglich zum Vergleiche zu ziehen sind.

Die bekannten Werthe sind

$$V = 490 \text{ Meter,}$$
$$φ = 1°; 1′54″ \text{ und } 7′50″;$$
$$m = 0,001.$$

Die Berechnung ergiebt:

Visirschußweite bei keiner Längenabweichung . . . . = 611 Meter oder 815 Schritt,

Visirschußweite bei einer Längenabweichung von 15 Millimeter auf der Entfernung von 27,16 Meter = 623 = 831

Visirschußweite bei einer Abweichung von 62 Millimeter . . . . = 668 = 891

Die kleinste Längenabweichung von 15 Millimeter ändert demnach die Visirschußweite um 16 Schritt, die größte von 62 Millimeter vergrößert sie um 76 Schritt.

Man findet in der Tabelle die kleinste Abweichung der Geschwindigkeit zu 5 Meter (15,90 Fuß), die größte zu 13 Meter (41,34 Fuß)

verzeichnet; diese Abweichungen korrespondiren mit den Differenzen in der Bistschußweite von wenigstens 10 und ungefähr 30 Schritt.

Die angestellten Vergleichungen zwischen dem Einflusse der mittleren Abweichungen der Anfangsgeschwindigkeiten und der mittleren Längenabweichungen beweisen zur Evidenz, daß die Abweichungen der Geschwindigkeiten den Längenabweichungen gegenüber nur von untergeordneter Bedeutung sind.

5. Schlußfolgerungen.

Aus der Gesammtheit der vorgetragenen Thatsachen und Betrachtungen ist man berechtigt zu folgern:

Mit Rücksicht auf die Wahrscheinlichkeit des Treffens sind die zur Anwendung gekommenen Lademethoden nach der Vorzüglichkeit zu rangiren:

1) Die Ladung mit einem Pappspiegel. Diese Ladeweise schränkt von den dreien, bei denen Spiegel benutzt werden, am meisten die Aenderungen der Anfangsgeschwindigkeiten ein. Sie ergiebt eine größere Anfangsgeschwindigkeit als die drei anderen Ladeweisen und ist in Bezug auf die Gleichförmigkeit der Abgangswinkel beinahe ebenso günstig, als die Lademethode mit Vorschlag.

2) Die Ladung mit einem Pappspiegel und einem Vorschlage. Sie scheint ein Wenig vortheilhafter als die erstere in Bezug auf die Gleichförmigkeit der Abgangswinkel, dennoch ist dieser Vortheil zu wenig ausgesprochen, um den Verlust an Geschwindigkeit und die Aenderungen in den Anfangsgeschwindigkeiten, die aus dem Gebrauche des Vorschlages erwachsen, auszugleichen.

3) Die Ladung mit loser Kugel. Sie hat vor den andern drei Ladeweisen den Vortheil der Gleichförmigkeit der Anfangsgeschwindigkeiten voraus; dieser Vortheil wird aber durch die geringere Gleichförmigkeit der Abgangswinkel und die geringere Größe der Anfangsgeschwindigkeit aufgehoben.

4) Die Ladung mit einem Holzspiegel. Sie verschafft eine geringere Geschwindigkeit als die Ladung mit Pappspiegeln; sie ist nachtheiliger in Bezug auf die Regelmäßigkeit der Abgangswinkel als die drei anderen Lademethoden; mit Rücksicht auf die Gleichförmigkeit der Anfangsgeschwindigkeiten steht die Ladeweise mit einem Vorschlage derselben allein nach.

Wichtig ist die Beachtung, daß nur neue Geschütze zum Schießen benutzt wurden. Hätte man schon durch den Gebrauch angegrif-
fene Röhre verwendet, so würde wahrscheinlich die Lademethode mit
einem Vorschlage den Vortheil der Gleichförmigkeit der Abgangswinkel entschiedener herausgestellt haben. Dann würde vielleicht die Ladeweise mit Vorschlag den ersten und die mit loser Kugel den letzten
Rang erhalten haben.

Die Wirkung des Pappspiegels ist sehr bemerkenswerth; er vermehrt unscheinbar die Geschwindigkeit, indem er dabei die Abgangswinkel gleichförmig gestaltet. Man kann daraus schließen, daß er durch
die Wirkung des Gases zerstört wird, ehe die Kugel in Bewegung
kommt, woraus eine Verminderung des Verlustes an Gas und Vergrößerung der Geschwindigkeit folgt.

Man hat in Frankreich die Bemerkung gemacht, daß der Gebrauch eines Holzspiegels das Metall an der Stelle der Ladung zerstört, da der Spiegel den Verlust des Gases durch den Spielraum
beschränkt (Piobert, Cours d'artillerie Seite 90) und hat diesem
Uebelstande durch Verlängerung der Ladung abgeholfen. Nach dem
über den Pappspiegel Angeführten wird man abwarten müssen, ob
seine Anwendung einen gleichen Nachtheil herbeiführt und dann nöthigenfalls zur Verlängerung der Kartuschen oder Verminderung der
Pulvermenge schreiten müssen. Es dürfte aber zu hoffen sein, daß
diese Auskunftsmittel nicht nothwendig werden, da der Pappspiegel
vermöge seiner Porösität den Raum vergrößert, in dem sich das Gas
in den ersten Momenten der Verbrennung des Pulvers ausdehnen
kann und dadurch schon eine Verlängerung der Kartuschen ersetzt.

Geringe Unterschiede im Spielraum führen verhältnißmäßig große
Unterschiede der Geschwindigkeiten herbei, dies zeigt die Tabelle auf
Seite 430 des Aide-Mémoire der französischen Artillerie. Die Vergrößerung der Geschwindigkeit, die der Pappspiegel im Gefolge hat,
darf daher nicht eine vollständige Verstopfung des sichelförmigen Spielraums entsprechen, denn in diesem Falle würde diese Vergrößerung
bedeutend beträchtlicher sein.

Wenn der Pappspiegel die Anschläge vermindert, so entsteht daraus eine Vermehrung der Anfangsgeschwindigkeit, da die Stöße gegen die Seelenwände eine desto größere Kraft absorbiren, je offener

chenden Zweckes wenig oder gar nichts sagen.*) Außerdem hat die 10pfündige Granate gegen die 7pfündige noch den Nachtheil des tiefern Eindringens in nicht festem Boden. Um nicht zu weitläufig zu werden, unterläßt es Verfasser hier, eine detaillirte Berechnung der Wirkung, welche wie beim Rollwurfe geführt werden könnte, zu geben, um so mehr, da es für den vorliegenden Zweck nicht auf die absolute, sondern nur auf die relative Wirkung der beiden Haubitzen ankommt.

b) Beim Werfen mit Kartätschen.

Was die Kartätschwirkung der beiden Haubitzen anbetrifft, so ergeben sich auf den verschiedenen Entfernungen für vier 10pfündige, so wie für vier 7pfündige Haubitzen, auf die Zeit des Feuerns Rücksicht nehmend, folgende Treffer gegen ein anrückendes Bataillon:

Entfernung. Schritt.	10pfündige Haubitzen. Treffer per Wurf.	7pfündige Haubitzen. Treffer.
800 — 700	$40 \left(\dfrac{9+5}{2} \right)$	25 (nach Scharnhorst)
700 — 600	$49 \left(\dfrac{9+8}{2} \right)$	44 (7)
600 — 500	$54 \left(\dfrac{10+8}{2} \right)$	$52 \left(\dfrac{10+7}{2} \right)$
143 Treffer.		121 Treffer.

Hierbei ist zu bemerken, daß, da die Ergebnisse der Revue-Schießübungen zu diesem Vergleiche nicht hinreichten, die Angabe von 800 bis 700 Schritt Entfernung für die 7pfündige Haubitze aus Scharnhorst's Handbuche, und die Wirkung der beiden Haubitzen auf 500 Schritt (nach den oben angeführten Versuchen der Königlich Preußischen Artillerie als gleich anzunehmen) aus den Revue-Ergebnissen der 7pfündigen Haubitze entnommen ist. Um sich der Wahrscheinlichkeit mehr zu nähern, hat es der Verfasser für nöthig erachtet,

---

*) Die Ausdehnung der Vergleichung auf Fälle beider Kaliber gleich Null oder nahebin so trieben.

Zur Mobilmachung zweier 10pfündiger Haubitzen gehören:

	Kosten Thaler.
2 - 10pfündige Haubitzen, nebst Protzen, Laffeten und Ge-schützzubehör 2c.	2001
4 - 10pfündige Granatwagen	896
Zur Bespannung zweier Haubitzen 16 Pferde	
4 Granatwagen 24	
40 Pferde à 80 Thlr.	3200
2 Unteroffizier-Pferde . . . . à 75 Thlr.	150
Beschirrung für 40 Zugpferde . . . . . à 17 =	680
= 2 Reitpferde . . . . à 15 =	30
Munition	748
Bekleidung 2c. für 50 Artilleristen	1714
Summa	9419

Aus der Zusammenstellung der Kosten der Ausrüstung zweier 7pfündiger und zweier 10pfündiger Haubitzen geht hervor, daß der Total-Betrag der letztern um 3372 Thaler höher zu stehen kommt. Es würden sich mithin für sechs 10pfündige Haubitzen neun 7pfündige Haubitzen ausrüsten lassen.

Die Kosten der für die Preußische Armee bestimmten Anzahl 10pfündiger Haubitzen mit einer gleichen Anzahl 7pfündiger verglichen.

Um eine vergleichende Uebersicht der Kosten zu geben, welche durch eine gleiche Anzahl 7- und 10pfündiger Haubitzen, mit Rücksicht auf den Bedarf der Preußischen Armee an 10pfündigen Haubitzen verursacht würden, sei es vergönnt, die willkührliche Annahme eines jährigen Mobilseins der Preußischen Artillerie zu machen. Bei dieser Annahme würde die ganze Anzahl der feldkriegsmäßig ausgerüsteten 10pfündigen Haubitzen 54 betragen, und die Zahl der bei den Batterien befindlichen 10pfündigen Granatwagen 108.

Außerdem befinden sich in den 6 Munitions-Kolonnen einer Artillerie-Brigade neun 10pfündige, mithin in den 9 Brigaden noch 81 10pfündige Granatwagen. Die Kosten der Ausrüstung dieser 10pfündigen Haubitzen würden demnach, der obigen Auseinandersetzung gemäß:

Die Granaten entsprachen allen Anforderungen, wurden mit einer Ausstoßladung von 0,01 Niederl. Pfund (ein Pfund gleich ein Kilogramm) versehen und durch Sandfüllung auf das bestimmte Gewicht von 3,55 Pfund Niederl. gebracht. Die Geschützladungen wurden genau abgewogen.

Der Versuch fand auf der Ebene südlich von Cnevang statt und war hierzu eine Wurflinie von 800 Schritt mit Pfählen abgesteckt. Der Mörser wurde auf eine Bettung gestellt, die aus vier mit ihrer Längenrichtung in die Direktion der Wurflinie gelegten Rippen gebildet wurde.

Am 27. März 1848 begann der Versuch mit den 20 Wurf bei 0,04 Pfund Ladung. Der Mörser wurde hierbei stets mit Richtlath und Quadrant gerichtet. Zur Messung der Flugzeit der Geschosse und der Brennzeit der Zünder benutzte man einen Chronometer, der mit der von de BruSie in seinem Jahrbuche beschriebenen Pendeleinrichtung versehen war und halbe Sekunden anzeigte. Die Seitenabweichungen waren bei diesen 20 Wurf sehr gering, und betrugen im Mittel sowohl 7 Schritt rechts als links, die Längenausdehnung war dagegen bedeutend und betrug bei einer mittleren Wurfweite von 200 Schritt ebenfalls 200 Schritt.

Bei dem Laden mit 0,04 und 0,05 Pfund wurden die Zünder nicht eingepudert, welchem Umstande man das Blindgehen vieler Zünder zuschrieb. Der verhältnißmäßig große Rücklauf des Mörsers (0,50 Elle) erklärte sich aus der durch den starken Thau verursachten feuchten Oberfläche der Bettung.

Am 28. März geschahen die 20 Wurf mit 0,05 Pfund Ladung; als größte Seitenabweichung rechts ergaben sich 30 Schritt, links 15 Schritt, die mittlere Wurfweite betrug 418 Schritt, die Längenausbreitung 404 Schritt.

Am 30. März that man die 30 Wurf mit den Ladungen von 0,06—0,07 und 0,08 Pfund und erhielt bei

Ladung.	Mittlere Wurfweite.	Mittlere Seitenabweichung.		Längenausbreitung.
		rechts	links	
0,06 Pfund	503 Schritt	40 Schritt	25 Schritt	417 Schritt
0,07 =	700 =	44 =	75 =	345 =
0,08 =	665 =	33 =	60 =	258 =

D. In Rücksicht der Mannschaft, Bespannung und des Munitions-Transports.

Die völlig ausgerüstete 7pfündige Haubitze erfordert an Mannschaft:

1) zur Bedienung des Geschützes . . 12 Mann
2) fahrende Artilleristen . . . . . 3 =
3) Trainsoldaten beim Granatwagen 3 =

18 Mann.

Die 10pfündige Haubitze erfordert dagegen:

1) zur Bedienung des Geschützes . . 15 Mann
2) fahrende Artilleristen . . . . . 4 =
3) Trainsoldaten bei 2 Granatwagen 6 =

25 Mann.

Bedenkt man nun, wie schwierig es im Kriege ist, geübte Artilleristen in hinreichender Anzahl zu erhalten, so neigt sich der Vortheil in dieser Hinsicht auf Seite der 7pfündigen, da bei ihr eher dieses Bedürfniß befriedigt werden kann.

Zur Bespannung der 7pfündigen Haubitze gehören 6 Pferde
= = des 7 = Granatwagens 6 =

12 Pferde.

Zur Bespannung der 10pfdigen Haubitze gehören 8 Pferde
= = 2 10pfdigen Granatwagen 12 =

20 Pferde.

Da der Bedarf an Pferden bei den beiden Haubitzen sich wie 3:5 verhält, so ist auch insofern ein überwiegender Vortheil auf Seite der 7pfündigen Haubitze.

Was endlich den Munitionstransport betrifft, so ist derselbe bei der 7pfündigen Haubitz-Munition weit leichter zu bewerkstelligen, als bei der 10pfündigen, da sich das Gewicht der Munition gleich 7:13 verhält, und es ist daher bei der letztern Haubitze die doppelte Anzahl Granatwagen erforderlich, um eben so viel Munition als bei der 7pfündigen mit ins Feld zu nehmen.

Bei der 7pfündigen Haubitze enthält:	Gra= naten.	Kartät= schen.	Brand= kugeln.	Leucht= kugeln.
a) die Protze	15	5	—	—
b) der Granatwagen . . .	66	15	1	2
=	81	20	1	2
Bei der 10pfdigen Haubitze:				
a) die Protze	4	4	—	—
b) die beiden Granatwagen .	88	18	2	4
=	92	22	2	4

Es ergiebt sich zwar hieraus für die 10pfündige Haubitze der Vorzug vor der 7pfündigen, daß sie mit 16 Würfen mehr ausgerüstet ist, dagegen tritt anderseits der Nachtheil ein, daß der 10pfündige Granatwagen mit 1673 Pfund, mit Vorrathsrad = 2001 Pfund, belastet wird, während die Belastung des 7pfündigen Granatwagens nur 1405 Pfund, mit Vorrathsrad ꝛc. = 1787 Pfund, beträgt. Was die Mehrbelastung der 7pfündigen Protze betrifft, so ist dieselbe schon im Abschnitte B zur Sprache gekommen, und kann daher hier übergangen werden.

Nachträgliche Betrachtungen.

Betrachtet man mit Aufmerksamkeit die Veränderungen, welche in den verschiedenen Artillerien mit allen Arten von Haubitzen nach und nach vorgenommen worden sind, so geht daraus klar hervor, daß die auffallend größern Abweichungen, welche sich beim Werfen mit Haubitzen im Vergleich zu dem Schießen mit Kanonen ergaben, größtentheils aus einer fehlerhaften Konstruktion der Haubitzen hergeleitet wurden. So liefert hierüber, den neuern Nachrichten (1828) zufolge, die russische und englische Artillerie ein merkwürdiges Beispiel. Diese Artillerien, welche in Betreff der Länge der Haubitzen die beiden Extreme bildeten, scheinen neuerdings einen Wechsel ihrer Rollen zu beabsichtigen. Während nämlich die Engländer sich den langen Haubitzen (Einhörnern) hinneigen, soll die russische Artillerie im Begriffe sein, die kurzen Haubitzen einzuführen. — Da aber bei den verschiedenartigsten Umgestaltungen dieser Geschütze Hinsichts der scheinlichkeit des Treffens wenig oder nichts gewonnen wurde, sich leicht das Vorurtheil erklären, welches in allen Artillerien gegen ein Geschütz herrschte, das bei dem großen Kostenaufwand, den es verursachte, eine nur verhältnißmäßig geringe Wirkung hervorbrachte. Neuere Versuche haben jedoch dargethan, daß in dieser Beziehung durch Verbesserungen in der Munition wesentlich gewonnen werden kann, indem sich gezeigt, daß das auffallende Abweichen der Granaten, sowohl in der Längen= als Seitenausdehnung, nicht sowohl in einer fehlerhaften Konstruktion des Geschützes, als in dem Geschosse selbst zu suchen sei. Die nicht ganz konzentrische Granate wird immer nach der Seite der Wurflinie hin abweichen, wohin die größte Eisenstärke liegt, und liegt diese im Fluge der Haubitze nach oben, so wird die Wurfweite, je nachdem eine größere Differenz im Vergleich zu der entgegengesetzten Seite der Granate stattfindet, auch um so größer werden.*)

Beim Werfen mit einer Preußischen 7pfündigen Haubitze bei ⅓ Pfund Ladung und 20 Grad Erhöhung wurden die vorher untersuchten, und an der am schwächsten befundenen Seite markirten Preußischen Granaten im Kessel so gelegt, daß sie mit der Marke an der rechten Seite des Kessels zu liegen kamen. Bei 20 Würfen betrug jetzt: die Summe der Abweichungen links = 1354 Schritt,

 = = = = rechts = 0 =

die mittlere erreichte Wurfweite . . . = 1337 =

Wurden bei derselben Ladung und Erhöhung dieselben 20 Granaten gelegt, wie es der Zufall fügte, so betrug:

die Summe der Abweichungen links = 515 Schritt,

 = = = = rechts = 767 =

die mittlere erreichte Wurfweite . . . = 1258 =

Beim Werfen aus einer 8pfündigen sächsischen Haubitze gaben zehn 8pfündige Granaten, deren stärkste Eisenstärke vorher ausgemittelt und durch einen Punkt äußerlich bezeichnet war, bei 4 Grad Erhöhung und 1¼ Pfund Ladung eine summarische Wurfweite des ersten Aufschlages von 9148 Schritten, wenn die stärkste Eisenstärke der

---

*) Dies wird nicht unter allen Umständen der Fall sein, da dies sonst auch stets bei den Vollkugeln stattfinden müßte, wo eine gleichförmige Vertheilung der Masse ebenfalls nicht zu erzielen ist.

D. R......r

Granate im Keſſel der Haubitze nach unten gelegt wurde. Wurden dieſelben 10 Granaten unter ſonſt ganz gleichen Umſtänden mit der ſtärkſten Eiſenſtärke im Keſſel der Haubitze nach oben gelegt, ſo ergab ſich eine ſummariſche Wurfweite des erſten Aufſchlages von 12260 Schritten. Es erhellt hieraus, daß durchſchnittlich für den einzelnen Wurf eine Differenz von 311 Schritten in der Wurfweite entſtand, welche allein durch die Lage der Granate im Keſſel hervorgebracht wurde. Noch auffallender geſtaltete ſich bei denſelben 10 Granaten der Unterſchied in den Wurfweiten bei 8 Grad Erhöhung, indem durchſchnittlich auf den einzelnen Wurf eine Wurfweite des erſten Aufſchlages von 1861 Schritten kam, wenn die ſtärkſte Seite der Granate im Keſſel nach oben zu liegen kam; dagegen nur eine Wurfweite des erſten Aufſchlags von 1387 Schritten, wenn dieſelben Granaten die entgegengeſetzte Lage im Keſſel erhielten. Es ergiebt ſich alſo hier die faſt unglaubliche Differenz von 474 Schritten zwiſchen je zwei Wurf der beiden Lagen.

Wie groß auch immer der Fehler, welcher bei der Konſtruktion einer Haubitze vorgefallen ſein möge, iſt, ſo läßt ſich unumſtößlich annehmen, daß nimmer zwiſchen je 2 Würfen, welche aus demſelben Rohre geſchehen, eine durchſchnittliche Differenz von 474 Schritten auf einer Entfernung von circa 1600 Schritten ſtattfinden werde, da der Fehler am Geſchütze konſtant iſt, und daher nie in dem Grade die Urſache einer verfehlten Wirkung werden kann, als die ihre Lage im Geſchütz ändernde Granate. Es iſt hieraus erklärlich, woher oft bei Verſuchen Widerſprüche entſtanden, welche aller geſunden Vernunft zu widerſtreiten ſcheinen; und es geht daraus hervor, daß man gegen alle Verſuche, bei welchen das Reſultat nicht aus einer ſehr großen Anzahl Würfe gezogen worden, oder nicht auf obigem Umſtand Rückſicht genommen worden iſt, mißtrauiſch zu werden, geneigt werden muß.

Verbeſſerung des Geſchoſſes für Haubitzen.

Aus dem hier eben angeführten würden ſich folgern laſſen, daß um die Wahrſcheinlichkeit des Treffens bei dem Granatwerfen aus Haubitzen zu erhöhen, es vorzüglich darauf ankomme, nach einer der Vollkommenheit ſich nähernden Geſtalt der Granaten zu ſtreben, d. h.

nach Granaten, welche eine überall fast gleiche Eisenstärke haben, wobei also der Schwerpunkt des Geschosses möglichst
mit dem Mittelpunkte desselben zusammenfällt. Die Differenz in der
Eisenstärke, sowohl der 7= als 10pfündigen Preußischen Granaten,
kann nach der bisher gestatteten Abweichung sich bis auf 0,16 Zoll
belaufen. Gewiß lassen sich bei den großen Fortschritten, welche in
den neuern Zeiten in allen Zweigen der mechanischen Künste gemacht
sind, engere Gränzen Hinsichts der erlaubten Abweichungen in den
Abmessungen der Granaten stellen. Sollte auch ein vollkommneres
Haubitzgeschoß nur durch Aufopferung größerer Kosten erzielt werden
können, so würde die dadurch gesteigerte Wahrscheinlichkeit des Treffens einen mehr als hinreichenden Ersatz für den Kostenaufwand gewähren. Ferner ist wohl nicht in Abrede zu stellen, daß die gestatteten Abweichungen in den Durchmessern der Preußischen Granaten zu
groß sind, als daß sie nicht nachtheilig auf die Gleichmäßigkeit der
Würfe einwirken sollten. Der Unterschied zwischen den Durchmessern
der großen und kleinen Leere beträgt 0,11 Zoll, indem der der erstern
resp. 5,47 und 6,33, der der letztern 5,58 und 6,44 Zoll beträgt. Da
nun ein Geschütz bis zu 0,30 Zoll Spielraum (vom normalmäßigen
Durchmesser der Granate 6,36 bei der 10pfündigen an gerechnet) haben kann, ehe es zu verwerfen ist, so folgt, daß der Unterschied des
Spielraums zwischen Haubitzen ein und desselben Kalibers von 0,06
bis zu 0,32 Zoll variiren kann. Durch eine Feststellung engerer
Gränzen für die Durchmesser der Granaten würde dann
von selbst der bedeutende Vortheil entspringen, den Spielraum bei
unsern Haubitzen vermindern zu können. Auch würde das durch die
kleinen Ladungen herbeigeführte Verschleimen der Seele dadurch minder schädlich werden. — Eine zweite Vervollkommnung der Haubitzgranaten, welche in unmittelbarer Verbindung mit der schon angeführten steht, würde durch ein gleichmäßigeres Gewicht der
verschiedenen Granaten ein und desselben Kalibers herbeigeführt werden, und dadurch der Vortheil mehr übereinstimmender Wurfweiten
unter gleichen Umständen erwachsen. Die erlaubte Gewichtsabwei-
chung der 7pfündigen Granaten war bis jetzt in der Preußischen Artillerie 2½ Pfund, und die der 10pfündigen 4 Pfund. Die französische
Artillerie hat neuerdings dadurch einen Vorschritt gemacht, daß sie

bei Gelegenheit der Einführung des neuen Systems die Gewichtsab-
weichung sowohl bei den 24pfündigen als 6zölligen Haubitzgranaten
auf 1 Pfund und die Differenz zwischen der großen und kleinen
Leere auf 113 Centimillimeter (0,043 Zoll-Preußisch) beschränkte. Es
würde freilich aller Staats-Oekonomie widerstreiten, wollte man die
große Menge alter Granaten, welche sich in den verschiedenen Depots des Preußischen Staats befinden und sich Hinsichts der zu ge-
stattenden Abweichungen nicht in engere Gränzen bringen lassen, gänzlich verwerfen. Unstreitig würde man aber die durch dieselben im
Felde zu erwartende Wirkung bedeutend erhöhen können, wenn man
für ein und dieselben Batterie, Granaten von gleichen Dimensionen
nicht allein Hinsichts des äußern Durchmessers, sondern auch Hinsichts
der Eisenstärke aussuchte.

Vorrollen der Granaten im Kessel der Haubitze.

Ein zweiter Umstand, welcher bei den Preußischen Haubitzen die
Wahrscheinlichkeit des Treffens vermindert, ist das dem Verfasser aus
Erfahrung bekannte nachtheilige Vorrollen der Granaten
im Kessel der Haubitzen bei niedrigen Elevationsgraden bis zu drei
Grad. Die Granate kommt dadurch das eine Mal weiter von der
Kammer abzuliegen als das andere Mal, welches die natürliche Folge
hat, daß die Unterschiede in den Wurfweiten, vorzüglich bei kleinen
Ladungen, wachsen. Es würde dem Uebelstande des Vorrollens der
Granaten freilich dadurch begegnet, wenn man nach Art der sächsischen Artillerie die Granate mit einem Spiegel versähe. Dadurch
entsteht aber wieder der Nachtheil, daß einmal die Wurfweiten sich
verkürzen, und dann auch, daß der Unterschied in den Wurfweiten
immer noch größer ausfällt, als wenn sich die Granate gehörig an die
Kammer anschlöße. Es fragt sich nun, ob nicht dadurch ein Auskunftsmittel getroffen werden könnte, daß man die Granaten anstatt
nach der Kammer zu, nach der Mündung zu mit einem Spiegel versähe und daran die Vorrichtung träfe, daß der Zünder eine
zweckmäßige Lage erhielte. Verfasser dieses ist durchaus nicht à pri-
ori für diese Einrichtung eingenommen, sondern der Meinung, daß
nur Versuche darüber entscheiden —. welche vielleicht darthun,

daß die erwähnte Vorrichtung höchst unzweckmäßig sei, möglich aber auch, daß ihre Zweckmäßigkeit dadurch bewiesen werde.

Haubitzen fremder Artillerien.*)

Schließlich wagt es Verfasser, nach den dürftigen Nachrichten, welche ihm von den Artillerien der, Preußen benachbarten größern Mächte bekannt sind, einen allgemeinen Vergleich zwischen den Feld-Haubitzen der verschiedenen Artillerien anzustellen. (Nach den Morla-Hoyerschen Tables des princ. dimens. et poids des artilleries princip. de l'Europe. 1827. Tabl. 6, 7.) Um den Vergleich übersichtlicher zu machen, sind die verschiedenen in folgenden Tabellen angegebenen Dimensionen und Gewichte in neuem Preußischen Maaße angegeben.

---

*) Bei den hier angestellten wie bei den nachfolgenden Vergleichungen von Haubitzen verschiedener europäischer Artillerien sei ein- für allemal bemerkt, daß solche sich auf einen frühern Zeitpunkt beziehen, in welchem die vorliegende Abhandlung geschrieben und der Verfasser nur das damals vorhandene und ihm zugängliche Material für seinen Zweck benutzen konnte.

D. R.

I. Hauptabmessungen der Haubitzröhre der Feldartillerie verschiedener Mächte.

Macht.	Caliber der Haubitze.	Durchmesser der Seele. Zoll.	Länge der Seele bis zur Kammer. Zoll.	Der Kammer Länge. Zoll.	Der Kammer Durchmesser. Zoll.	Spielraum. Zoll.	Gewicht der Haubitze. Pfund.	Feld-Ladung. Pfd.	Feld-Ladung. Lth.	Kleinere Ladungen.
Preußen · · ·	10pfdige	6,50	28,50	8,75	3,50	0,14	1331	2	—	¼ und ½ Pfund
	7 =	5,68	26,50	7,50	3,00	0,18	753	1	16	½ = ¼ =
		6,34	19,02	7,25	3,10	0,13	680	1	26	
Frankreich ·	6zöllige	6,31	77,90*	7,24	3,15 bis 6,31	0,06	(1928)	3	4	31 Loth
		5,79	28,71		3,02	0,12	628	1	23	
	24pfdige	5,76	66,43		2,88 bis 5,76	0,06	1284	2	2	21 Loth
Oesterreich ·	10 =	6,45	23,38	8,17	3,52	0,22	893	Festungs= 1	19	Geschütz. ?
	7 =	5,70	23,34	7,60	2,93	0,17	588			
England · ·	5½ = leichte	5,34	17,93	5,84	2,38 bis 3,10	0,24	436	—	31	7, 14 u. 21 Lth.
	5½ = schwere	5,34	19,16	6,04	2,73	0,24	1066	2	29	do.
	20 =	5,92¼	48,88	11,48	3,33 bis 5,92¼	0,17	1464	3	28	
Rußland · · ·	10 =	4,70¼	{41,17 Fuß 36,47 rekt.	9,11	2,35 bis 4,70¼	0,17	{756 Pfd. 701 rekt.	1	30	
	3 =	3,15	27,56	6,10	3,15	0,13	231	—	23	
Niederlande ·	24 =	5,80	19,50	6,61	2,98	0,23	731	—	23	
Sachsen · · ·	8 =	5,94	29,09	8,00	2,90	0,12	635	1	24	?

* Die Länge der neuen französischen Haubitzen (v. J. 1826) von der höchsten Stelle bis zur Mündungsfläche gemessen.

Aus vorstehender Tabelle ergiebt sich, daß die Englische, Nieder-
ländische, Oesterreichische und Sächsische Artillerie vor der Preußischen, Hinsichts der Haubitzen, den Vorzug der größern Einfachheit
haben, da sie nur 1 Kaliber dieser Geschütze mit ins Feld nehmen.
Die Russische Artillerie, welche dreierlei Kaliber von Einhörnern als
Feldgeschütz führt, ist in dieser Hinsicht im Nachtheil.

Lange Haubitzen.

Am auffallendsten von den Preußischen Haubitzen weichen die
Russischen Einhörner und die nach ihnen konstruirten, neuerdings in
Frankreich eingeführten Haubitzkanonen von 12 Kaliberlänge ab. Wenn
auch nicht in Abrede zu stellen ist, daß diese Geschütze wegen ihrer
Länge eine größere Perkussion gegen jedes Objekt ausüben, daher bei
großen Ladungen einen mehr rasirenden Wurf, und dann auch vielleicht eine geringere Seitenabweichung ergeben, so ist doch zu bezweifeln, daß hierdurch die Vortheile, welche andernseits die kürzern Preußischen Haubitzen gewähren, aufgewogen werden.

1) Was zuvörderst die Perkussion betrifft, so ist diese bei den Preu-
    ßischen Haubitzen mehr als hinreichend, um allen im Felde
    vorkommenden Zielobjekten damit gehörig begegnen zu können.

2) Nicht allein der kürzere Flug, sondern auch die zylindrische
    Kammer der Preußischen Haubitzen gewährt den Vortheil gleich-
    mäßigerer Wurfweiten, vorzüglich wenn bei den konischen
    Kammern der langen Haubitzen ein hölzerner Spiegel ange-
    wendet werden muß. Daß im Felde der Nachtheil ungleich-
    mäßigerer Wurfweiten der langen Haubitzen nicht durch eine
    vielleicht etwas geringere Seitenabweichung im Vergleich zu
    den kürzern Preußischen Haubitzen aufgewogen werde, geht aus
    dem im Abschnitte B Entwickelten zur Genüge hervor.

3) Die Taktik der Preußischen Haubitzen hat in den letztern Jah-
    ren durch die Einführung der keinen Ergänz-Ladungen einen
    bedeutenden Vorsprung gemacht, der hoffentlich das Vorurtheil
    tilgen wird, welches man allgemein gegen ein Geschütz haben
    mußte, welches bei der großen Kostspieligkeit, gemäß der Ein-
    richtung der frühern Ladungen, doch nicht einmal auf allen zu
    beschießenden Entfernungen mit Nutzen anzuwenden war. Die

langen Haubitzen mit konischen Kammern werden stets an diesem Uebel leiden müssen, da die Einführung der Ergänzladun-
gen ihrer Einrichtung widerstreitet.

4) Die Preußischen Haubitzen haben den Vortheil der größeren
Leichtigkeit, indem sie bei fast gleichem Kaliber die Kraft eines
Pferdes weniger in Anspruch nehmen, als die langen Haubitzen.

5) Sie erlauben eine höhere Elevation, welches in einzelnen Fällen von Vortheil sein kann.

6) Die 10pfündigen Einhörner stehen wegen ihres um einen Zoll
geringeren Kalibers den 7pfündigen Haubitzen nach, wie es auch
Versuche bestätigen. Die 3pfündigen Einhörner sind nach allen Grundsätzen der Taktik als Feldgeschütz verwerflich.

Wenn demnach die Wirkung des Kartätschfeuers der langen Haubitzen gleichen Kalibers dem der Preußischen nicht in hohem Grade
überlegen ist (worüber Verfasser die nöthigen Schießergebnisse man-
geln), so scheinen unsere Haubitzen den Vorzug vor den Einhörnern
und Haubitzkanonen zu verdienen.

7pfündige und 5½zöllige Haubitzröhre u. dergl.

Was die verschiedenen 7pfündigen und 5½zölligen (gewöhnliche)
Haubitzröhre anbetrifft, so möchten sich für dieselben folgende Nachtheile im Vergleich zu den Preußischen auffinden lassen:

Die alte französische 24pfündige Haubitze ist im Verhältniß zur
Ladung und zur Kammer zu schwach proportionirt.

Die österreichische 7pfündige Haubitze hat einen 3 Zoll kürzern
Flug und scheint in Berücksichtigung der Feldladung von 1 Pfund
19 Loth zu leicht zu sein, indem sie 1 Centner 42 Pfund weniger als
die Preußische wiegt.

Die englische leichte 5½zöllige Haubitze hat einen 8½ Zoll kürzern
Flug, ein um 0,34 Zoll schwächeres Kaliber; den großen Spielraum
von 0,24 Zoll, und scheint bei 1 Pfund den Anforderungen, welche
man Hinsichts der Wurfweiten an ein Feldgeschütz macht, nicht entsprechen zu können.

Die schwere englische 5½zöllige Haubitze theilt die zuerst genannten Nachtheile der leichten, und ist gegen 2½ Centner schwerer als
die Preußische.

Die Flügelwände können selbstredend ohne Bekleidung bleiben.
Wenn man die Eckkasten aber in der Richtung der Flucht so breit
machen will, wie jetzt (16 Fuß) und die Flügelbekleidung durch natürlich angeschüttete Erde ersetzt, wird allerdings die Erdarbeit vermehrt. Sie nimmt in Horizontal-Batterien bei natürlicher Anlage
auf dem Horizont eine Fläche ein, welche 7 Fuß breit und 31 Fuß
lang ist, hat 7 Fuß Höhe und oben einen scharfen Rücken von 17
Fuß Länge; sie enthält also $\frac{7.17.7}{2} + \frac{2.7.7.7}{3} = 645^{c'}$ Erde, zu
deren Anschüttung bei mittlerem Boden (nach dem Handbuch des
Pionier-Dienstes 1. Theil Seite 229) 32 Arbeitsstunden, oder ppr.
5 Mann 7 Stunden nöthig sein werden. Nimmt man auf die Ersparung von 4 Faschinirern und auf den Transport des Bekleidungs-
Materials gar keine Rücksicht, und rechnet man nur, daß zur Bekleidung einer solchen Flügelwand incl. Ankerfaschinen 12 Faschinen oder
7 Faschinen und 7 Körbe gehören, so ergiebt sich daraus schon eine
bedeutende Ersparung von Arbeit und Mühe. Verhältnißmäßig viel
größer ist aber die Ersparniß bei gesenkten Batterien, namentlich wenn
man auf den oft sehr schwierigen Transport und auf Gegenden Rücksicht nimmt, in denen nur wenig Strauchwerk zu finden ist.

Aus dieser Berechnung kann man auch darauf schließen, daß,
wenn man auch die obere Brustwehrdicke so groß läßt, als sie jetzt
angenommen wird, aber der innern Brustwehr mehr Anlage giebt,
die dadurch nothwendig mehr zu bewegende Erde nicht von Bedeutung ist und durch einige ersparte Ankerfaschinen aufgewogen wird.

Außer der Brust und den Flügelwänden haben aber bisher nur
noch die Schartenbacken eine steile Dossirung und daher Bekleidung
nöthig gehabt.

In Mörser- und Unterbergerschen Batterien ist aber auch
diese Scharten-Bekleidung nicht nothwendig und Referent glaubt daher, daß man diese Batterien, und also alle in der ersten Parallele
gewöhnlichen Batterien (excl. Pulverkammern und vielleicht Enfilir-
Batterien), ohne Bekleidung bauen kann. Selbst wenn man diesen
Batterien die bisher gebräuchliche Brustwehrstärke oben giebt, geht
ihr Bau doch schneller von statten, als der der bekleideten, ungeachtet
der größeren Masse zu bewegender Erde, was darin seinen Grund

II. Tabelle der Gewichte der 7pfündigen oder analogen Feldhaubigen verschiedener Mächte, nebst ihrer Bespannung, Munition, Höhe der Räder ꝛc.

Nach der Morla-Hoyerschen Tab. 25.

Macht.	Kaliber.	Gewicht des Geschützes nebst Laffete und Munition beladener mit Protze. Pfund.	Anzahl der Zugpferde Artill. Fuß.	Artill. zu Pferde.	Munition in der Protze Granaten.	Kartätschen.	Höhe der Räder der Laffete. Zoll.	der Protze. Zoll.	Gewicht der Laffete. Pfund.	der Protze. Pfund.	Bemerkungen.
Preußen	7pfündige	3472	6	6	15	5	57	44,90	ohne Laffettenkaften 1374	946	nach den Preisangaben der Artill. Werth. S.7. (nach d. ält. Syst.)
Frankreich*)	24 = gewöhnl.	2680	4	6	4	2	51,72	43,44	1191	661	Achsen von Holz.
	7 = gewöhnl.	2190	4	—	2	—	52,20	36,24	1087	—	do.
	7 = Kavall.	2103	6	—	2	5	—	—	—	—	do.
Oesterreich	5⅖löthige leichte	3012	4⅚	8	16	4	58,20	57,35	—	—	
	5¼ = schwere	3662	6⅚	—	—	—	52,44	46,61	—	—	
England	20pfündige	3318	6	6	—	—	46,61	46,61	717	577	Achsen von Holz.
Rußland	10 = zu Fuß	2225	4	—	—	—	46,61	46,61	708	—	do.
	10 = zu Pferde	2146	—	6	—	—	—	—	546	—	do.
	3 =	1519	2	—	—	—	—	—	—	—	do.
Sachsen	8 =	2443	4	6	6	4	53,23	41,50	1063	598	

*) Von der 24pfündigen französischen Haubitzlaffete nebst Protze nach dem neuern System hatte Verfasser zu mangelhafte Nachrichten, als sie hier mit in den Vergleich ziehen zu können.

der Feuertaktik der Haubitzen zu heben, sind vorzüglich die Shrapnelgranaten geeignet, welche bei einer durch mehrfache Erfahrung gewiß
leicht zu erzielenden geschickten Anwendung unstreitig bei den Haubitzen zu dem mörderischsten Geschosse auf mittlere Entfernungen er-
hoben werden können, welches irgend eine Artillerie bisher hatte. Die
Schwierigkeiten, welche sich der Anwendung dieses Geschosses entge-
genstellen, sind nach der Meinung des Verfassers nur scheinbar.

Was zuvörderst das Schätzen der Distancen betrifft, worauf es
vorzüglich beim Schießen mit den Shrapnelgranaten ankommen soll,
so wird auf den Entfernungen bis 1200 Schritt, auf welchen dieses
Geschoß in Anwendung kommen würde, der Irrthum im Schätzen
nicht leicht so groß ausfallen, daß das Geschoß nicht noch von Wirkung wäre. Krepirt die Granate 150 Schritt vor dem Feinde, so
wird die Perkussion der Gewehrkugeln immer noch groß genug sein,
daß sie einen bedeutenden Schaden anrichten. Geschieht es kurz hinter dem ersten Treffen, so wird die Wirkung gegen das zweite Treffen noch sehr bedeutend sein können. Ueberhaupt würde ein Fehl-
schätzen in der Entfernung schon deshalb nicht viel zu sagen haben,
da man schon beim zweiten Wurfe sich verbessern könnte, wozu noch
kommt, daß je größer die Entfernung ist, desto eher man Zeit, dem
Irrthume abzuhelfen, haben wird; dagegen auf den kleinern Entfernungen von 600 bis 800 Schritt so leicht kein Irrthum, der einen
sehr nachtheiligen Einfluß haben könnte, vorkommen wird.

Was die Anwendung der Zünder betrifft, so zweifelt Verfasser
nicht, daß sich bald beim Gebrauche mechanische Vortheile auffinden werden, welche es möglich machen, augenblicklich einen für irgend eine beliebige Entfernung passenden Zünder einzusetzen. Auf
diese Weise würde man in den Stand gesetzt sein, für verschiedene
Distancen bestimmte, vielleicht durch auffallende Farben zu unterschei-
dende Zünder gleich fertig mitzuführen. Doch ließe sich auch jenes
Mittel nicht auffinden, so wird das Laden der Granaten mit Pulver
und das Absägen und Einsetzen des Zünders beim Gebrauche selbst
keine große Schwierigkeit haben, und jedenfalls so rasch zu bewerkstelligen sein, als der Verbrauch beim Feuern es erfordert.

Schluß.

Damit in der Wirkung und taktischen Anwendung der Preußischen Feldhaubitzen eine Superiorität über die gleichartigen Geschütze der benachbarten Mächte hervorgehe, hält Verfasser folgende Umgestaltungen in dem Wesen dieser Geschütze für nothwendig:

1) Nur 7pfündige Haubitzen im Felde mitzuführen, weil

    a) eine gleiche Anzahl 10pfündiger Haubitzen die 7pfündigen nur wenig oder gar nicht in der Wirkung übertreffen;

    b) für zwei 10pfündige Haubitzen drei 7pfündige ausgerüstet werden können;

    c) die Beweglichkeit der 10pfündigen der der 7pfündigen weit nachsteht und der Munitionstransport weit schwieriger ist.

2) Durch zweckmäßige Konstruktion die Laffete und Protze der 7pfündigen Haubitze (namentlich die Räder) (?) zu erleichtern.

3) Durch vollkommnere und gleichmäßigere Anfertigung der Granaten die Wahrscheinlichkeit des Treffens zu erhöhen.

4) Die Shrapnelgranaten einzuführen, um dadurch den Werth der Haubitzen in hohem Maaße zu steigern.

XVII.

Vorschläge und Versuche über die Möglichkeit den Batteriebau zu beschleunigen und an Bekleidungs-Material und Arbeitskräften zu ersparen.

(Mit einer Figuren-Tafel.)

Von der Ansicht ausgehend, daß man überall suchen muß mit den möglichst geringen Mitteln seinen Zweck zu erreichen, schien es dem Referenten zulässig bei dem Batteriebau nach den preußischen Bestimmungen noch an Material und Arbeit zu ersparen, und folglich auch an der erforderlichen Zeit, ungeachtet hierin im Vergleich mit älteren Baumethoden schon sehr viel geleistet wird.

Um mir die Sache selbst klarer zu machen, benutzte ich im Jahre 1843 eine sich darbietende Gelegenheit eine Rikochettbatterie ohne alle Bekleidung zu bauen und später gestattete es die obere Behörde bei den Schießübungen zu Mainz in den Jahren 1848, 1849 und 1850 weitere Versuche mit Batterien ohne alle Bekleidungs-Materialien und mit wenig Bekleidungs-Material auszuführen.

Die Berichte über diesen Batteriebau bei Mainz wurden in der Art beurtheilt:

daß sich die vorgeschlagenen Veränderungen nicht wohl zur Einführung eigneten, daß deswegen weitere Versuche entbehrlich wären, daß aber von einzelnen der vorgeschlagenen Maaßregeln unter Umständen als Nothbehelf ein nützlicher Gebrauch gemacht werden könne.

Welche einzelne Maaßregeln unter Umständen anwendbar sein sollen, war nicht angegeben.

Inzwischen hatte man von Seiten der höheren Behörde angeordnet, daß auch im Jahre 1851 bei den Schießübungen zu Mainz noch weitere Versuche ausgeführt werden dürften. Dies hat auch stattgefunden.

Daß der unterzeichnete Referent nicht in allen Stücken mit der oben aufgeführten Beurtheilung einverstanden sein konnte, ist wohl natürlich, nachdem er sich aus voller Ueberzeugung für seine neuen Vorschläge erklärt hatte. Es wird ihm daher auch nicht zu verargen sein, wenn er sich bemüht, hier seine Gründe etwas ausführlich darzulegen.

Zunächst muß ich meine Ansicht über die Angelegenheit von meinem Standpunkte aus bestimmt darlegen, und diese ist folgende:

Nach meiner unvorgreiflichen Meinung sind die gemachten Vorschläge noch lange nicht genug, noch nicht auf hinlänglich vielen verschiedenen Schießplätzen und ohne genügende Vergleiche mit andern Bauarten, geprüft. Nur dies zu erreichen ist gegenwärtig mein Wunsch. Sollten die neuen Vorschläge aber auch hinlänglich geprüft ganz oder theilweise oder mit Abänderungen für gut und annehmbar befunden sein, so ist es deswegen doch noch nicht nothwendig und nützlich, sie einzuführen, weil alle Neuerungen möglichst zu vermeiden sind und weil sie meist eine Menge unvermeidliche und unvorhergesehene, größere oder kleinere Uebelstände mit sich führen. Nach meiner Ansicht sind alle Verbesserungs-Vorschläge und Neuerungen nichts desto weniger auf das sorgfältigste und vielseitigste zu prüfen und das Ergebniß in wissenschaftlichen Werken niederzulegen. Hierdurch fallen sie der allgemeinen Beurtheilung anheim, können in Nothfällen angewendet werden und liegen bereit um benutzt zu werden, wenn sie eingeführt werden müssen.

Neuerungen sollten im Militair, namentlich auch wegen der Landwehren und weil man das Alte nicht so leicht beseitigen und vergessen kann, nur in größeren Zeiträumen oder bei sehr dringenden Veranlassungen und möglichst im Ganzen eingeführt werden, z. B. im vorliegenden Falle bei Ausgabe eines neuen Leitfaden.

Die vorgeschlagenen Veränderungen bilden kein organisches Ganze, so daß die Anwendung oder Verwerfung eines Theils nicht die Anwendung oder Verwerfung der andern Theile bedingt. Dies macht es zulässig, die Vorschläge einzeln in Betracht zu ziehen, wie dies hiernächst geschehen wird.

A. Die Fußbänke.

Die Fußbänke scheinen aus der Befestigungskunst auf den Batteriebau übergegangen zu sein. Da wo Infanterie hinter Brustwehren verwendet werden soll, sind sie allerdings unumgänglich erforderlich. In Batterien aber erscheinen sie dagegen von wenig Nutzen und verlangen dennoch, wenn sie bekleidet werden müssen, eine Menge Material und Arbeit. Nur sehr große Leute (Riesen) sind im Stande, wenn sie auf die Fußbank treten, über die Brustwehr zu sehen, was leicht einleuchtet, wenn man bedenkt, daß man entweder einen 4 Fuß hohen Schanzkorb und eine Blendfaschine, oder 6 Faschinenlagen vor sich hat. Mit Infanterie=Gewehren kann man von ihnen aus gar nicht schießen. Will man sie benutzen, um die Wirkung der Schüsse zu beobachten, so ist es nur bei einem sehr günstigen Winde möglich, und man nähert sich unnöthig dem gewiß Jedem unangenehmen Knall. Deswegen wird es in den meisten Fällen zweckmäßiger sein, sich zur Beobachtung der Schüsse seitwärts der Batterie aufzustellen, wie dies auch durch die Instruktionen für die Schießübungen vorgeschrieben ist. Kann man in großen Batterien einmal von ihnen selbst aus, die Schüsse mit Nutzen beobachten, so genügt gewiß jede für den Augenblick auf irgend eine Weise hergestellte dazu. Wie die Sache jetzt steht, nützen also die Fußbänke nur dazu, Geschosse auf sie zu legen, die doch ebenso gut auf der Grabensohle oder dem Horizont Platz finden. So weit dem Referent bekannt, werden auch in mehreren Artillerien, unter andern bei den Franzosen und Hessen=Darmstädtern, keine Fußbänke in den Batterien mehr erbaut und er hält es daher für ganz angemessen sie wegzulassen oder zu verschütten, wenn Veranlassung dazu vorhanden ist.

B. Gänzlicher Wegfall von Bekleidungen.

Die Brustwehren, hinter welchen Infanterie gebraucht wird, müssen nach der Feuerlinie so steil sein, damit der Mann, auch wenn er die Mündung des Gewehres senkt, noch möglichst gedeckt ist. Dieser hinlänglich bekannte Satz scheint auch auf die zur Deckung der Artillerie nothwendigen Brustwehren übertragen worden zu sein, ohne genügend die stattfindenden Verschiedenheiten der Waffen in Betracht zu ziehen. Für die Geschütze ist eine möglichst geringe Anlage der Feuerlinie nur da nothwendig oder nützlich, wo die Räder bis nahe an die Brustwehr geschoben werden, damit die Röhre weit in die Scharten reichen. (Man vergleiche hiermit v. Plümicke Handbuch Theil II. S. 287.) Bei Geschützen, welche nicht nahe an die Brustwehr gebracht werden, also bei den Mörsern und den Geschützen in den sogenannten Unterbergerschen Batterien, scheint es für die Geschütze ganz gleichgültig, welche innere Anlage man der Brustwehr giebt. Die Mörserbettungen bleiben jetzt 6 Fuß von der Fußbank, also 12 Fuß von dem obern Rande der Brustwehr in horizontaler Richtung, entfernt und in den Unterbergerschen Batterien ist diese Entfernung ungefähr 6 Fuß, also fast hinreichend, um der Erde die natürliche Anlage zu lassen.*)

Bei diesen Betrachtungen ist nur auf die feindlichen direkten Schüsse, aber nicht auf das Vertikalfeuer Rücksicht genommen. Es scheint aber auch, als wenn dies unterbleiben könnte. Die Brustwehren verschaffen, auch wenn sie ganz senkrecht sein könnten, nur einen sehr geringen Schutz gegen das Vertikalfeuer und so gut wie gar keinen für die in der Batterie beschäftigten Mannschaften. Der Raum, den die Brustwehr gegen das Vertikalfeuer deckt, und zwar nur insofern die Vertikalgeschosse vor dem Zerspringen treffen, ist jetzt großentheils durch die Fußbank eingenommen, und dies beweist, daß man wenig Werth auf einen solchen sichern Raum legt, sonst würde man ihn nicht so unnütz verwenden.

---

*) Bei den jetzt gewiß vielseitig in Anwendung kommenden großen Haubitzkalibern dürfte doch eine Schartenbekleidung, und zwar eine sehr solide, nöthig werden.

D. R.

während bei den Batterien, welche in der Kernschußweite liegen, eine Dicke von 15 bis 18 Fuß als erforderlich angenommen wird.

Mit Rücksicht auf diese verschiedenen Annahmen scheint es nicht gerechtfertigt, wenn die obere Brustwehrdicke unabänderlich auf 17 Fuß bestimmt wird, während doch die 24pfündigen Kugeln in sehr großer Nähe mit ⅓ kugelschwerer Ladung, nach dem Leitfaden für die Preußische Artillerie Seite 399 und nach dem Archiv Bd. 12 S. 87, nicht füglich tiefer als 9 Fuß in Lehm und noch weniger in Sand eindringen können. Gäbe man daher der obern Dicke 12 Fuß, so wäre man selbst in der Nähe der Festung schon gegen alle Arten Kanonenkugeln vollständig gesichert, und noch mehr in entfernteren Batterien, besonders da die Dicke der Brustwehr nach unten sich vermehrt. In den Scharteneckken, wo Kugeln durchgehen können, ist die größere Stärke in der Mitte der Kasten ohne allen Nutzen, da die Stärke in den Scharteneckken durch die in der Mitte nicht geändert wird.

Ein Abkämmen der Batterie wird wohl selten vorkommen, und ist es der Fall, so möchte es zweckmäßiger sein, durch Aufschütten von neuer Erde dem Uebel abzuhelfen, als durch eine ursprüngliche zu große Dicke.

Bei Festungswerken ist dies etwas anderes, da es bei ihnen zum Ersatz der abgeschossenen Erde an Mitteln fehlt und man bei ihnen wenig oder gar nicht darauf Rücksicht zu nehmen hat, wie lange die Erbauung dauert. Fallen Bomben in die Brustwehren der Batterien nahe an der Bekleidung, so wird diese umgerissen, die Brustwehr mag noch so dick sein. Fallen die Bomben so weit von der Bekleidung, daß diese nicht beschädigt wird, so wird es zweckmäßiger sein die entstandenen Trichter in der Nacht wieder auszufüllen, als von vornherein eine Masse Erde aufzuhäufen, deren Nutzen sich nicht mit Bestimmtheit voraussehen läßt.

Erst seitdem allgemein die 16füßigen Faschinen eingeführt worden, scheint man dem Flügelkasten oben auch eine Länge von 16 Fuß gegeben zu haben, während sie bis dahin im Allgemeinen nur halb so lang waren, als die Mittelkasten, aber freilich dann häufig mit Flügeln versehen wurden. Dies ergiebt sich unter anderm aus F. Rouvroy Handbuch des Batteriebaues, Leipzig 1809, Kapitel III. §. 3

Seite 35 und der Zeichnung; und aus Scharnhorst Taschenbuch, Hannover 1794, Seite 411 §. 246 hat man nur Kanonenfeuer von vorne zu erwarten, so scheint auch wirklich eine obere Länge von 9 Fuß in der Richtung der Flucht in den Flügelkasten genügend, während man bei Feuer von der Seite sich mit verlängerten Eckkasten, Flügeln, Schulterwehren oder Traversen zu decken hat, wenn die an die Batterie anstoßende Laufgraben-Brustwehr nicht hinlänglichen Schutz verspricht.

In den Jahren 1848, 1849 und 1850 wurden Ziel-Batterien erbaut und beschossen und beworfen, welche nur 12 Fuß obere Brustwehrstärke und Flügelkasten von 9 Fuß oberer Länge hatten. Da die Flügel hierbei nicht bekleidet waren, so erreichten die Flügelkasten der horizontalen Batterien unten eine Länge von 16 Fuß. Aus diesen verringerten Abmessungen hat sich kein Nachtheil ergeben, ungeachtet nach längerem Demontiren durch die vielen Geschosse die Kasten eine unregelmäßige Gestalt angenommen hatten, aber wohl nicht unregelmäßiger, als es auch bei größeren Abmessungen stattgefunden hätte. Leider gestatteten die vorhandenen Mittel es nicht, gleichzeitig Batterien mit den gewöhnlichen größeren Abmessungen zu beschießen und einen unmittelbaren Vergleich anzustellen, dessen Ausführung dem Referenten noch sehr wünschenswerth erscheint. Bei einer im Jahre 1851 demontirten Batterie hatten die Flügelkasten in der Flucht oben eine Länge von 12 Fuß, aus Rücksicht für den Widerspruch, den die 9 Fuß breiten Eckkasten gefunden hatten. Ein Unterschied zwischen beiden ist aber nicht gefunden worden; da das Demontirfeuer genau von vorne kam, und Referent hält in diesem Falle eine Breite von 9 Fuß noch für genügend, während er weit entfernt ist, unter andern Umständen größere Abmessungen, Flügel und dergleichen zu verwerfen, welche bei der vorgeschlagenen Bauart ohne alle Schwierigkeit anzubringen sind.

Daß die verminderten Abmessungen den Bau beschleunigen, ist einleuchtend. Dies ist ihre einzige, aber nicht unwichtige Befürwortung, welche auch den Referent bewogen hat, den Batterien ohne alle Bekleidung dieselben geringen Abmessungen zu geben. Da diese Batterien weiter von der Festung liegen, gewöhnlich nur mit schwachen Ladungen beschossen werden, 24pfündige Kugeln (Leitfaden §. 569

Je mehr kleine Zweige an ihnen vorhanden sind, desto besser, denn sie werden nur durch die auf ihnen liegende Erde und ohne jede andere Befestigung gehalten. Jedenfalls ist es angemessen, die kurzen Ankerzwiesel unten, die langen oben und in den Eckkörben zu verwenden, und sie nicht eher in die Schanzkörbe oder an den Faschinen anzubringen, als bis hinter diesen so viel Erde liegt, daß die Zwiesel eine ungefähr horizontale Lage bekommen. Die hier benutzten Ankerzwiesel waren zwischen 5 und 12 Fuß lang. Entweder müssen sie aus einem Ast bestehen, der sich am starken Ende in zwei Theile spaltet (Fig. 3) oder einen Haken hat (Fig. 4). Bei der Verankerung von Faschinen sind beide gleich bequem. Bei der Verankerung von Schanzkörben sind aber die Anker mit Haken anwendbarer, da man bei ihnen den Haken nur durch das Flechtwerk des Korbes zu stoßen hat und dann so zurückzieht, daß der Haken einen Schanzkorbpfahl erfaßt. Bei den Ankerzwieseln wo sich der Ast spaltet, ist es erforderlich das dicke Ende durch das Flechtwerk des Schanzkorbes zu stoßen und dann im Innern einen Faschinenpfahl durch den Zwiesel zu stecken.

Beide Arten Ankerzwiesel sind leicht zu erhalten, doch da wo man ganze Bäume anwenden kann, die Ankerzwiesel mit Haken am leichtesten.

Man sägt bei ihnen den Stamm etwa 3 Zoll unter einer Stelle (Quirl) durch, wo mehrere Aeste hervorkommen, und 6 bis 9 Zoll über dieser Stelle. Nun spaltet man das circa 1 Fuß lange Stück Stamm so, daß an jedem Ast ein Stück von dem Stamm bleibt, welches dann den Haken bildet (Fig. 5).

Bei dem Bau im Jahre 1851 ist jeder Korb und jede Kniefaschine mit 3 Ankerzwieseln versehen worden. Wie viele wirklich nothwendig sind, ist aber wohl noch zu ermitteln. Am besten legt man die Ankerzwiesel horizontal in die Erde, doch scheint dies nicht unumgänglich nothwendig, namentlich bei der Ausbesserung von Scharten (mit Schanzkörben). Hier ist es nur nöthig den alten Korb zu entfernen, einen neuen zu setzen und hinter dem Korb einen Graben zu ziehen, der am Korb 3 Fuß tief ist und der sich nach oben verläuft und erweitert. Nun wird in den Korb unten ein Ankerzwiesel gestoßen und befestigt, der Korb ⅓ mit Erde gefüllt und die Zweige beschüttet, dann kommt ebenso ein Ankerzwiesel in die Mitte des Korbes und an den oberen Theil. Dies hat bei den Reparaturen vollständig genügt und scheint leichter und besser als die Reparatur bei Ankerfaschinen.

F. Theilweise Ersparung des Bekleidungs-Materials.

Sie kann in erheblicher Art nur da stattfinden, wo man sich der Schanzkörbe bedient und natürlich nur da, wo überhaupt eine Bekleidung nothwendig ist, also in der Brust und in den Schartenbacken der Batterien mit Scharten.

Grundfaschinen erscheinen nur da nothwendig, wo der Boden sehr locker ist. Bei den Versuchs=Batterien, wo der Boden aus Flugsand bestand, sind sie nur in der Brust bei dem Bau von Horizontal=Batterien weggeblieben, wo eine Kniehöhe von 3 Fuß genügte. Ihre Weglassung hat keinen Nachtheil gezeigt.

Blendfaschinen sind hier nicht verwendet worden, da ihr Nutzen sehr zweifelhaft ist. Referent ist jedoch in der neuesten Zeit zu der Ueberzeugung gelangt, daß sie wohl dazu beitragen können, die Eck=körbe in den Scharten mehr zu befestigen. Für diesen Fall wäre es aber gewiß besser, da wo die Brust mit Faschinen bekleidet wird, schon die vierte Faschine (Fig. 6 a) von der Schartensohle aus gerechnet, als Blendfaschine zu legen und die 5te und 6te Faschinenlage ganz wegzulassen,*) oder diese ebenfalls als Blendfaschinen zu verwenden (Fig. 6 b), ohne die dabei entstehenden Lücken cc in der Bekleidung durch Faschinenstücke auszufüllen. Die Schartenöffnung ist dann immer noch groß genug und die Mannschaften werden besser gedeckt. Wird die 5te und Blendfaschine (6te) weggelassen und in ihrer Stelle der Erde die natürliche Anlage gegeben, so vermindert sich die Deckung in der Batterie gegen das Kanonenfeuer nicht und die Steilheit der Deckung ist hier nicht erforderlich.

Die Kasten der Batterien besitzen in der Mitte die meiste Widerstandsfähigkeit, und da hier die Räder der Geschütze nicht nahe an die Brustwehr gebracht werden müssen, kann dieser Theil der Flucht unbekleidet bleiben. Es ist daher auch nicht nöthig bei Horizontal=Batterien das Knie ganz zu bekleiden, sondern es genügt, daß man es unter jeder Scharte mit drei 16füßigen Faschinen (Fig. 7) (und mit oder ohne Grundfaschine) versieht.**) In der Flucht der Batterie kommen dann bei Schanzkorb-Bekleidung neben jeden Eckkorb der

---

*) Erscheint uns als ein sehr verständiger und begründeter Vorschlag.　　　　　　　　　　　　　　　　　　　　**D. R.**

) Ganz richtig und e　　　　　　　　　　　　　　**D. R.

c) Der 24. August. Die Scharte wurde getroffen durch:

4 - ..ständige Hagel

2 - 24 - · · aus langen ⎫

3 - 24 - · · · kurzen ⎬ Kanonen

1 - 7 - · Granate aus kurzen Haubitzen zum Ein-
schießen geladen

_____

in Summa 10 Geschütze.

Die Scharte war nicht als demontirt anzusehen. In der linken Schartenbacke waren die 2 vorderen Körbe herausgeschossen, der ... war etwas verrückt. Die rechte Schartenbacke war wenig beschädigt. Die Scharte wurde nicht wieder ausgebessert.

C. In Bezug auf das Verhalten der Demontir-Batterie im Jahre 1864 ist nur noch folgendes zu bemerken:

Die Erschütterungen ließen sich bei beiden Scharten, der senkrechten und ... derselben, zu ertragen. Sie standen unten auf den ... und wurden oben durch ... und Durchschläger gehalten.

a) Die ... aus der senkrechten (rechten) Scharte aus einer kurzen Laprührung:

am 18. August 10 Schuss mit Ingeln 4 Pfund Ladung;

- 24. - 10 - - Granaten zum Einrengen,
4 Pfund Ladung;

- 2. - 10 - - Ingeln 4 Pfund Ladung;

- 2. - 10 - - Granaten zum ...,
4 Pfund Ladung;

_____

in Summa 40 Schuss.

Nach dem ersten 27 Schuss mußte das Sohle der linken Backe ..., werden, da sie sich angezogen hatte und ausbrannte. Das beiden Seitensteine war nach 30 Schuss, an drei Stellen geschmolzen.

b) Die ... aus der ... (linken) Scharte aus einem
kurzen Laprührung:

Ergebnisse von Versuchen.

Mit Rücksicht auf die Angaben, welche hierüber schon weiter vorne mitgetheilt sind, wird nachstehendes genügen:

Was die Zeit der Erbauung, Quantität des verwendeten Materials und Zahl der Arbeiter betrifft, so war das Ergebniß, wie leicht begreiflich, sehr günstig. Man kommt mit wenigeren geübten Arbeitern (Faschinirer und Avancirten) aus. In Bezug auf den Widerstand, welchen die Ziel=Batterien geleistet, so war die Beurtheilung schwierig, weil es nicht möglich war, gleichzeitig und auf gleiche Art solche Batterien zu beschießen, welche nach der gewöhnlichen Art erbaut waren. Es mußten, um einen Vergleich anstellen zu können, die Ergebnisse anderer Schießübungen benutzt werden, aus welchen hervorgeht, durch wie viel Schuß gewöhnlich eine Scharte unbrauchbar wird. Die Ansicht darüber, ob eine Scharte als demontirt anzusehen ist oder nicht, ist aber sehr schwankend. Bei den in den Jahren 1849 bis 1850 versuchsweise erbauten Batterien sprachen sich Artillerie=Offiziere mit Bezug auf die anderweitig gemachten und in den Revue=Ergebnissen mitgetheilten Erfahrungen durchschnittlich dahin aus, daß die neue Bauart eines größeren Widerstandes gegen die treffenden Geschosse fähig erscheint, als die übliche.

Da jedoch die in den genannten Jahren erbauten Ziel=Batterien in der Brust halbe Anlage hatten, wodurch der Widerstand gegen das feindliche Feuer vermehrt werden konnte, und da diese Anlage sich für die kurzen 24pfünder in Bezug auf das eigene Feuer verwerflich gezeigt hat, so erscheint es nicht ganz angemessen, auf diese Versuche Bezug zu nehmen. Wenn bei ihnen die Erde in den Kasten nach längerem Demontiren sehr zerwühlt und daher ihre Gestalt unförmlich geworden war, so ist dies doch in keinem höheren Grade eingetreten, als bei nach gewöhnlicher Art erbauten Batterien, und der Widerstand der Kasten hat nie so abgenommen, daß Geschosse, außer in den Scharteneichen, durch sie hindurch gegangen wären.

Einen bessern Anhalt gewähren die Versuche im Jahre 1851, wo in der horizontalen Ziel=Batterie die Brust der einen (rechten) Scharte senkrechte, die Brust der andern (linken) mit 1½ Fuß Anlage erbaut war. Die Scharten=Bekleidung, da diese mangelte. Die

Schartensohlen waren in gewöhnlicher Art erbaut, d. h. nach vorne nicht so verengt wie Fig. 8 angiebt. Da jedoch nur 2 Scharten vorhanden waren, mußten alle Arten Schuß von einer Kompagnie nach einer Scharte gethan werden, wodurch eine Schlußfolge über die Zahl der erforderlichen Treffer um eine Scharte zu demontiren wieder unsicher wird.

Es wurde auf 400 Schritt demontirt. Dies hat auch 1848 stattgefunden, und nach den Ergebnissen dieses Jahres sind zur Zerstörung einer Scharte erforderlich gewesen:

$$\left.\begin{array}{l} 8\ \text{-}\ 12\text{pfündige Kugeln} \\ \text{oder } 5\ \text{-}\ 24\ \text{ - }\ \text{ - }\ \text{aus den langen} \\ \text{oder } 9\ \text{-}\ 24\ \text{ - }\ \text{ - }\ \text{ - kurzen} \end{array}\right\} \text{Kanonen}$$

$$\left.\begin{array}{l} \text{oder } 3 \text{ ungeladenen} \\ \text{oder } 4 \text{ geladenen} \end{array}\right\} \text{Granaten aus kurzen 24pfündern}$$

oder $\frac{29}{5} = 6$ Treffer durchschnittlich.

Die Ergebnisse von 1851 waren:

A. Gegen die in der Brust senkrechte (rechte) Scharte.

a) Am 13. August. Es trafen (auf 400 Schritt excl. Geschütz und Kasten) die Scharte:

$$\begin{array}{l} 3\ \text{-}\ 12\text{pfündige Kugeln} \\ 2\ \text{-}\ 24\ \text{ - }\ \text{ - aus langem Geschütz} \\ 1\ \text{-}\ 24\ \text{ - }\ \text{ - kurzem} \end{array}$$

in Summa 6 Geschosse.

Alle 4 Körbe der rechten Backe waren zerschossen und der Eckkorb herausgeworfen. Die rechte Backe war als demontirt anzusehen, die linke war wenig beschädigt. Bei der Reparatur erhielt die rechte Backe 4 neue Körbe.

b) Den 23. August. Es trafen die Scharte:

10 - 7pfündige Granaten aus kurzen 24pfündern zum Sprengen geladen, von denen 8 krepirten.

An der rechten Backe war der Eckkorb zerschossen, aber noch brauchbar. In der linken Backe war der vordere Korb umgeworfen, nachdem er schon am 13. August getroffen war. Die Scharte war als nicht demontirt anzusehen. In der linken Backe wurde vorne ein neuer Korb eingesetzt.

c) Den 24. August. Es trafen die Scharte:

6 - 12pfündige Kugeln und

2 - 24   =   =   aus kurzem Geschütz

in Summa 8 Geschosse.

Der vordere Korb der linken Schartenbacke war zerschossen, die rechte Backe wenig beschädigt; die Scharte war als nicht demontirt anzusehen. Es wurde in der linken Backe vorne ein neuer Korb eingesetzt.

d) Den 1. September. Es trafen die Scharte:

8 - 12pfündige Kugeln.

Die Körbe blieben sämmtlich stehen und waren nur in ihren vorderen sichtbaren Theilen zerschossen. Die hintere Hälfte der Körbe hielt die in den Kasten befindliche Erde noch so fest, daß weder das eigene Feuer behindert, noch die gehörige Deckung verloren gegangen war. Die Scharte war nicht demontirt. Sie wurde nicht reparirt und nicht weiter beschossen.

B. Verhalten der (linken) in der Brust dossirten Scharte.

a) Am 13. August. Die Scharte (excl. Geschütz und Kasten) auf 400 Schritt wurde getroffen durch:

6 - 12pfündige Kugeln

3 - 24   =   =   aus langen Geschützen

4 - 24   =   =   =   kurzen

in Summa 13 Geschosse.

Die Scharte war nicht als demontirt anzusehen, obgleich die beiden Eckkörbe stark zerschossen waren. Sie wurden durch zwei neue ersetzt.

b) Am 23. August. Die Scharte wurde getroffen durch:

6 - 7pfündige zum Sprengen geladene Granaten aus kurzen 24pfündern, welche sämmtlich krepirten.

Die Scharte war nicht als demontirt anzusehen. In der linken Wand waren die 3 vorderen Körbe sehr beschädigt. Der Eckkorb weniger. Die rechte Wand war wenig beschädigt. In die linke Schartenbacke wurden 3 neue Körbe eingesetzt und der Eckkorb nach vorne gestellt und umgedreht.

c) Den 24. August. Die Scharte wurde getroffen durch:

4 - 12pfündige Kugeln

2 - 24 " " aus langen ⎫
3 - 24 " " " kurzen ⎬ Kanonen
⎭

1 - 7 " Granate aus kurzen 24pfündern zum Ausstoßen geladen

in Summa 10 Geschosse.

Die Scharte war nicht als demontirt anzusehen. In der linken Schartenbacke waren die 2 vorderen Körbe herausgeschossen, der 3te von vorne verrückt. Die rechte Schartenbacke war wenig beschädigt. Die Scharte wurde nicht wieder ausgebessert.

C. In Bezug auf das Verhalten der Demontir-Batterie im Jahre 1851 ist nur noch folgendes zu bemerken:

Die Blendungen ließen sich bei beiden Scharten, der senkrechten und gewöhnlich dossirten, gut anbringen. Sie standen unten auf den Knieborden und wurden oben durch Hakenpfähle und Querhölzer gehalten.

a) Es geschahen aus der senkrechten (rechten) Scharte aus einem kurzen 24pfünder:

am 13. August 15 Schuß mit Kugeln, 4 Pfund Ladung;

" 23. " 15 " " Granaten zum Sprengen,
2¼ Pfund Ladung;

" 27. " 10 " " Kugeln, 4 Pfund Ladung;

" 27. " 10 " " Granaten zum Ausstoßen,
2¼ Pfund Ladung;

in Summa 50 Schuß.

Nach den ersten 27 Schuß mußte die Horde der linken Backe ersetzt werden, da sie sich abgebogen hatte und verbrannt war. Aus beiden Eckkörben war nach 30 Schuß ein Theil Sand gefallen.

b) Es geschahen aus der dossirten (linken) Scharte aus einem kurzen 24pfünder:

am 13. August 15 Schuß mit Kugeln, 4 Pfund Ladung;

= 23.   =   15   =   = Granaten zum Sprengen,

2¼ Pfund Ladung;

= 27.   =   10   =   = Kugeln, 4 Pfund Ladung;

= 27.   =   10   =   = Granaten zum Ausstoßen,

2¼ Pfund Ladung;

= 1. Sept. 24   =   = Kugeln, 4 Pfund Ladung;

in Summa 74 Schuß.

Nach 30 Schuß war die Horde der rechten Wand verschoben und mußte neu befestigt werden.

Bei beiden Scharten waren die Horden alt und trocken, und ähnliche Reparaturen waren auch bei der nach gewöhnlicher Art erbauten Batterie nothwendig.

Im Uebrigen hielten sich, wie schon vorne bemerkt, die Scharten gut und selbst besser, als die in der nach gewöhnlicher Art erbauten Batterie, wo ein 12pfünder und ein langer 24pfünder in Anwendung kamen.

Wie der Bau der vorgeschlagenen Batterien auszuführen ist, dürfte schon genügend aus den vorhergehenden Andeutungen hervorgehen. Bei den mit wenig Material bekleideten Batterien ist das Formiren des Batterie=Depots sehr leicht und zum Herantragen auf einmal genügen die zum Bau erforderlichen Arbeiter. Das Abstecken ist leicht. Es kommt, außer bei den Scharten, wenig auf genaue Abmessungen an. Es ist zweckmäßig nicht für jeden Kasten, sondern nur für jede Scharte einen Offizier zu bestimmen. Zum Faschiniren bedarf er 2 Unteroffiziere 6 Mann. Bei Batterien ohne Bekleidung kann leicht ein Offizier die Aufsicht für 2 oder 3 Geschütze führen. Faschinirer sind hier gar nicht, Unteroffiziere etwa per Geschütz einer erforderlich. Bei den gesenkten Batterien ist kein Graben vorne nöthig.

Bei den Batterien in der Parallele (ohne Bekleidung) kann man entweder die vorgefundene Brust beibehalten, und nur erhöhen und verstärken, oder zur Bildung der Brust in der bisherigen Art zurückgehen. Benutzt man die vorhandene Brust, d. h. geht man nicht zurück, so erspart man etwas an Arbeit. Es wird dann aber unvermeidlich sein, einige Mann mehr ungedeckt auf der Brust zur Weiterbeförderung der Erde anzustellen, als wenn man die Brustwehr

nach hinten verstärkt. Vorkommenden Falls ist es natürlich auch zulässig auf einem Flügel der Batterie die vorgefundene Brustwehr beizubehalten und auf dem andern Flügel mehr oder weniger von ihr
zurückzugeben, um die Lage der Flucht gegen die Schußlinie der Nor-
malen zu nähern. Besondere Schießscharten sind gar nicht erforderlich, es genügen schmale Rinnen quer durch die Brust, welche die
Neigung haben, die durch die Richtung bedingt wird.

Referent hofft, daß die hier gegebene Darstellung es rechtfertigen
wird, wenn derselbe weitere und vollständigere Versuche wünscht. Wo
irgend möglich müssen sie einen unmittelbaren Vergleich gestatten. Da
sie für einen Uebungsplatz zu umfangreich sein würden, so würde es
angemessen sein, die Versuche etwa in nachstehender Art zu vertheilen:

1) Erbauung zweier Brustwehren von 32 Fuß Länge, ohne
Grundfaschinen, senkrecht bekleidet, 8 Faschinen hoch, die eine Hälfte
mit Faschinen, die andere mit 8 Körben und 3 à 4 Lagen Faschinen
bekleidet.

Die eine Brustwehr nach der gewöhnlichen Art verankert, die
andere mit ebenso viel Ankerzwieseln befestigt, als die andere Anker
enthält. Beide Brustwehren können auch zusammenstoßen, wodurch
beim Bau 2 Seiten Dossirungen erspart werden.

2) Zwei eben solche Brustwehren, aber mit Grundfaschinen versehen.

Die Brustwehren ad 1 und 2 würden über die Verankerung
mit Zwieseln entscheiden, wenn man sie so lange stehenlassen könnte,
bis sie einfallen. Ließen sich alle 4 auf einem gleichen Boden erbauen,
so würde sich aus dem Versuch wahrscheinlich noch besser der Nutzen
oder die Entbehrlichkeit der Grundfaschinen erkennen lassen.

Sollten die mit Ankerzwieseln versehenen Brustwehren zuerst einfallen, so bliebe dann noch immer zu ermitteln, ob nicht die so leichte
Vermehrung dieser Zwiesel diesem Nachtheil abhelfen kann.

3) Zwei gesenkte Demontir-Batterien aus Schanzkörben, die eine
nach gewöhnlicher Art, die andere nach dem neuen Vorschlag (Figur
7 und 8) erbaut, mit senkrechter Brust. Die eine könnte für einen
kurzen und langen 24pfünder, die andere für einen kurzen 24pfünder
und einen 12pfünder während einer Schießübung benutzt werden.

4). Zwei horizontale Ziel-Batterien mit Schanzkörben, um sie zu demontiren und mit geladenen Bomben zu bewerfen, die eine mit wenig Bekleidungs-Material (Fig. 7 und 8), die andere in gewöhnlicher Art. So weit als möglich müßten gegen jede der beiden Batterien gleich viel Schuß gethan werden.

5) Zwei horizontale Ziel-Batterien, die Brust von Faschinen, die Scharten mit Schanzkörben bekleidet. Die eine nach der gewöhnlichen Art, die andere mit wenig Bekleidungs-Material (Fig. 6 und 8). Auch gegen diese Batterien müßten, so weit als möglich, gleich viel Demontirschüsse und Würfe geschehen.

Aus den Versuchen ad 4 und 5 würde nicht allein hervorgehen, ob die neuen Vorschläge über den Bau mit wenig Bekleidungs-Material annehmbar sind, sondern auch in wie weit die Bekleidung der Brust mit Faschinen die Widerstandsfähigkeit der Eckkörbe vermehrt.

6) Zwei Batterien in der Parallele (Unterbergersche) für Mörser oder Haubitzen, um sie sowohl mit geladenen als ungeladenen Bomben zu bewerfen. Die eine müßte in der gewöhnlichen Art, die andere ohne alle Bekleidung erbaut sein. Diese Batterien würden ihren Platz in den Rechtecken für die Bombenwürfe hinter einander finden können, wo sie dann das Werfen nach Rechtecken nicht hinderten und demnach beiläufig geprüft würden.

7) Ungeachtet es zu den gewöhnlichen Schießübungen nicht recht paßt, wäre es doch zu wünschen, wenn bei Batterien in der Parallele (Unterbergerschen) ermittelt würde, wie stark etwa auf 600 à 700 Schritt von der Festung die Brustwehren dieser Batterien wirklich sein müssen. Besonders dazu bestimmte Versuche würden allerdings am sichersten und schnellsten zum Zweck führen. Wenn diese jedoch nicht ausführbar sind, so ließen sich vielleicht auf einem dazu geeigneten Schießplatz 200 Schritt hinter den zu demontirenden Batterien sogenannte Unterbergersche erbauen, welche dann von einigen Schuß, welche zu hoch gehen, getroffen werden könnten. Um bald ein entscheidendes Resultat zu erlangen, welche Brustwehrstärken nicht mehr ausreichen, glaubt Referent zum Anfang Brustwehren von 8 Fuß Stärke empfehlen zu dürfen. Kann gleichzeitig eine nach gewöhnlicher Art erbaute Batterie in der Parallele und eine ohne alle

jenicher Salpeterschmelze, erhitzt und beobachtet, ob
lang von rothen Dämpfen eintritt. Der ganze Inhalt
wird alsdann in eine Platinschale ausgegossen und im
zur Trockne gedampft. Die trockne Masse erhitzt man
[...] unter fortdauerndem
[...] zu ein beginnenden Schwarzwer
[...] anzuwenden, daß kein
[...] mit ein wenig
[...] schwach erwärmt,
[...] in Paar Stunden stehen.
[...] vollständig in Salpeter
[...] und der Rückstand sehr gut
[...] Beschaffenhei
[...] im [...] zu der Trockne gedampf
[...] Des Auswaschen
[...] zu Paar Stunden kann das
[...] Was kann bei der Be
[...] 110 Grad getrock
[...] verbrennen. Ich habe let
[...] nur das Filtrum mit dem Z
[...] und das Zinnoxyd davo
[...] ganz vortheilhaft, nachdem
[...] etwas starker Salpetersäure in
[...] dann schneller nach

[...] ist, wird in e
[...] auf dem Deckel dieses
[...] letzterer Operation mit
[...] noch einmal kurze
[...] sich alsdann auf ein
[...] des Zinnoxyds überzeugen
[...] auf die Anwendung
[...] in der rechten
[...] Anwesenheit von Ku
[...] schmilzt un
[...] Platincanal

Sie wissen, was in nicht sehr geübter Hand eine titrirte Lösung ist, und dann ist leider die Lösung von Schwefelnatrium zu sehr veränderlich. Die Methode von Fuch's läßt sich schlecht ausführen, sonst ist sie die bequemste. Es muß nämlich das Gefäß mit der Kupferlösung durchaus frei von Luft sein und das läßt sich nur schwer bewerkstelligen, denn ein Glas mit eingetriebenem Glasstöpsel schließt fast nie vollkommen dicht und dann wird das Resultat falsch; überdies dauert der Reduktionsprozeß des Kupferoxyds länger als 24 Stunden, und wenn sich zufällig von dem hineingehangenen Kupferblech kleine Schuppen loslösen, so wird die Analyse dadurch nicht unbeträchtlich erschwert.

Ich analysire also Bronze nach der alten Methode, indem ich dieselbe in reiner Salpetersäure von 1,24 spezifischem Gewicht auflöse. Dabei ist es nothwendig, daß das Metallstück in möglichst fein vertheilten Zustand versetzt werde und das bewerkstellige ich durch eine feine Raspel von hartem Gußstahl. Wenn die Bronze zu unserer gewöhnlichen Geschützbronze gehört, so hat man gar keine Besorgnisse zu hegen, daß etwa von dem Material der Raspel zu viel in die Probe hineingelange; im Gegentheil habe ich in mehren direkten Versuchen in Bezug hierauf die Quantität ganz unberücksichtigenswerth gefunden. Sie wird nur beträchtlich, wenn die Bronze von der weißen zinnreichen Legirung ist, dann aber auch nach Umständen in dem Grade, daß diese Zerkleinerungsmethode nicht wohl anwendbar ist. Unter den beiden Stücken z. B., die ich neulich von Ihnen erhielt, war ein solches Stück weiße Bronze und ich habe dieses geradezu im Diamantmörser pulverisirt. Es bewerkstelligt sich diese Zerkleinerung überdies noch schneller als das Raspeln, wenn man nicht eben ein gar zu feines staubartiges Pulver haben will.

Die Oxydation wird in einem langhalsigen Kolben, so wie ich ihn früher zur Bestimmung des Schwefelgehalts im Schießpulver beschrieben habe, vorgenommen. In der Regel dauert die Operation bei 1,5—2 Grammen Substanz kaum eine halbe Stunde. Ist die Masse in sehr fein zertheiltem Zustande, so reicht ein einmaliger Aufguß von Salpetersäure meistens hin, um die Zersetzung vollständig bewirkt zu haben. Sonst gießt man die erste Portion der salpetersauren Lösung ab, und übergießt das grünlich gelbe unlösliche Pulver mit ein wenig frischer Salpetersäure, erhitzt und beobachtet, ob noch Entwickelung von rothen Dämpfen eintritt. Der ganze Inhalt des Kolbens wird alsdann in eine Platinschale ausgegossen und im Wasserbade zur Trockne gedampft. Die trockne Masse erhitzt man alsdann über freiem Feuer oder im Sandbade unter fortdauerndem Umrühren mit einem Platinspatel bis zum beginnenden Schwarzwerden. Hierbei ist natürlich die gehörige Vorsicht anzuwenden, daß kein Versprützen eintritt. Die trockne Masse wird hierauf mit ein wenig Salpetersäure übergossen und entweder kurze Zeit schwach erwärmt, oder man läßt es mit der Salpetersäure ein Paar Stunden stehen. Das so behandelte Zinnoxyd ist nicht nur vollkommen in Salpetersäure unlöslich, sondern es filtrirt sich auch die Flüssigkeit sehr gut davon ab. Sie kennen die alte Klage über die gelatinöse Beschaffenheit des Zinnoxyds, selbst wenn es im Wasserbade zur Trockne gedampft sei. Auf jene Art wird der Uebelstand gehoben. Das Auswaschen geht dann schnell von statten und in ein Paar Stunden kann das Filter mit dem Zinnoxyd schon getrocknet sein. Man kann bei der Bestimmung desselben entweder ein bei 100 oder bei 110 Grad getrocknetes Filtrum anwenden, oder das Filtrum verbrennen. Ich habe letzteres nicht bedenklich gefunden, sobald man nur das Filtrum mit dem Zinnoxyd vollkommen im Wasserbade trocknet und das Zinnoxyd davon so viel als möglich entfernt. Es ist auch ganz vortheilhaft, nachdem das Auswaschen vollendet ist, einige Tropfen starker Salpetersäure in das Filtrum einziehen zu lassen, es verbrennt dann schneller nach dem Trocknen.

Das Zinnoxyd, welches vom Filter entfernt ist, wird in einem Porzellantiegel gesammelt und das Filter auf dem Deckel dieses Tiegels verbrannt, dann der Rückstand von letzterer Operation mit dem Inhalt des Tiegels vereinigt und das Ganze noch einmal kurze Zeit geglüht und endlich gewogen. Man muß sich alsdann auf eine der bekannten Methoden von der Reinheit des Zinnoxyds überzeugen und am kürzesten prüft man es vor dem Löthrohr auf die Anwesenheit von Arsenik und Antimon, indem man es auf Kohle in der reduzirenden Flamme längere Zeit erhitzt, und auf die Anwesenheit von Kupferoxyd, indem man es in eine Phosphorsalzperle einschmilzt und mit Zinn versetzt. Ich habe bei der zahlreichen Menge Bronzeanalysen,

welche ich aus Geschützbronze angestellt, von Antimon und Arsenik
selten nur Spuren gefunden.

Die Auflösung von salpetersaurem Kupferoxyd ist auf einen Gehalt von Bleioxyd zu prüfen. Man setzt daher verdünnte destillirte
Schwefelsäure hinzu und wartet wenigstens 8—12 Stunden. In der
Regel ist der Niederschlag so unbedeutend, daß sich seine quantitative
Bestimmung nicht lohnt. Im entgegengesetzten Fall muß er abfiltrirt
und ausgewaschen werden. Man ermittelt seine Menge auf dieselbe
Art wie beim Zinnoxyd, aber mit noch größerer Sorgfalt beim Verbrennen des Filtrums, weil das Blei viel leichter sich reduzirt und
verflüchtigt.

Das Kupfer sammt der unbedeutenden Menge Eisen, die sich
meistens vorfindet, bestimme ich nicht quantitativ; es ergiebt sich aus
dem Verlust. Aber wenn die qualitative Probe der Legirung einen
Gehalt von Zink anzeigte, der wegen der augenscheinlich größern
Menge nicht bloß zufällig vorhanden sein kann, so muß aus der
Lösung das Kupferoxyd durch Schwefelwasserstoffgas ausgefällt werden und dabei hat man darauf zu achten, daß die Flüssigkeit eine gehörige Quantität freier Säure enthalte, sonst fällt Schwefelzink
mit nieder. Aus der vom Schwefelkupfer geschiedenen Flüssigkeit
wird hierauf durch Zusatz von Ammoniak und Schwefelwasserstoffammoniak das Zink als Schwefelzink ausgefällt und nachdem es ausgewaschen ist, in einem unbedeckten Platintiegel einige Zeit hindurch
heftig geglüht, wodurch es in Zinkoxyd verwandelt wird und als solches
gewogen werden kann. Diese Bestimmungsweise kann jedoch zweckmäßig nur dann angewendet werden, wenn die Quantität des Schwefelzinks nicht zu bedeutend ist. Und man erreicht die Umwandlung
des Schwefelzinks in Zinkoxyd etwas schneller, wenn man nach der
ersten Hitze etwas gepulvertes kohlensaures Ammoniak in den Tiegel
streut und dieses noch einmal wiederholt. Ist die Menge des Schwefelzinks aber zu groß, so löst man dasselbe in Chlorwasserstoffsäure und
bestimmt dasselbe als kohlensaures Zinkoxyd vermittelst kohlensauren
Natrons mit alle den Vorsichtsmaßregeln, welche in den Lehrbüchern
der analytischen Chemie für diesen Zweck vorgeschrieben werden.*)

---

*) Vergl. H. Rose ausführliches Handbuch der analytischen Chemie
1851. Bd. II. S. 132.

XIX.

Ueber das Schmiedeeisen und die Legirungen von Stirling.

(Moniteur industriel, 1851.)

———————

Im Band **XXIX.** Seite 85 des Archivs haben wir die Prozesse mitgetheilt, durch welche es dem Engländer **Morries Stirling** gelang, das Gußeisen fester zu machen, nebst den verschiedenen Legirungen des Eisens mit andern Metallen, welche **Stirling** zu technischen Zwecken empfiehlt. Wir kommen nun auf diesen wichtigen Gegenstand zurück und lassen die Versuche folgen, welche seitdem mit diesen neuen Produkten angestellt worden sind.

Um die Festigkeit des Schmiedeeisens zu erhöhen, verbindet es Herr **Stirling** im Puddelofen mit Block= oder Körnerzinn. Ein Zusatz von 2 Prozent Zinn verändert das Ansehen und die Beschaffenheit des Eisens sehr wesentlich, und 1 Prozent liefert ein Metall, welches mit einem krystallinischen Bruch zerbricht, sich aber unter dem Hammer, dem Quetsch= und Walzwerk, so wie in der Schmiede gut verhält und eine schöne ebene Oberfläche zeigt. Es war eine solche Verbindung hauptsächlich vortrefflich für die oberste Lage bei den Packeten zu Eisenbahnschienen, während die andern Lagen aus gewöhnlichen Rohschienen oder einmal geschweißtem Eisen bestanden. Dadurch wird die eigentliche Fahrbahn der Schienen härter, während der übrige Theil die gewöhnliche Geschmeidigkeit, Biegsamkeit und Festigkeit des guten Stabeisens behält. Auch zu andern ähnlichen Zwecken, z. B. zu den Radreifen der Lokomotiven und Eisen=

bahnwagen ist ein solches Eisen um so eher anwendbar, da es sich
sehr gut und mit recht glatter Oberfläche auswalzen läßt. Wismuth,
Antimon und Arsenik können ebenfalls als Zusätze angewendet werden und geben fast dasselbe Resultat wie Zinn.

Ein Zusatz von Zink, sowohl im metallischen Zustande, als auch
in dem des Oxydes oder Carbonates, d. h. als Galmei, hat ebenfalls
einen großen Einfluß auf das Schmiedeeisen. Dasselbe erlangt dadurch eine hellere Farbe und eine bessere Oberfläche, während es seine
Geschmeidigkeit und die fasrige Textur beibehält. Ein Zusatz von
Kupfer macht das Stabeisen härter; es darf daher nur in dem geringen Verhältniß von 1 oder 2 Prozent, dem Gewichte nach, angewandt werden.

Setzt man dem Roheisen Mangan zu, so erhält man, sei es durch
das Herd- oder Puddelfrischen, ein stahlartiges Eisen. Das im Han-
del vorkommende schwarze Manganoxyd (Graubraunsteinerz), im Verhältniß von 1 Prozent beim Puddeln zugesetzt, beschleunigt diese Operation und erhöht die Härte des Eisens.

Wir wollen nun Einiges über den Gang der Prozesse sagen.

Nachdem das gewöhnliche Roheisen im Puddelofen niederge-
schmolzen ist, setzt man 1½ bis 2 Kilogramme Galmei auf jede Charge
von 215 bis 225 Kilogramme zu und vermengt das Ganze möglichst
genau mit einander. Ist nun das Gemisch mit dem Quetschwerk ge-
zängt und ausgewalzt, so erhält man Rohschienen oder Eisen No. 1,
welches hinsichtlich seiner Eigenschaften dem gewöhnlichen englischen
Eisen No. 2, oder einmal geschweißtem gleichkommt. Wird es zer-
schnitten, in Packete zusammengelegt und ausgewalzt, so erhält man
ein Eisen, welches No. 3 vom englischen Eisen gleichkommt, d. h.
Stabeisen erster Sorte. Die Fabrikation mit dem legirten Eisen ist
daher gegen diejenige mit gewöhnlichem um einen ganzen Prozeß ab-
gekürzt. Statt des gewöhnlichen Roheisens kann man auch Roheisen
No. 3 oder No. 3 extra, d. h. solches nehmen, welches durch das Verfahren Stirlings verstärkt worden ist.*) Das aus solchem verstärktem Roheisen dargestellte Stabeisen zeichnet sich durch seine fa-

*) Archiv Band **XXIX**, Seite 85 ꝛc.

mit ein wenig frischer Salpetersäure, erhitzt und beobachtet, ob noch Entwickelung von rothen Dämpfen eintritt. Der ganze Inhalt des Kolbens wird alsdann in die Platinschale ausgegossen und im Wasserbade zur Trockne gedampft. Die trockne Masse erhitzt man alsdann über freiem Feuer oder im Sandbade unter fortdauerndem Umrühren mit einem Platinspatel bis zum beginnenden Schwarzwerden. Hierbei ist natürlich die gehörige Vorsicht anzuwenden, daß kein Verspritzen eintritt. Die trockne Masse wird hierauf mit ein wenig Salpetersäure übergossen und entweder kurze Zeit schwach erwärmt, oder man läßt sie mit der Salpetersäure ein Paar Stunden stehen. Das so behandelte Zinnoxyd ist nicht nur vollkommen in Salpetersäure unlöslich, sondern es filtrirt sich auch die Flüssigkeit sehr gut davon ab. Sie kennen die alte Klage über die gelatinöse Beschaffenheit des Zinnoxyds, selbst wenn es im Wasserbade zur Trockne gedampft sei. Auf jene Art wird der Uebelstand gehoben. Das Auswaschen geht dann schnell von statten und in ein Paar Stunden kann das Filter mit dem Zinnoxyd schon getrocknet sein. Man kann bei der Bestimmung desselben entweder ein bei 100 oder bei 110 Grad getrocknetes Filtrum anwenden, oder das Filtrum verbrennen. Ich habe letzteres nicht bedenklich gefunden, sobald man nur das Filtrum mit dem Zinnoxyd vollkommen im Wasserbade trocknet und das Zinnoxyd davon so viel als möglich entfernt. Es ist auch ganz vortheilhaft, nachdem das Auswaschen vollendet ist, einige Tropfen starker Salpetersäure in das Filtrum einziehen zu lassen, es verbrennt dann schneller nach dem Trocknen.

Das Zinnoxyd, welches vom Filter entfernt ist, wird in einem Porzellantiegel gesammelt und das Filter auf dem Deckel dieses Tiegels verbrannt, dann der Rückstand von letzterer Operation mit dem Inhalt des Tiegels vereinigt und das Ganze noch einmal kurze Zeit geglüht und endlich gewogen. Man muß sich alsdann auf eine der bekannten Methoden von der Reinheit des Zinnoxyds überzeugen und am kürzesten prüft man es vor dem Löthrohr auf die Anwesenheit von Arsenik und Antimon, indem man es auf Kohle in der reduzirenden Flamme längere Zeit erhitzt, und auf die Anwesenheit von Kupferoxyd, indem man es in eine Phosphorsalzperle einschmilzt und mit Zinn versetzt. Ich habe bei der zahlreichen Menge Bronzeanalysen, welche ich aus Geschützbronze angestellt, von Antimon und Arsenik selten nur Spuren gefunden.

Die Auflösung von salpetersaurem Kupferoxyd ist auf einen Gehalt von Bleioxyd zu prüfen. Man setzt daher verdünnte destillirte Schwefelsäure hinzu und wartet wenigstens 8—12 Stunden. In der Regel ist der Niederschlag so unbedeutend, daß sich seine quantitative Bestimmung nicht lohnt. Im entgegengesetzten Fall muß er abfiltrirt und ausgewaschen werden. Man ermittelt seine Menge auf dieselbe Art wie beim Zinnoxyd, aber mit noch größerer Sorgfalt beim Verbrennen des Filtrums, weil das Blei viel leichter sich reduzirt und verflüchtigt.

Das Kupfer sammt der unbedeutenden Menge Eisen, die sich meistens vorfindet, bestimme ich nicht quantitativ; es ergiebt sich aus dem Verlust. Aber wenn die qualitative Probe der Legirung einen Gehalt von Zink anzeigte, der wegen der augenscheinlich größern Menge nicht bloß zufällig vorhanden sein kann, so muß aus der Lösung das Kupferoxyd durch Schwefelwasserstoffgas ausgefällt werden und dabei hat man darauf zu achten, daß die Flüssigkeit eine gehörige Quantität freier Säure enthalte, sonst fällt Schwefelzink mit nieder. Aus der vom Schwefelkupfer geschiedenen Flüssigkeit wird hierauf durch Zusatz von Ammoniak und Schwefelwasserstoffammoniak das Zink als Schwefelzink ausgefällt und nachdem es ausgewaschen ist, in einem unbedeckten Platintiegel einige Zeit hindurch heftig geglüht, wodurch es in Zinkoxyd verwandelt wird und als solches gewogen werden kann. Diese Bestimmungsweise kann jedoch zweckmäßig nur dann angewendet werden, wenn die Quantität des Schwefelzinks nicht zu bedeutend ist. Und man erreicht die Umwandlung des Schwefelzinks in Zinkoxyd etwas schneller, wenn man nach der ersten Hitze etwas gepulvertes kohlensaures Ammoniak in den Tiegel streut und dieses noch einmal wiederholt. Ist die Menge des Schwefelzinks aber zu groß, so löst man dasselbe in Chlorwasserstoffsäure und bestimmt dasselbe als kohlensaures Zinkoxyd vermittelst kohlensauren Natrons mit alle den Vorsichtsmaßregeln, welche in den Lehrbüchern der analytischen Chemie für diesen Zweck vorgeschrieben werden.*)

---

*) Vergl. H. Rose ausführliches Handbuch der analytischen Chemie 1851. Bd. II. S. 132.

XIX.

Ueber den Schmarotzer und die Erzeugungen von ...

...

bahnwagen ist ein solches Eisen um so eher anwendbar, da es sich
sehr gut und mit recht glatter Oberfläche auswalzen läßt. Wismuth,
Antimon und Arsenik können ebenfalls als Zusätze angewendet werden und geben fast dasselbe Resultat wie Zinn.

Ein Zusatz von Zink, sowohl im metallischen Zustande, als auch
in dem des Oxydes oder Carbonates, d. h. als Galmei, hat ebenfalls
einen großen Einfluß auf das Schmiedeeisen. Dasselbe erlangt dadurch eine hellere Farbe und eine bessere Oberfläche, während es seine
Geschmeidigkeit und die faserige Textur beibehält. Ein Zusatz von
Kupfer macht das Stabeisen härter; es darf daher nur in dem geringen Verhältniß von 1 oder 2 Prozent, dem Gewichte nach, angewandt werden.

Setzt man dem Roheisen Mangan zu, so erhält man, sei es durch
das Herd- oder Puddelfrischen, ein stahlartiges Eisen. Das im Han-
del vorkommende schwarze Manganoxyd (Graubraunsteinerz), im Verhältniß von 1 Prozent beim Puddeln zugesetzt, beschleunigt diese Operation und erhöht die Härte des Eisens.

Wir wollen nun Einiges über den Gang der Prozesse sagen.

Nachdem das gewöhnliche Roheisen im Puddelofen niederge-
schmolzen ist, setzt man 1½ bis 2 Kilogramme Galmei auf jede Charge
von 215 bis 225 Kilogramme zu und vermengt das Ganze möglichst
genau mit einander. Ist nun das Gemisch mit dem Quetschwerk ge-
zängt und ausgewalzt, so erhält man Rohschienen oder Eisen No. 1,
welches hinsichtlich seiner Eigenschaften dem gewöhnlichen englischen
Eisen No. 2, oder einmal geschweißtem gleichkommt. Wird es zer-
schnitten, in Packete zusammengelegt und ausgewalzt, so erhält man
ein Eisen, welches No. 3 vom englischen Eisen gleichkommt, d. h.
Stabeisen erster Sorte. Die Fabrikation mit dem legirten Eisen ist
daher gegen diejenige mit gewöhnlichem um einen ganzen Prozeß ab-
gekürzt. Statt des gewöhnlichen Roheisens kann man auch Roheisen
No. 3 oder No. 3 extra, d. h. solches nehmen, welches durch das Verfahren Stirlings verstärkt worden ist.*) Das aus solchem verstärktem Roheisen dargestellte Stabeisen zeichnet sich durch seine fa-

*) Archiv Band **XXIX.** Seite 85 2c.

ſeelige oder ſchwärmige Textur aus, und die Fäden ſind viel feiner, als wenn man gewöhnliches Roheiſen anwendet.

Bei einem andern Verfahren ſetzt man jeder Charge von 215 bis 225 Kilogramme 1 bis 2 Kilogramme Zinn oder $\frac{3}{4}$ bis $1\frac{1}{2}$ Kilogramme metalliſches Antimon zu. Die aus ſolchen Gemiſchen erhaltenen Rohſchienen ſind ſehr kryſtalliniſch und hart, ſo daß ſie der Abnutzung ſehr widerſtehen und eignen ſich daher beſonders zur Bildung der Packete für Eiſenbahnſchienen, Radreifen u. ſ. w. Am zweckmäßigſten bildet man die Packete mit $\frac{3}{4}$ bis $\frac{4}{5}$ Rohſchienen aus dem mit Galmei legirten und mit $\frac{1}{4}$ bis $\frac{1}{5}$ Rohſchienen aus mit Zinn oder Antimon legirtem Roheiſen; letzteres nimmt man bei den Packeten zu den Deckſchienen. Die Mehrkoſten auf 1 Tonne Eiſen betragen 9 Franks.

Der intereſſante Bericht der Kommiſſion, welche dieſes Eiſen bezüglich ſeiner techniſchen Anwendbarkeit geprüft hat — aus welchem Bericht wir bereits im XXIX. Bande des Archivs Einiges mitgetheilt haben — weiſt die Widerſtandsfähigkeit verſchiedener dieſer Eiſenſorten nach und die Reſultate ſind in nachſtehender Tabelle zuſammengeſtellt. Die Verſuche wurden vom Herrn Jeſſie Hartley zu Liverpool und in den Werkſtätten zu Woolwich angeſtellt.

Beschaffenheit des angewendeten Eisens.	Belastung in Tonnen, welche den Bruch veranlaßt hat, per englische Quadratzoll.	Mittlere Verlängerung in Zollen, auf eine Breite von 2 Fuß.	
		15 Tonnen.	Zerreißung bei
— — — — — —	23,23	—	—
Sogenanntes Kroneneisen	24,47	—	—
Dundyvan-Eisen, 1ste Sorte in Stäben	24,33	⅛	3½
1) Dundyvan-Eisen No. 4; Roheisen 46 Pfund, Brucheisen 10 Pfund .	27,81	¼	5,0 (a)
2) Dundyvan-Eisen, gewöhnliche Sorte 476 Pfund, 4 Pfund Galmei . .	25,86	⅛	3⅛ (b)
3) Fast ebenso wie No. 1.	27,7	1/15	5 3/16 (c)
4) (d) Roheisen No. 2, 40 Pfund, Blechabschnitzel und Brucheisen 16 Pfund	24,33	1/15	5½ (e)
Dundyvan-Eisen 476 Pfund, Zinn 1 Pfund	23,39	1/15	¼ (f)
Desgl. 476 Pfund und Zinn 3 Pfund	22,92	5/15	⅛ (g)

Bemerkungen.

(a) Sehr festes Eisen, welches mit einem sehr verlängerten Faden zerriß, sich gut unter dem Hammer, beim Schweißen, rothwarm und kalt, verhielt.

(b) und (c) verhielten sich wie das vorhergehende Eisen.

(d) war erst im Kupolofen eingeschmolzen und dann verpuddelt.

(e) Eisen, welches zum Drahtziehen und zu jeglichem Gebrauch benutzt werden konnte, wozu ein weiches und geschmeidiges Eisen erforderlich ist.

(f) Eisen zu Deckschienen für Bahnschienen und Reifen, sowie zu allen Zwecken, die ein hartes und feinkörniges Eisen erfordern.

(g) Desgleichen.

Die vorstehende Tabelle giebt uns die Mittel an die Hand, um die Legirungen mit dem Eisen, welches dazu benutzt worden, zu vergleichen. Die nachstehende Tabelle giebt die temporären und permanenten Durchbiegungen be   jener Eisensorten an.

Beschaffenheit des angewendeten Eisens	Belastungen in englischen Centnern											Vermutmetes Mittel
	1	2	3	4	5	6	7	8	8½	9	9½	
	Zoll.	Zoll.	Zoll.	Zoll.	Zoll.	Zoll.	Zoll.	Zoll.	Zoll.	Zoll.	Zoll.	Zoll.
Durdbyan	0,04	0,08	0,12	0,18	0,22	0,28	0,50	1,40	1,90	2,20	2,60	2,12
Kokseisen No. 4, 461 Pfund, Brucheisen 10 Pfund	0,08	0,12	0,17	0,21	0,25	0,30	0,39	0,96	1,66	1,84	2,16	1,78
Durdbyan 476 Pfund, Galmei 4 Pfund	0,08	0,14	0,18	0,22	0,26	0,31	0,38	0,59	1,06	1,14	1,66	1,08
Kokseisen No. 2, 491 Pfund, Brucheisen 16 Pfund	0,08	0,12	0,17	0,20	0,40	0,70	1,80	2,60	2,72	2,94	3,50	3,10
Durdbyan 476 Pfund ½ Zinn 1 Pfund	0,08	0,11	0,16	0,22	0,24	0,52	0,40	0,56	0,78	1,04	1,42	1,02
Durdbyan 476 Pfund ¼ Zinn, 1 Pfund-Galmei ¼ Pfund	0,08	0,11	0,16	0,20	0,26	0,32	0,42	0,80	1,12	1,50	1,98	1,52
Durdbyan 476 Pfund, Zinn 3 Pfund	0,06	0,10	0,14	0,20	0,26	0,30	0,40	0,88	1,16	1,60	2,02	1,60

Wir theilen noch auszugsweise einen Bericht mit, welchen Herr Owen, Revisor der Materialien in dem Marine-Arsenal zu Woolwich, im Juni 1848 an die Lords der Admiralität über die Proben erstattete, welche mit dem Stirling'schen Eisen zu Schiffsbeschlägen, so wie zu Bolzen und Nägeln, ebenfalls für den Bedarf der Marine, angestellt wurden.

Die erste Reihe von Versuchen mit den Stirling'schen Legirungen wurde zu Chatham angestellt, um die Art und Weise zu untersuchen, wie sich das Metall walzen und sonst bearbeiten lasse.

Der Bericht sagt, daß sich dieses Eisen so gut wie Kupfer zu Bolzen und Nagelstäben, oder auch zu Blech für Schiffsbeschläge, und zwar in einer nicht wesentlich verschiedenen Hitze, auswalzen lasse. Die Bolzenstäbe wurden mit derselben Maschine probirt, mit welcher die Ankerketten probirt werden und dabei erst unter einer Belastung von 27 Tonnen per Quadratzoll zerrissen — eine Probe, wie sie alle andern zu Bolzen und Ketten angewendeten Kupfer- und Eisensorten nicht aushalten. Kupfer zerreißt gewöhnlich bei 21,15 Tonnen und Eisen bei 23 Tonnen.

Die übrigen Versuche wurden zu Woolwich in der Absicht angestellt, sich von der Festigkeit der Stirling'schen Mischung im Vergleich mit derjenigen des besten Kanonenmetalls zu überzeugen, um es bei Gußstücken statt des letzteren anwenden zu können, nämlich zu den Schrauben der Schraubendampfschiffe, zu Rahmen, Nägeln, Bolzen ꝛc.

... Aus dem Bericht geht hervor, daß Kanonenmetall unter einer Belastung von 11 Tonnen zerbrach, während das Stirling'sche Metall erst bei 15 Tonnen nachgab.

Man hat alsdann die Steifheit beider Metalle durch folgendes Mittel zu bestimmen gesucht. Stäbe von gleicher Stärke ($\frac{1}{2}$ Zoll im Quadrat) wurden auf 2$\frac{1}{2}$ Fuß von einander entfernte Unterlagen gelegt und in der Mitte mit einem gleichen Gewicht (6$\frac{1}{4}$ Centner) belastet. Das Resultat war, daß das Kanonenmetall in der Mitte eine Durchbiegung von 5$\frac{7}{16}$ und das Stirling'sche Gemisch eine solche von 1$\frac{1}{8}$ Zoll annahm, letzteres daher in dem Verhältniß von 18 zu 87 steifer war.

Eine andere Versuchsreihe über die Anfertigung und das Anbringen von Bolzen und Nägeln wurde zu Portsmouth angestellt und gab sehr genügende Resultate. Man hat sowohl zu Portsmouth als in Chatham auch die Versuche über die Anfertigung und die vergleichende Festigkeit dieser Stücke wiederholt und alle diese Versuche haben bewiesen, daß die Ersparung bei den jetzigen mittlern Kupferpreisen nicht unbedeutend sei; denn die Tonne Kupfer kostet jetzt 100 Pfund St. (der Preußische Centner 34 Thlr. 6 Sgr.), während die Tonne von der Legirung nur 80 Pfund St. (1 Preußischer Centner 27 Thlr. 10⅞ Sgr.) kostet. Außerdem hat man noch einen Vortheil dadurch, daß die Legirung ein geringeres spezifisches Gewicht als das Kupfer hat, wodurch auf die Tonne 4 Pfund Sterl. erspart werden.

Der Berichterstatter Herr Owen bemerkt daher, daß er diese Legirungen zu Gußstücken gar nicht genug empfehlen könne, namentlich zu den Schrauben der Schraubendampfschiffe, zu Rahmen, Luftpumpen, Dampfzylindern, zu Bolzen und zu Nägeln, besonders zu solchen, womit die Beschläge der Schiffe befestigt werden,*) zu Holz- und an ern Schrauben, zu Kolbenstangen, kurz zu allen Gegenständen, welche ein Material erfordern, das sich gut walzen lassen muß. Diese Legirungen eignen sich auch sehr gut zu Blech für Schiffsbeschläge, weil sie vom Salzwasser und andern ätzenden Substanzen weniger angegriffen werden als Kupfer oder Kanonenmetall, und weil sich die Oberfläche der Legirung wegen deren dichteren Textur besser poliren läßt.

Auch Herr Wright, Materialienverwalter der London- und Nordwest-Eisenbahn hat ein sehr günstiges Zeugniß über die Dauer der neuen Legirung bei ihrer Anwendung zu Achsenbuchsen ausgestellt; er hatte am Schluß des Jahres 1848 schon über 3000 Stück von solchen Buchsen auf der erwähnten Eisenbahn angewendet. Aus einem Bericht an den Verwaltungsrath der südwestlichen Eisenbahn vom Monat April 1849 ersieht man, daß zwei aus dieser Legirung

---

*) Herr Owen hat bei seinen Versuchen über die galvanischen Eigenschaften des Metalls gefunden, daß es allen gebräuchlichen Beschlägen gegenüber sich elektropositiv verhält, welche Eigenschaft die andern Nägel, womit die Beschläge der Schiffe befestigt werden, nicht besitzen.

gegoſſene Buchſen, nachdem ſie ein Jahr lang benutzt worden waren, mehr als 60,000 engliſche Meilen zurückgelegt hatten, und bei einer genauen Unterſuchung ſich durchaus nicht abgenutzt zeigten.

Endlich haben ſich auch einige ausgezeichnete Gießer und Metall-arbeiter in England von der Vortrefflichkeit dieſer Legirungen zu den mannigfaltigſten Zwecken überzeugt.

Es wäre zu wünſchen, daß auch bei uns Verſuche mit dieſen Eiſenverbindungen angeſtellt würden, da die in den Berichten wie-derholt niedergelegten guten Eigenſchaften derſelben ſehr beachtens-werth erſcheinen, und man gegen die großen Inkonvenienzen, welche ſich bei Anwendung des Eiſens in der Artillerie-Technik noch täglich zeigen, vielleicht auf dieſem Wege bewahrt werden könnte.

D. R.

XX.

Die braune Beß.

Zum Verständnisse dieses, der Schiffs= und Militair=Zeitung vom 24. Januar dieses Jahres in möglichst wortgetreuer Uebersetzung entnommenen, Artikels über das englische Infanterie=Gewehr, bemerken wir, daß seit vier Jahren der Oberst Leach, Kommandeur des 95ten (Schützen=) Regiments, fast in jedem Blatte jener Zeitschrift katonisch wiederholte: „Uebrigens muß England sein Infanterie=Gewehr verbessern, dessen Wirksamkeit jetzt der des Gewehrs der Continentalmächte so sehr nachsteht, wie die des alten Bogens und seiner Pfeile dem gewöhnlichen Perkussionsgewehr."

Seit der Schlacht von Fontenoy bis zu der von Waterloo wurde das Feuer der englischen geschlossenen Infanterie=Linie mit Recht als das wirksamste erkannt und gefürchtet, wie sich das auch unter Wellington, namentlich in den Schlachten von Vimieira und Viktoria, Waterloo, hier durch die Listen englischer und niederländischer Aerzte über die nach der Schlacht gesammelten, durch Flintenschüsse verwundeten Franzosen herausstellte. Lord Wellington, Ranleagb, Napier und andere Generale und Sachkenner, schreiben diese große Wirkung hauptsächlich auch dem großen englischen Kaliber, das (0,73 Zoll) größer als das aller anderen Mächte, eben deshalb, wenn auch nur bis 100 Yards (150 Schritte), so vernichtend gewesen sei.

Dagegen sind auch sie mit Oberst Leach der Meinung, daß das englische Tirailleurfeuer immer minder wirksam, als das anderer

Mächte, nun um so mehr einer gleichen Wirksamkeit bedürfe, da in Frankreich, Preußen und Oesterreich durch Thouveninsche=, Zündna= del=Gewehre und Kammerbüchsen das Tirailleurfeuer eine bis minde= stens 500 Schritte noch höchst gefährliche Treffwirkung gegen geschlos= sene Linien, Kolonnen und gegen Batterien hat, und daß man doch selbst künftig im Stande sein müsse, ein solches Feuer auf mindestens 700 Schritte von jenen fern zu halten.

Oberst Leach empfahl dazu die Schweizer=Büchse, die, mit ih= rem nur ⅞ Loth schwerem Spitzgeschosse, noch bis 1000 Schritte töd= tende Kraft und bis 600 Schritte eine allen andern verbesserten Ge= wehren mindestens gleichkommende Treffwirkung habe. Dabei könne der Schütze bequem 150 Patronen mitführen und werde die bisher schwierige Nachführung der Infanteriemunition dadurch überhaupt ungemein erleichtert. Das etwas schwierigere Laden dieser Büchse, als das der gezogenen französischen, oder des preußischen Gewehrs, sei kein Nachtheil, da gerade das zu leichte Laden bei diesen Gewehren auch gewiß zum schnellen und schlechten Schießen und zu einem Muni= tionsverbrauch im Felde führen werde, dem auf keine Weise zu genü= gen sei. Ueberdies könne der französische Infanterist, wegen seines nun 3½ Loth schweren Geschosses, nur etwa 40 Patronen, statt sonst 60, bei sich führen; die Munitionsanfertigung für das Zündnadelge= wehr sei aber schwierig, kostbar und nur fabrikmäßig ausführbar, wäh= rend jeder, mit einer Schweizerbüchse Bewaffnete, sich mit größter Leichtigkeit seine Patronen fertigen könne.

Gegen Oberst Leach sprechen sich Lord Wellington und äl= tere Generale dahin aus: das Geschoß jener Büchse sei zu leicht und gegen Kavallerie zu unwirksam, überdies wäre es aus ökonomischen Rücksichten erwünscht, das bisherige Infanteriegewehr entsprechend zu verbessern, was entweder nach dem Thouveninschen, oder nach dem Miniéschen System möglich sein würde. Sie riethen zu dem letztern, wenn das dem ersteren in Wirksamkeit nicht nachstehe, da das Minié= sche Hohlgeschoß die Patronen nicht schwerer machte, als bisher.

Diese widersprechenden Ansichten veranlaßten den damaligen Kriegsminister, Fox Maule, im Herbst 1851, den Direktor der Ge= wehrfabriken, Sir Lovel, nach Paris, Bern, Wien und Berlin zu schicken, um sich an Ort und Stelle möglichst ein wohlbegründetes

Urtheil über die Zweckmäßigkeit der verschiedenen verbesserten Infanteriefeuerwaffen zu verschaffen, und das durch ausgedehnte Versuche in Woolwich selbst gewonnene so festzustellen, daß man sich dann für ein System entscheiden könne.

Nach Sir Lovel's Rückkehr entschied man sich sofort für das System Minié, das in Frankreich im Jahre 1850 versucht, Anfangs so sehr ansprach, daß man damals die bereits begonnene Umänderung der Gewehre nach dem Thouveninschen System aufschob, dann aber durch Unsicherheit gleichförmiger Ausdehnung des Hohlgeschosses durch die hineingeschossene Eisenkapsel so ungleiche Ergebnisse hatte, daß man es aufgab. Auch in andern Staaten hatten Versuche mit den Miniéschen Gewehren keine günstigeren Erfolge, so daß man glauben muß, man habe in England eine Geschoßverbesserung für das System entdeckt und ihm so die gewünschte und nothwendige Gleichförmigkeit der Ausdehnung gegeben.

Endlich dürfte es noch von Interesse sein, dieser etwas langen Vorrede für einen kurzen Scherz, noch über die Entstehung der englischen Schützenbrigaden folgendes beizufügen: König Georg III. sah 1796 im Feldzuge in Holland während eines Gefechts, daß die französischen Tirailleure der englischen Infanterie vielen Schaden thaten, da wandte er sich an den Kommandirenden (Herzog von York) und fragte: „Frederick, warum haben wir keine Schützen? Auf der Stelle schaffe mir ein Schützenkorps; nimm die besten Schützen aus jedem Regimente dazu." In kurzer Zeit wurden die zusammengezogen und dem Könige vorgestellt, der sich umwandte und seinem Adjudanten, Oberst Manningham, sagte: „Da hast du ein Schützenkorps, ich ernenne dich zum Regimentskommandeur." So wurde das 95ste Regiment Schützenbrigade, dann das 60ste (amerikanische) u. s. w., die erst später mit Büchsen bewaffnet wurden. Bisher mit den sehr mangelhaften mit zwei Zügen und der Gürtelkugel, weil man auch den Schützen ein schnelles Laden und Feuern mit Rollkugeln (gewöhnlichen Kugeln) erhalten zu müssen glaubte.

Nun die Uebersetzung, in der manche Anspielung und zweifache Wortbedeutung im Englischen nicht ganz getreu im Deutschen wiedergegeben werden konnte.

„Die braune Beß (so nennt der englische Soldat seit den letzten vierzig Jahren das englische, auch am Laufe braun gebeizte, Infanteriegewehr) ist in neuester Zeit mehr als irgend einer im Dienste verläumdet worden. Man hat ihr alles mögliche Schlechte nachgesagt. Man nennt sie ein unnützes Ding und das ist doch gänzlich unwahr; denn ist sie mal frisirt (dress the lock*), da ist sie immer mit Feuer und Stoß zur Hand. Freilich reicht jenes nicht über 100 Yards. Man giebt ihr gewöhnlich 1 bis 2 Dramms (Ladung)**) zu viel, das kann sie nicht vertragen, wird dann heftig, besonders wenn sie sehr beschäftigt ist, und stößt und schlägt Schulter, Backen und Auge blau. Oft wurde sie auch stark verstopft, dann fürchtete sich der Mann vor ihr, weil er weiß sie schlägt nun aus und ruckt, wenn sie ihre Stimme hören läßt, und sie mußte sich so gewöhnlich ungezielt entladen. War es da ein Wunder, wenn sie vorbei schoß?

Einige klagen über ihr großes Kaliber, andere über ihr unreinliches Hintertheil und über die Beschwerde sie zu reinigen, noch andere, da, sie sich doch immer tragen lasse, sie sei zu plump und zu schwer, und ein Grenadier mit seiner sechstägigen Ration, seinem Tornister und mit ihr habe über einen halben Centner zu schleppen. Mit einem Worte, sie schone weder Freund noch Feind.

Damit nicht zufrieden, beschuldigen sie ihre Verläumder öffentlich, sie halte sich Nachts in Kasernenstuben bei den Männern auf, und oft habe man sie sogar am hellen Tage in Schilderhäusern in Umarmung von Schildwachen gesehen. Selbst mit der Horse-Guarde halte sie es und schiffe sich sogar mit dem Manne ein, ohne daß ein Kommandirender sie je aus dem Schiffe wiese.

Ueberall war sie mit: Mit Parry im Polarmeere, mit Napier bei Meeanee, ja man behauptet, wenige Männer wären mit ihr so vertraut gewesen, wie Sir Charles. Skandalöser Weise erzählt man, sie sei am Sutledge Nacht für Nacht vor dem Zelte Hardings und Goughs auf und ab spazirend gesehen worden und selbst Lord Ellenborough habe sie im Felde von Mahanajpore bei sich gehabt.

*) Hahnspannen lock Loche und Hahn.
**) 1 Pfund = 16 Unzen, 1 Unze 16 Dramms. Der englische Soldat versteht auch darunter, was unser unter ¼ Pfund (Schnapps).

Gewiß ist's, sie war bei jedem Gefechte und auch jetzt ist sie nach dem Kaffernlande, wo sie am Bivouakfeuer neben dem Hochländer und dem Sappeur, wie neben Bashees und Burghers, ja selbst neben nackten Fingars liegt!

Mit Schützen mag sie nichts zu thun haben, darum lachen und spotten sie über sie, und „leider", sagt sie, „auch der alte Oberst Leach vom 95sten, dessen sie sich noch als eines braven Jungen von der Halbinsel her erinnere, wo sie ihm doch immer recht war." —

Die Zeiten haben sich freilich geändert, sie haben auch ihr mit-gespielt; doch ist's eine Schande, wie einer von der alten leichten Di-vision, der sich in Spanien manchen Scherz mit ihr erlaubte, nun so über sie herziehe!

Bei all der Schmähung fordere sie auf irgend wer soll beweisen, sie sei nicht mehr tugendhaft, sie sei je falsch gewesen und habe ihren Mann verlassen, der sich wie ein guter britischer Soldat auf sie ver-ließ! Ihre Verläumder mögen sich erinnern, daß sie manche heftige Chargen durchgemacht und dann wiederholt im Tower dreimal*) un-tersucht worden, ohne daß an ihr, geschweige in ihrer Seele, ein Ta-del gefunden, worüber sie Certifikate besitze, welche sie immer bei sich trage.

Sie giebt zu auch Fehler zu haben, wer aber hat die nicht? und ihr Aeußeres sei nicht immer ganz so wie sie es selbst wünscht. Ihre neuen Locken (neues Perkussionsschloß) müßten dann und wann mit etwas Macassaröl in Ordnung gebracht werden, was Mr. Lowel wohl besorgen würde, wenn nicht Leute in Pallmall und ein gewisser Fox Maule, dem John Bull gern seine Angelegenheiten anver-traut, ihre eigenen Sachen zur Geltung bringen wollten.

Jeden straft sie Lügen, der dem widerspricht, daß sie nicht bei Assaye und auf der Halbinsel dem Lord Wellington die größten Dienste erwiesen, und daß Se. Herrlichkeit nicht ihr alle Ehren und selbst die Herzogswürde verdankten. Ohne sie habe er auch bei Wa-terloo nichts thun können, und wenn er sich dort zuweilen vor den französischen Lanziers und Eisenjacken in ein Karree begeben mußte,

---

*) Nach jedem Feldzuge findet solche Untersuchung der Gewehre statt, wo dann die noch brauchbaren mit einem Stempel am Laufe versehen, wieder ausgegeben werden.

so war sie es, die mit ihren Stahldosen und Geschossen jene fernhielt und manchen von ihnen, der es wagte sich zu nähern, auf die Erde setzte. Ohne Prahlerei erklärt sie, nur ihre Bravour zwang Napoleon dort seine Garden, alte und junge, hervorzubringen und auch die habe sie abgefunden und so den Tag entschieden. Sie erkennt aber auch dankbar, daß der Herzog viel gethan, um ihren Kredit zu erhalten; er trat immer für sie auf und längst wäre sie verabschiedet, hätte man Sr. Herrlichkeit wegen nicht Anstand genommen, sie durch häßliche, kleine, fremde Geschöpfe zu verdrängen.

Auf Sir Napier und auf seinen Bruder, dem Geschichtsschreiber, beruft sie sich, auf Männer, die wissen was Flinten sind, ob nicht die braune Beß immer tiefere Eindrücke machte, als die Flinten aller übrigen Souveraine und die wissen, daß tüchtige Generale bisher nie über ihr groß Kaliber klagten!

Der Herzog hat nun auch, mit seiner bedeutenden Autorität und mit einigen Freunden der braunen Beß, alles gethan, um sie wieder ganz achtbar zu machen. Sr. Herrlichkeit meint, man dürfe nur Geringes daran wenden, um die gute, alte, freilich ungezogene Seele, noch zu ziehen, und sie allen ihren Feinden, nah und fern, furchtbar zu machen. Gut gezogen werde sie ein halb Pfund leichter und dazu viel besser, besonders wenn sie Frau Minié werde.

Damit ist sie ganz zufrieden, die Ehepakten sind daher ausgefertigt und unterschrieben, die Ceremonie wird in Birmingham stattfinden. Sie verspricht auch künftig nicht mehr als 2¼ Dramms (Pulverladung) zu nehmen und ein Blei mit Spitze, das sich zweckmäßig ausdehnt. Sie will vollkommen manierlich werden und nicht mehr fehlen, vielmehr jeden Feind der Königin sicher treffen, sollte er sich auch auf 1000 Yards zeigen. — So wird die braune Beß alle Verläumdung zu Schanden machen, und als Liebling der ganzen Armee noch vor Ablauf des Jahres 1852 von allen mit offenen Armen empfangen werden.

Druck von E. S. Mittler und Sohn in Berlin, Spandauerstr. 52.